DE TWEEMINUTENREGEL

Van Robert Crais verscheen eveneens bij Uitgeverij De Fontein:

De lijfwacht

Robert Crais

DE TWEEMINUTENREGEL

De Fontein

Oorspronkelijke titel: *The Two Minute Rule*

Deze uitgave is totstandgekomen na overeenkomst met Lennart Sane Agency AB.

Vertaald uit het Engels door: Ineke van den Elskamp
Omslagontwerp: Mark Hesseling Design, Ede
Zetwerk: Text & Image, Almere
ISBN 978 90 261 2352 8
NUR 332

www.uitgeverijdefontein.nl
www.robertcrais.com

Opgedragen aan de nagedachtenis van

rechercheur Terry Melancon, jr.
Baton Rouge Police Department
10 augustus 2005

Held.

'Dank u, meneer de politieman.'

Proloog

Marchenko en Parsons reden zestien minuten rondjes om de bank en snoven Krylon Royal Blue Metallic om het effect van de meth te rekken en in de juiste stemming te komen. Volgens Marchenko leverde de Royal Blue Metallic hun in de bank voordeel op: ze werden er fel van en gingen er wild van uit hun ogen kijken, want Royal Blue was een kleur van krijgers. Parsons genoot gewoon van de kick, het gevoel dat hij buiten zijn lichaam stond, alsof hij door een onzichtbaar vlies van de wereld werd gescheiden.

Opeens gaf Marchenko een harde klap op het dashboard. Zijn brede Oekraïense gezicht was paars, zijn blik woest, en Parsons wist dat het moment gekomen was.

'We pakken ze!' schreeuwde Marchenko.

Parsons gaf een ruk aan de grendel van zijn M4-karabijn terwijl Marchenko hun gestolen Corolla het parkeerterrein op draaide. Parsons hield zijn vinger angstvallig uit de buurt van de trekker. Hij mocht niet schieten voordat Marchenko het teken gaf. Marchenko stond tenslotte aan het hoofd van hun kleine onderneming en Parsons vond dat prima. Marchenko had hen miljonair gemaakt.

Om zeven minuten over drie die middag reden ze het parkeerterrein op en stopten dicht bij de deur. Ze zetten hun zwarte gebreide bivakmutsen op zoals ze dat al twaalf keer eerder hadden gedaan, sloegen in een moment van *esprit de corps* hun gehandschoende vuisten tegen elkaar en schreeuwden nu alsof ze het meenden in koor: 'We pakken ze!'

Als twee grote zwarte beren wurmden de mannen zich de auto uit. Marchenko en Parsons waren allebei uitgedost in een zwart legeruniform, inclusief laarzen, handschoenen en een bivakmuts; over een kogelwerend vest dat ze op eBay hadden gekocht, droegen ze een munitievest waar zo veel extra magazijnen voor hun karabijnen uit staken, dat hun toch al bolle bovenlijf er opgezwollen uitzag. Parsons had een grote nylon tas bij zich voor het geld.

In het volle daglicht, zo opvallend als twee vliegen in een beker melk, kuierden Marchenko en Parsons naar de bank als twee worstelaars die ontspannen naar de ring lopen.

Parsons dacht er geen moment bij na dat er wel eens politie zou kunnen komen of dat ze konden worden gepakt. De eerste paar keer dat ze een bank overvielen was hij bang geweest, maar dit was hun dertiende gewapende bankoverval en inmiddels was wel duidelijk dat ze nog nooit zo makkelijk geld hadden verdiend. Die bankmedewerkers gáven het je gewoon, bewaking was iets uit het verleden: banken hadden geen bewakers meer in dienst, want de schadeclaims bij calamiteiten waren te hoog. Je hoefde alleen maar naar binnen te stappen, en het geld lag voor het grijpen.

Toen ze de bank binnengingen, was er net een vrouw in een mantelpakje op weg naar buiten. Schichtig keek ze naar hun zwarte commando-uitrusting en hun wapens en ze probeerde op haar schreden terug te keren, maar Marchenko greep haar bij haar hoofd, schopte haar benen onder haar vandaan en duwde haar op de grond. Hij hief zijn karabijn en schreeuwde zo hard hij kon.

'Dit is een overval! Deze *fucking* bank is van óns!'

Dat was voor Parsons het teken, en hij bestookte het plafond met twee angstwekkende salvo's van zijn karabijn. Plafondplaten kwamen omlaag en drie rijen lampen spatten uiteen. Scherven, puin en verdwaalde kogels ketsten tegen de muren en sloegen rinkelend tegen bureaus. Patroonhulzen vielen rinkelend als bestek op een wild feest uit de karabijn. Het automatische wapen maakte in de overdekte ruimte zo veel lawaai dat Parsons de bankbedienden geen moment hoorde gillen.

Hun dertiende bankoverval was officieel begonnen. De klok liep.

Lynn Phelps, de derde vrouw in de rij voor een van de loketten, schrok zoals iedereen van het geluid van het vuurwapen en liet zich op de grond vallen. Ze greep de vrouw die achter haar stond bij de benen, trok haar omlaag en keek daarna behoedzaam hoe laat het was. Haar digitale Seiko gaf precies vijftien-nul-negen aan. Negen minuten over drie. Tijd was een cruciale factor.

Mevrouw Phelps, een tweeënzestig jaar oude slonzige vrouw met overgewicht, was een gepensioneerde hulpsheriff uit Riverside in Californië. Ze was naar Culver City verhuisd met haar nieuwe echtgenoot, Steven Earl Phelps, een gepensioneerde politieman uit Los Angeles, en ze was pas acht dagen klant bij dit bankfiliaal. Ze was niet gewapend, maar zou haar wapen ook niet getrokken hebben als ze het bij zich had gehad. Lynn Phelps had al gezien dat de twee hufters die haar bank aan het beroven waren geen professionals waren, want ze verspilden tijd aan scheldkanonnades en machtsvertoon, terwijl ze zo snel mogelijk hadden moeten doen waarvoor ze gekomen waren. Professionals zouden direct de directeur gepakt hebben en de bankbedienden hun kassalades hebben laten omkeren. Professionals wisten dat snelheid van levensbelang was. Deze hufters waren duidelijk amateurs. Erger nog: het waren tot de tanden gewapende amateurs. Professionals willen het er levend afbrengen; amateurs schieten je zomaar overhoop.

Lynn Phelps keek nog eens hoe laat het was. Tien over drie. Er was een minuut voorbijgegaan en die twee idioten stonden nog steeds met hun wapens te zwaaien. Amateurs.

Marchenko duwde een latino naar een balie die bezaaid was met strookjes van stortingsformulieren. Het was een kleine, donkere man in een wijde bestofte overall vol witte verfspatten. Ook zijn handen waren stoffig en wit. Parsons vermoedde dat de man met gipsplaten in de weer was geweest voordat hij naar de bank kwam. De stumper sprak waarschijnlijk ook geen Engels, maar tijd voor taallessen hadden ze niet.

'Ga met je *fucking* neus op de grond liggen!' schreeuwde Marchenko.

Meteen daarna gaf Marchenko de man een klap met de kolf van zijn karabijn. Het hoofd van de man begon te bloeden en hij zakte tegen de balie aan, maar hij ging niet liggen, dus haalde Marchenko opnieuw naar hem uit en sloeg hem tegen de grond. Marchenko draaide hem de rug toe. Zijn stem klonk woest en zijn ogen puilden uit de bivakmuts.

'Iedereen blijft plat op de grond liggen. Geen geintjes, want dan kun je het schudden. Kom hier, dik varken!'

Parsons' taak was eenvoudig. Hij hield iedereen in de smiezen en hij hield een oogje op de deur. Als er nieuwe mensen binnenkwamen, greep hij hen beet en duwde hen op de grond. En als er een politieman binnenkwam, knalde hij hem neer. Zo werkte dat. En hij nam de kasbedienden onder handen, terwijl Marchenko achter de sleutel aan ging.

Banken bewaren hun geld op twee plaatsen: de kassalades en de geldkast in de kluis. De directeur heeft de sleutel van de geldkast.

Terwijl Marchenko ervoor zorgde dat de klanten op de grond gingen liggen, sloeg Parsons zijn nylon tas uit en ging naar de kasbedienden. Het was doodsimpel: vier kasbedienden, allemaal jonge vrouwen uit Azië en het Midden-Oosten, en een oude taart aan een bureau achter de kasbedienden. Dat was waarschijnlijk de directrice. Er zat nog een bankbediende, waarschijnlijk een hypotheekmedewerker of een adjunct-directeur, aan een van de twee bureaus die voor de balie stonden.

Parsons liet zijn stem woest klinken zoals Marchenko dat deed en zwaaide met zijn wapen. Die meiden scheten in hun broek bij het zien van zijn karabijn.

'Ga bij die balie vandaan! Ga achteruit, verdomme! Sta op! Jij moet niet gaan liggen, stomme teef! Ga staan!'

Een van de kasbedienden had zich in tranen op haar knieën laten vallen, het stomme wijf. Parsons leunde over de balie en stootte naar haar met zijn karabijn.

'Sta op, trut!'

Achter hem had Marchenko het kereltje achter het bureau overeind getrokken en riep om de directeur.

'Wie van jullie heeft de sleutel? Wie is hier verdomme de directeur? Als ik iemand naar de kloten moet schieten, zal ik het niet laten!'

De vrouw bij het bureau achter de kasbedienden deed een stap vooruit en zei dat ze de directrice was. Ze stak haar beide handen in de lucht en kwam langzaam naar voren.

'Je kunt het geld krijgen. We zullen jullie niet tegenwerken.'

Marchenko duwde de man die hij beet had op de grond en beende naar de doorgang achter de kasbedienden. Terwijl hij zich van zijn taak kweet, gaf Parsons de kasbedienden opdracht naar hun plaats te gaan en waarschuwde dat ze niet op de alarmknop onder de balie moesten drukken. Hij zei dat ze hun lades op de balie moesten zetten en dat ze die kloteverfbommetjes eruit moesten laten. Met zijn karabijn in zijn rechterhand en de tas in zijn linker commandeerde hij dat ze hun geld in de tas moesten doen. Hun handen trilden, ze stonden stuk voor stuk te beven van angst. Parsons kreeg er een erectie van.

Met dat stomme wijf op de grond had hij een probleem. Ze wilde niet opstaan. Haar benen weigerden kennelijk dienst en ze hoorde zelfs zijn bevelen niet. Hij wilde al over de balie springen om het kreng lens te slaan toen de volgende kasbediende aanbood haar la te legen.

'Best. Kom hier en geef het geld.'

Op het moment dat de behulpzame kasbediende het geld in de tas deed, kwam een man met kort grijs haar en een verweerde huid de bank binnen. Parsons merkte hem alleen op omdat hij een van de kasbedienden naar de man zag kijken. Toen Parsons zijn kant op keek, wilde de man net weer weggaan.

De karabijn kwam als vanzelf omhoog en met een kort scherp *brrp* vlogen er drie kogels uit. De man wiekte met zijn armen en viel. De kasbedienden gilden. Parsons dacht er geen moment meer over na. Hij wierp een blik op de mensen op de grond om te controleren of niemand probeerde op te staan en richtte zich weer tot de kasbedienden.

'Geef me dat geld, verdomme.'

De laatste kasbediende had net haar geld in zijn tas gedaan toen Marchenko terugkwam uit de kluis. Zijn tas stond bol. Het grote geld lag altijd in de kluis.

'Alles goed?' vroeg Parsons.

Marchenko glimlachte achter zijn bivakmuts.

'Kan niet beter.'

Parsons ritste zijn tas dicht. Als er een verfbommetje ontplofte, zou het geld verpest zijn, maar de nylon tas zou voorkomen dat hij zelf onder de verf kwam te zitten. Soms zat er op de verfbommetjes een tijdschakelaar en soms werkten ze met een radarontsteking die werd geactiveerd wanneer je de bank verliet. En als er een verfbommetje ontplofte, ging de politie op zoek naar iemand die besmeurd was met watervaste inkt.

Ze stonden met het geld bij elkaar en keken achterom naar de bank en de mensen op de grond.

Marchenko schreeuwde, zoals altijd, zijn befaamde vaarwel.

'Blijf liggen, kijk niet op. Als je kijkt, ben ik het laatste wat je ziet.'

Toen hij zich omdraaide naar de deur, volgde Parsons zijn voorbeeld. Parsons keek niet één keer naar de man die hij had gedood. Hij wilde alleen maar naar huis om het geld te tellen. Toen ze bij de deur waren, wierp Parsons nog een snelle blik over zijn schouder om te zien of iedereen nog op de grond lag en zoals altijd was dat zo...

...want het beroven van banken was ook zo achterlijk eenvoudig.

Daarna liep hij achter Marchenko aan het licht tegemoet.

Toen de twee overvallers de deur uit stapten keek Lynn Phelps op haar horloge. Het was achttien over drie, negen minuten nadat de twee klojo's in hun zwarte pakken en met hun grote wapens de bank waren binnengekomen. Professionele bankovervallers wisten dat ze minder dan twee minuten hadden voor een overval en dat ze dan moesten maken dat ze wegkwamen. Twee minuten was de tijd die minimaal verstreek voor een bankmedewerker het stille alarm activeerde, dat alarm binnenkwam bij de beveiligingsbedrijven die banken in de arm namen om dit soort dingen in de gaten te houden, en de politie uitrukte nadat ze waren gewaarschuwd dat er een overval plaatsvond. Na die twee minuten werd de kans dat een bankovervaller werd gepakt met de seconde groter. Een professional zou hem smeren zodra die twee minuten voorbij waren, of hij het geld nu had of niet. Lynn Phelps wist dat deze kerels met hun gelummel amateurs waren. Vroeg of laat zouden ze de klos zijn.

Lynn Phelps bleef op de grond liggen en wachtte af. De klok tikte door. Tien minuten. Ze zuchtte.

Wat er buiten zou gebeuren, wist Lynn Phelps niet precies, maar ze had wel zo'n flauw vermoeden.

Parsons liep achteruit de bank uit om te voorkomen dat de mensen die ze zojuist hadden beroofd achter hen aan kwamen. Hij botste tegen Marchenko op, die een eindje van de deur was blijven stilstaan toen de versterkte stem over het parkeerterrein galmde.

'Halt! Politie! Geen beweging!'

Parsons nam de situatie bliksemsnel in zich op. Twee onopvallende personenauto's stonden aan de andere kant van het parkeerterrein en een zwart-witte surveillancewagen blokkeerde de uitgang. In de straat achter de surveillancewagen stond een gebutst Ford-bestelbusje. Achter de auto's hadden zich nors kijkende mannen in burger opgesteld met pistolen, geweren en karabijnen in de aanslag. Twee agenten in uniform stonden aan weerszijden van hun patrouillewagen.

'Wauw,' zei Parsons.

Hij was niet bang, noch erg verbaasd, hoewel zijn hart bonsde. Marchenko richtte zonder aarzelen zijn karabijn en opende het vuur. De beweging van Marchenko's wapen werkte als een afgesproken teken. Parsons begon ook te schieten. Hun aangepaste M4-karabijnen deden het perfect en spogen aan de lopende band kogels uit. Parsons voelde zachte stoten in zijn buik, borst en linkerbovenbeen, maar schonk er geen aandacht aan. Hij liet zijn magazijn vallen, ramde er een nieuw in en herlaadde. Hij zwenkte in de richting van de surveillancewagen, vuurde een salvo af en draaide terug naar de onopvallende personenauto's toen Marchenko viel. Marchenko vloog niet achteruit en hij tolde ook niet om zijn as of iets dergelijks; hij zakte gewoon in elkaar als een marionet waarvan de touwtjes werden doorgeknipt.

Parsons wist niet waar hij heen moest of wat hij moest doen, behalve blijven schieten. Hij stapte over Marchenko's lichaam heen en zag dat een van de mannen achter de personenauto's een wapen had dat sterk op het zijne leek. Parsons richtte, maar net niet snel genoeg. Kogels drongen door zijn vest en deden hem wankelen. De wereld werd opeens grijs en mistig en hij kreeg een roezig gevoel in zijn hoofd dat heel anders was dan dat van de Royal Blue Metallic. Parsons wist het niet, maar zijn rechterlong was doorboord en zijn aorta was gescheurd. Hij viel hard op zijn kont, maar de klap drong niet tot hem door. Hij zakte achterover, maar dat zijn hoofd tegen de stenen sloeg, voelde hij niet. Hij begreep dat het allemaal helemaal verkeerd was gegaan, maar kon nog niet geloven dat hij doodging.

Gedaantes en schaduwen hingen boven hem, maar hij wist niet wie of wat het waren en het interesseerde hem ook niet. Terwijl zijn buikholte zich met bloed vulde en zijn bloeddruk daalde, dacht Parsons aan het geld, de centen, al die prachtige groene briefjes die ze hadden gestolen en opgepot, elke dollar een wens en een fantasie, miljoenen onvervulde wensen die buiten zijn bereik lagen en steeds onbereikbaarder werden. Parsons had altijd geweten dat het verkeerd was banken te beroven, maar hij had ervan genoten. Marchenko had hen rijk gemaakt. En ze waren rijk geweest.

Parsons zag hun geld.

Het lag op hen te wachten.

Parsons' hart hield op met kloppen en zijn ademhaling stopte. Pas toen verdampten in het helle licht van die hete straat in Los Angeles zijn dromen over het geld.

Hun twee minuten waren allang voorbij. Parsons' en Marchenko's tijd was gekomen.

DEEL EEN

86 dagen later

1

'Je bent nog niet te oud. Zesenveertig is niet oud meer tegenwoordig. Je hebt nog zeeën van tijd om een nieuw leven te beginnen.'

Holman gaf geen antwoord. Hij stond na te denken hoe hij zijn tas zou inpakken. Al zijn bezittingen lagen keurig opgevouwen op het bed: vier witte T-shirts, drie onderbroeken van het merk Hanes, vier paar witte sokken, twee overhemden met korte mouwen (een beige en een geruit), een kaki broek, plus de kleren die hij aan had gehad toen hij werd gearresteerd voor een bankoverval, tien jaar, drie maanden en vier dagen geleden.

'Zeg, Max, hoor je wel wat ik zeg?'

'Ik moet m'n kleren inpakken. Mag ik je iets vragen? Vind jij dat ik mijn oude kloffie moet houden, van vroeger? Ik denk niet dat ik die broek nog pas.'

Wally Figg, die aan het hoofd stond van het Community Correctional Center, een soort halfopen inrichting voor gedetineerden, stapte naar voren en wierp een blik op de broek. Hij raapte hem op en hield hem naast Holman. Op de crèmekleurige pantalon zaten nog de vuile strepen van tien jaar en drie maanden geleden toen de politie Holman in de First United California Bank tegen de grond had gewerkt. Wally keek vol waardering naar de stof.

'Da's een mooie broek, man. Wat is het er voor een, Italiaans?'

'Armani.'

Wally knikte vol ontzag.

'Ik zou hem houden als ik jou was. Zonde om zo'n mooie broek weg te doen.'

'Ik ben zeker tien centimeter dikker dan toen.'

In die tijd liet Holman het breed hangen. Hij stal auto's, overviel vrachtwagens en beroofde banken. Bulkend van het snelle geld, snoof hij speed als ontbijt en dronk hij Maker's Mark als lunch. Hij was zo nerveus van de dope en zo katterig van de drank, dat hij zelden de moeite nam om te eten. In de gevangenis was hij aangekomen.

Wally vouwde de broek weer op.

'Als ik jou was, zou ik hem houden. Je komt wel weer in vorm. Zo heb je meteen een doel: die broek weer aan kunnen.'

Holman gooide de broek naar Wally. Wally was slanker.

'Kan het verleden beter achter me laten.'

Wally bekeek de broek bewonderend en keek toen treurig naar Holman.

'Je weet dat het niet mag. We mogen niets van de bewoners aannemen. Ik kan hem wel aan een van andere jongens geven, als je wilt. Of aan de kringloopwinkel.'

'Mij best.'

'Heb je nog voorkeur voor iemand?'

'Nee, maakt niet uit.'

'Oké. Prima.'

Holman keek weer naar zijn kleren. Zijn koffer was een boodschappentas van Albertsons. Technisch gezien was Max Holman nog steeds een gevangene, maar over een uur zou hij vrij zijn. Als je een gevangenisstraf hebt uitgezeten, laten ze je niet zomaar van de ene op de andere dag gaan. De vrijlating uit de gevangenis gebeurde stapsgewijs. Je begon eerst met een halfjaar in een Intensive Confinement Center waar je af en toe een dag proefverlof had en gedragstherapie kreeg – hulp bij het afkicken als je dat nodig had, dat soort dingen. Daarna werd je bevorderd naar een Community Correctional Center waar ze je in een gemeenschap met normale burgers lieten wonen en werken. Holman had de afgelopen drie maanden, de laatste fase van zijn vrijlatingsprocedure, doorgebracht in het CCC in Venice, een wijk aan de kust tussen Santa Monica en Marina del Rey, en had zich voorbereid op zijn vrijlating. Vanaf vandaag zou Holman niet meer volledig onder overheidstoezicht staan, maar aan zijn proeftijd beginnen. Voor het eerst in tien jaar zou hij vrij man zijn.

'Nou, goed dan, ik ga de papieren bij elkaar zoeken. Ik ben trots op je, Max. Dit is een grote dag. Ik ben echt blij voor je.'

Holman legde zijn kleren in de tas. Geholpen door zijn reclasseringsambtenaar, Gail Manelli, had hij zich verzekerd van een kamer in een motel en een baan. De kamer zou zestig dollar per week kosten, de baan zou honderdtweeënzeventig dollar vijftig netto opleveren. Een grote dag.

Wally gaf hem een klap op zijn rug.

'Ik zit in het kantoor als je zover bent. Zeg, weet je wat ik heb gedaan, als een soort afscheidscadeautje?'

Holman sloeg zijn ogen naar hem op.

'Nou?'

Wally haalde een visitekaartje uit zijn zak en gaf het aan Holman. Op het kaartje stond een foto van een antiek uurwerk. *Salvadore Jimenez, re-*

paraties, in- en verkoop horloges, Culver City, Californië. Holman las het kaartje en Wally legde het uit.

'De neef van mijn vrouw heeft een klein bedrijfje. Hij repareert horloges. Ik dacht, als je nou een baan hebt en zo, wil je misschien het horloge van je vader laten maken. Als je naar Sally toe wilt, laat het me dan weten, dan zorg ik dat je korting krijgt.'

Holman stak het kaartje in zijn zak. Hij droeg een goedkope Timex met een rekband die al twintig jaar stilstond. Vroeger had Holman een Patek Philippe van achttienduizend dollar gehad die hij had gestolen van ene Oscar Reyes, een autoheler. Reyes had geprobeerd hem af te zetten toen Holman hem een gestolen Carrera verkocht, dus had Holman de keel van die schoft dichtgeknepen tot hij buiten westen raakte. Maar dat was toen. Nu droeg Holman de Timex, ook al stonden de wijzers stil. De Timex was van zijn vader geweest.

'Bedankt, Wally, daar ben ik blij mee. Ik was het al van plan.'

'Een horloge dat niet loopt, daar heb je niet veel aan.'

'Nee, ik wil er iets aan laten doen, dus dit komt goed van pas.'

'Waarschuw me als je zover bent. Dan zorg ik dat hij je korting geeft.'

'Doe ik. Bedankt. Dan ga ik nu pakken, goed?'

Wally vertrok en Holman ging verder met inpakken. Hij had de kleren, zijn vaders horloge en driehonderdtwaalf dollar die hij tijdens zijn detentie had verdiend. Hij had geen auto en geen rijbewijs, geen vrienden of familie die hem na zijn vrijlating konden ophalen. Wally zou hem met de auto naar zijn motel brengen. Daarna moest Holman het alleen zien te redden met het openbaar vervoer van Los Angeles en een horloge dat het niet deed.

Holman liep naar zijn bureau voor de foto van zijn zoon. De foto van Richie was het eerste wat hij hier in zijn kamer in het CCC had neergezet en het zou het laatste zijn wat hij inpakte wanneer hij vertrok. Het was een kiekje van zijn zoon toen hij acht jaar was, een kind met een fietsenrek, stekeltjeshaar, een donkere huid en ernstige ogen: een kinderlichaam waarin Holmans brede nek en schouders al zichtbaar werden. De laatste keer dat Holman de jongen had gezien, was voor de twaalfde verjaardag van zijn zoon – Holman een dag te laat natuurlijk, goed bij kas omdat hij in San Diego twee gestolen Corvettes van de hand had gedaan, en stomdronken. Donna, de moeder van de jongen, had de tweeduizend dollar die hij haar aanbood aangenomen, zijn te late, armzalige bijdrage in het onderhoud van het kind, de alimentatie die hij nooit betaalde en waarmee hij altijd achterliep. Donna had hem de oude foto gestuurd in het tweede jaar dat hij vastzat, uit schuldgevoel omdat ze de jongen bij Holman weghield, niet met de jongen naar de gevangenis wilde komen om Holman te bezoeken, de jongen niet met Holman aan de telefoon wilde laten praten en Holmans brieven niet aan hem wilde geven, ook al hadden ze niet veel om het lijf en schreef hij onregelmatig. Holman nam het haar niet meer kwalijk. Ze had de jongen goed opgevoed, zonder enige hulp van hem. Zijn zoon had iets bereikt en Holman was daar verdomde trots op.

Holman legde de foto plat in de tas en stopte de rest van de kleren er ter bescherming bovenop. Hij keek om zich heen. De kamer zag er eigenlijk nauwelijks anders uit dan een uur geleden, voor hij was begonnen.

'Nou, dat is het dan,' zei hij.

Hij zei tegen zichzelf dat hij moest gaan, maar deed het niet. Hij ging op de rand van het bed zitten. Het was een grote dag, maar hij drukte als een loden last op zijn schouders. Hij zou naar zijn nieuwe kamer gaan, contact opnemen met zijn reclasseringsambtenaar en dan op zoek gaan naar Donna. Het was twee jaar geleden dat hij voor het laatst een brief van haar had gekregen. Niet dat ze überhaupt vaak had geschreven, maar de vijf brieven die hij sindsdien naar haar had gestuurd, waren allemaal teruggekomen: 'onbekend op dit adres'. Holman vermoedde dat ze getrouwd was en dat haar nieuwe man niet wilde dat haar veroordeelde criminele vriendje zich met hun leven bemoeide. Dat nam Holman haar ook niet kwalijk. Ze waren nooit getrouwd, maar ze hadden samen een kind en dat moest toch iets betekenen, ook al haatte ze hem. Holman wilde zijn excuses aanbieden en haar duidelijk maken dat hij veranderd was. Als ze een nieuw leven was begonnen, wilde hij haar daarmee gelukwensen en daarna verdergaan met zijn eigen leven. Acht of negen jaar geleden zag hij zichzelf de deur uit rennen als hij aan deze dag dacht, maar nu bleef hij op het bed zitten. Holman zat er nog toen Wally terugkwam.

'Max?'

Wally stond in de deuropening alsof hij bang was om binnen te komen. Zijn gezicht was bleek en hij likte onophoudelijk langs zijn lippen.

'Wat is er, Wally? Heb je last van je hart of zo?' vroeg Holman.

Wally deed de deur dicht. Hij keek naar een schrijfblokje alsof daar iets op stond wat hij niet goed had begrepen. Hij was duidelijk ergens van geschrokken.

'Wat is er Wally?'

'Jij hebt toch een zoon? Richie?'

'Ja, dat klopt.'

'Hoe heet hij voluit?'

'Richard Dale Holman.'

Holman stond op. Wally zat hem te veel te friemelen en langs zijn lippen te likken.

'Je weet dat ik een zoon heb. Je hebt zijn foto gezien.'

'Dat is nog een kind.'

'Hij zal inmiddels drieëntwintig zijn. Ja, drieëntwintig. Waarom wil je dat weten?'

'Moet je horen, Max, zit hij bij de politie? Hier in L.A.?'

'Ja, dat klopt.'

Wally kwam naar hem toe en raakte met vingers zo licht als een zucht Holmans arm aan.

'Wat erg, Max. Ik heb slecht nieuws voor je. Bereid je voor op het ergste.'

Wally keek Holman doordringend aan alsof hij wachtte op een teken. Holman knikte.

'Goed, Wally. Wat is er?'

'Hij is gisteravond gedood. Ik vind het vreselijk voor je, man. Ik vind het echt verschrikkelijk.'

Holman hoorde de woorden. Hij zag het verdriet in Wally's ogen en voelde de bezorgdheid in Wally's aanraking, maar Wally en de kamer en de wereld lieten Holman achter als een auto die van een andere wegreed op een vlakke snelweg in de woestijn, alsof Holman op de rem trapte en Wally op het gaspedaal en Holman de wereld zag wegijlen.

Hij kwam weer bij zijn positieven en onderdrukte een holle, afschuwelijke pijn.

'Wat is er gebeurd?'

'Dat weet ik niet, Max. Toen ik je papieren ging halen belde er iemand van het Bureau of Prisons. Ze hadden niet veel te melden. Ze wisten niet eens zeker of het om jou ging en of je hier nog was.'

Holman ging weer zitten en nu kwam Wally naast hem zitten. Holman had nadat hij Donna had gesproken naar zijn zoon toe willen gaan. Die laatste keer dat hij de jongen had gezien, nauwelijks twee maanden voor Holman in zijn kraag werd gegrepen bij die bankklus, had de jongen tegen hem gezegd dat hij moest oprotten. Hij was met de auto meegerend toen Holman wegreed en had met natte en uitpuilende ogen geschreeuwd dat Holman een zak was. 'Rot op, zak!' had hij geschreeuwd. Holman droomde er nog van. Nu zaten ze hier op de rand van dit bed en had Holman het lege gevoel dat alles waar hij de laatste tien jaar naar toe had gewerkt, als een schip dat van koers was geraakt zwalkend tot stilstand was gekomen.

'Je mag best huilen als je wilt,' zei Wally.

Holman huilde niet. Hij wilde weten wie het gedaan had.

Beste Max,

Ik schrijf je om je te laten weten dat Richard ondanks jouw kwade aard iets bereikt heeft. Richard is bij de politie gegaan. Afgelopen zondag heeft hij zijn diploma van de politieacademie gekregen en het was heel bijzonder. De burgemeester hield een toespraak en er kwamen heel laag helikopters overvliegen. Richard is nu politieagent. Hij is sterk en goedaardig en niet zoals jij. Ik ben zo trots op hem. Hij zag er heel knap uit. Ik denk dat hij op deze manier wil bewijzen dat het oude gezegde 'zo vader, zo zoon' niet waar is.

Donna

Dit was de laatste brief die Holman had gekregen. Dat was toen hij nog in Lompoc zat. Holman herinnerde zich dat hij bij de zinsnede kwam waar ze schreef dat er geen waarheid school in 'zo vader, zo zoon' en dat hij zich bij het lezen van die woorden niet schaamde of geneerde. Hij was opgelucht geweest. Hij herinnerde zich dat hij dacht: goddank, goddank.

Hij schreef haar, maar de brieven kwamen terug. Hij schreef naar zijn zoon per adres 'Los Angeles Police Department', een kort briefje om de jongen te feliciteren, maar kreeg geen antwoord. Hij wist niet eens of Richie de brief had ontvangen of niet. Hij wilde zich niet opdringen. Hij had niet meer geschreven.

2

'Wat moet ik nou?'

'Hoe bedoel je?'

'Ik weet niet wat ik hiermee moet. Moet ik nu naar iemand toe? Is er iets wat ik moet doen?'

Holman had vóór zijn zeventiende verjaardag in totaal negen maanden in de jeugdgevangenis doorgebracht. Zijn eerste veroordeling als volwassene volgde toen hij achttien was: zes maanden voor autodiefstal. Daarna kreeg hij zestien maanden cel voor een inbraak en vervolgens drie jaar voor twee tenlasteleggingen: beroving en inbraak. Alles bij elkaar had Holman een derde van zijn volwassen leven in justitiële inrichtingen doorgebracht. Hij was eraan gewend dat mensen hem zeiden wat hij moest doen en waar hij dat moest doen. Wally scheen te merken dat hij zich geen raad wist.

'Ga maar gewoon door met waar je mee bezig was, zou ik zeggen. Hij was bij de politie. Jeetje, je hebt me nooit verteld dat hij politieman was. Dat is nogal wat.'

'En hoe moet dat met de begrafenis?'

'Dat weet ik niet. Ik denk dat de politie dat regelt.'

Holman probeerde te bedenken wat normale mensen op dit soort momenten deden, maar hij had er geen ervaring mee. Zijn moeder was overleden toen hij nog klein was en zijn vader was gestorven toen Holman zijn eerste straf wegens diefstal uitzat. Hij had met hun begrafenissen niets van doen gehad.

'Weten ze zeker dat het dezelfde Richie Holman is?'

'Wil je met een maatschappelijk werker praten? We kunnen iemand laten komen.'

'Nee, ik heb geen maatschappelijk werker nodig, Wally. Ik wil weten wat er is gebeurd. Jij vertelt me net dat mijn zoon is gedood. Ik wil van alles weten. Je kunt niet zomaar tegen iemand zeggen dat zijn zoon is omgekomen en het daarbij laten. Mijn god...'

Wally maakte een kalmerend gebaar om Holman tot bedaren te brengen, maar Holman was niet boos. Hij wist niet wat hij anders moest doen of moest zeggen en hij had niemand om het tegen te zeggen, behalve Wally.

'Mijn god, Donna zal er kapot van zijn. Ik moet met haar gaan praten.'

'Goed. Kan ik je daarbij helpen?'

'Dat weet ik niet. De politie zal wel weten waar ze te bereiken is. Als ze mij op de hoogte brengen, zullen ze haar ook wel hebben gebeld.'

'Ik zal eens kijken wat ik te weten kan komen. Ik heb tegen Gail gezegd dat ik haar zou bellen als ik je had gesproken. Zij heeft het telefoontje van de politie gekregen.'

Gail Manelli was een zakelijke, jonge vrouw zonder gevoel voor humor, maar Holman mocht haar graag.

'Dat is goed, Wally,' zei Holman. 'Tuurlijk.'

Wally nam contact op met Gail, die hem vertelde dat Holman nadere informatie kon krijgen van Richies teamchef op bureau Devonshire in Chatsworth, waar Richie had gewerkt. Twintig minuten later reden Wally en Holman in noordelijke richting over de 405 van Venice naar de San Fernando Valley, een rit van een klein halfuur. Ze parkeerden voor een keurig gebouw met een plat dak dat meer weg had van een moderne bibliotheek in een buitenwijk dan van een politiebureau. De lucht smaakte naar grafiet. Holman had twaalf weken in het CCC gewoond en was Venice niet uit geweest. Daar was de lucht altijd schoon, want het lag aan het water. In het CCC werden ze kort gehouden en de gedetineerden in beperkte hechtenis hadden het over 'op de boerderij'. Gedetineerden in beperkte hechtenis werden transitiegevangenen genoemd. Wanneer je in het systeem zat was er voor alles een naam.

Wally stapte uit de auto. Het leek alsof hij in een pan soep stapte.

'Allemachtig, wat is het hier heet.'

Holman zei niets. Hij hield van de warmte en genoot van de zon op zijn huid.

Ze meldden zich bij de receptie en vroegen naar hoofdinspecteur Levy. Levy was naar Gails zeggen Richies teamchef geweest. Holman was tientallen keren door de politie van Los Angeles gearresteerd, maar bureau Devonshire had hij nog nooit gezien. Door de tl-verlichting en de sobere, kleurloze inrichting kreeg hij echter het gevoel dat hij hier eerder was geweest en dat hij hier ook weer zou terugkomen. Politiebureaus, rechtszalen en strafinrichtingen maakten al sinds zijn veertiende deel uit van Holmans leven. Hij was eraan gewend. De psychosociaal medewerkers in de gevangenis hadden er voortdurend op gehamerd dat het voor carrièrecriminelen als Holman moeilijk was op het rechte pad te blijven omdat criminaliteit en gevangenisstraffen een normaal onderdeel van hun leven waren: de crimineel raakte de angst voor de straf voor zijn daden kwijt. Holman wist dat dat ook zo was. Hij was nu omringd door mensen met wapens en penningen, maar hij voelde niets. Dat stelde hem teleur. Hij had verwacht dat hij bang zou zijn of op zijn minst gespannen, maar hij had net zo goed in een supermarkt kunnen staan.

Een politieman in uniform van ongeveer dezelfde leeftijd als Holman kwam de hal in lopen, en de agent achter de balie gebaarde dat ze naar hem toe moesten gaan. Hij had kort zilvergrijs haar en sterren op zijn schouders, waaruit Holman opmaakte dat hij Levy was. Hij keek naar Wally.

'Meneer Holman?'

'Nee, ik ben Walter Figg, van het CCC.'

'Ik ben Holman.'

'Chip Levy. Ik was Richards teamchef. Als u met me meeloopt, kan ik u vertellen wat we weten.'

Levy was een gedrongen gespierde man. Hij zag eruit als een turner op leeftijd. Hij schudde Holman de hand en op dat moment zag Holman dat hij een zwarte band om zijn arm droeg. Dat gold ook voor de twee agenten achter de balie en een andere politieman die posters aan een mededelingenbord ophing: SPORTKAMP IN DE ZOMERVAKANTIE!! SCHRIJF JE KINDEREN NU IN!!

'Ik wil alleen weten wat er is gebeurd. Ik moet iets voor de begrafenis regelen, neem ik aan.'

'Kom mee naar achteren. Daar is het rustiger.'

Wally bleef in de hal wachten. Holman stapte door de metaaldetector en liep achter Levy aan door een gang naar een verhoorkamer. Binnen zat al een andere politieman in uniform te wachten. Deze droeg brigadierstrepen. Hij stond op toen ze binnenkwamen.

'Dit is Dale Clark. Dale, dit is de vader van Richard.'

Clark greep Holmans hand stevig beet en hield hem langer vast dan Holman prettig vond. In tegenstelling tot Levy nam Clark hem aandachtig op.

'Ik was Richards directe chef. Hij was een bijzondere jongeman. Een van de besten.'

Holman mompelde een bedankje, maar wist niet wat hij verder moest zeggen; hij moest er opeens aan denken dat deze mannen zijn zoon hadden gekend en met hem hadden gewerkt, terwijl hij helemaal niets van de jongen wist. Toen hij dat besefte, wist hij niet meer hoe hij zich moest gedragen. Hij wilde dat Wally bij hem was.

Levy vroeg hem plaats te nemen aan een kleine tafel. Alle politiemensen die Holman ooit hadden ondervraagd, hadden zich achter een vernisje van afstandelijkheid verscholen, alsof alles wat Holman zei van geen enkel belang was. Holman had lang geleden al begrepen dat de blik in hun ogen afwezig leek omdat ze nadachten. Ze probeerden te bedenken hoe ze hem moesten aanpakken om achter de waarheid te komen. Levy was geen uitzondering.

'Wilt u misschien een kop koffie?'

'Nee, dank u wel.'

'Water of iets anders?'

'Nee, laat maar.'

Levy ging tegenover hem zitten en legde zijn handen gevouwen op tafel. Clark nam aan de zijkant van de tafel links van Holman plaats. Terwijl Levy zich naar voren boog en met zijn armen op tafel zat, leunde Clark met over elkaar geslagen armen naar achteren.

'Goed. Voor we verdergaan, wil ik graag uw identiteitsbewijs zien,' zei Levy.

Holman kreeg meteen het gevoel dat ze hem in de zeik probeerden te nemen. Het Bureau of Prisons had hun verteld dat hij zou komen en nu vroegen ze plotseling naar zijn identiteitsbewijs!

'Heeft mevrouw Manelli niet met u gesproken?'

'Het is maar een formaliteit. Bij dit soort gevallen komen er wel eens mensen naar het bureau die beweren dat ze familie zijn. Meestal proberen ze dan de verzekering een pootje te lichten.'

Holman pakte zijn papieren en voelde dat hij bloosde.

'Ik ben nergens op uit.'

'Het is maar een formaliteit. Kom,' zei Levy.

Holman liet hun zijn ontslagformulier en het door de overheid verstrekte identiteitsbewijs zien. Omdat veel gevangenen bij hun vrijlating niet over identiteitspapieren beschikten, voorzag de overheid hen van een identiteitskaart met foto die veel weg had van een rijbewijs. Levy wierp een blik op de kaart en gaf hem terug.

'Goed, prima. Het spijt me dat u het op deze manier hebt moeten vernemen, via het Bureau of Prisons, maar we wisten niet van uw bestaan af.'

'Hoe bedoelt u?'

'U stond niet vermeld in het personeelsdossier van de agent. Achter "vader" had Richie "onbekend" geschreven.'

Holman voelde dat hij nog roder werd, maar keek Clark strak aan. Clark zat hem op te naaien. Kerels als Clark hadden hem vrijwel zijn hele leven in de zeik gezet.

'Als jullie niet wisten dat ik bestond, hoe hebben jullie me dan gevonden?'

'Via Richards vrouw.'

Holman liet het even tot zich doordringen. Richie was getrouwd en Richie noch Donna had het hem verteld. Levy en Clark zagen kennelijk aan zijn gezicht wat hij dacht, want Levy schraapte zijn keel.

'Hoelang zit u al?'

'Tien jaar. Mijn straf zit er nu op. Ik begin vandaag aan mijn proeftijd.'

'Waar hebt u voor gezeten?' vroeg Clark.

'Bankovervallen.'

'Hmmm, dus u hebt al een tijdje geen contact met uw zoon gehad?'

Holman werd boos op zichzelf omdat hij zijn ogen neersloeg.

'Ik hoopte weer met hem in contact te komen als ik vrij was.'

Clark knikte nadenkend.

'U had hem toch vanuit de reclasseringsinrichting kunnen bellen? Ze geven jullie genoeg armslag daar.'

'Ik wilde niet bellen zolang ik in bewaring zat. Als hij wilde afspreken, wilde ik niet eerst toestemming hoeven vragen. Ik wilde dat hij me zag als ik vrij was, met mijn gevangenisstraf achter de rug.'

Nu leek Levy zich te generen, dus begon Holman snel zelf vragen te stellen.

'Kunt u me vertellen hoe het met Richies moeder gaat? Ik wil graag weten hoe het met haar is.'

Levy keek even naar Clark, die zijn blik opvatte als een teken dat hij moest antwoorden.

'We hebben Richards vrouw op de hoogte gesteld. Zij was onze eerste verantwoordelijkheid, begrijpt u, omdat ze zijn echtgenote is. Het zou kunnen dat zij zijn moeder of iemand anders op de hoogte heeft gebracht, maar dat heeft ze ons niet verteld. Dat is tenslotte haar zaak. Mevrouw Holman, Richards echtgenote, heeft ons over u verteld. Ze wist niet precies waar u was ondergebracht. Daarom hebben we contact opgenomen met het Bureau of Prisons.'

Levy nam het van hem over.

'We zullen u vertellen wat we weten. Veel is het niet. De afdeling Gewapende Overvallen behandelt de zaak vanuit het hoofdbureau. Op dit moment weten we alleen dat Richard een van de vier politiemensen was die vanochtend vroeg zijn neergeschoten. We denken dat het een soort hinderlaag was, maar dat weten we op dit moment nog niet zeker.'

'Eén uur vijftig ongeveer. Iets voor tweeën is het gebeurd,' zei Clark.

Levy ging verder alsof de onderbreking door Clark hem niet stoorde.

'Twee van de agenten hadden dienst, twee niet. Richard had geen dienst. Ze waren bij elkaar gekomen om –'

Holman viel hem in de rede.

'Dus ze zijn niet omgekomen bij een vuurgevecht of zo?'

'Als u daarmee bedoelt of ze wel of niet in een vuurgevecht verwikkeld zijn geweest, dan ben ik bang dat ik u daar geen antwoord op kan geven, maar de rapporten die ik heb, wijzen er niet op dat dat het geval is geweest. Het was een informele bijeenkomst. Ik weet niet in hoeverre ik in detail –'

'Ik hoef geen details. Ik wil alleen weten wat er is gebeurd.'

'De vier agenten hadden samen pauze, dat bedoelde ik met informeel. Ze waren uit hun auto gestapt, hun wapens zaten in de holster en ze hadden geen van allen gemeld dat er een misdrijf werd gepleegd of dat zich een incident voordeed. We denken dat het wapen of de wapens die zijn gebruikt, jachtgeweren waren.'

'Allemachtig.'

'Vergeet niet dat het pas een paar uur geleden is gebeurd. Er is net een speciaal rechercheteam opgezet en dat is nu hard aan het werk om uit te zoeken wat er is gebeurd. We zullen u op de hoogte houden van de ontwikkelingen, maar op dit moment weten we het gewoon niet. Het onderzoek is nog in volle gang.'

Holman ging verzitten. Zijn stoel kraakte.

'Weten jullie wie het heeft gedaan? Hebben jullie een verdachte?'

'Op dit moment niet.'

'Dus iemand heeft hem zomaar neergeschoten, toen hij de andere kant op keek of zo? In de rug? Ik probeer, wat zal ik zeggen, een beeld te krijgen, denk ik.'

'Meer weten we nog niet, meneer Holman. Ik weet dat u vragen hebt. Geloof me, die hebben wij ook. We zijn het nog aan het uitzoeken.'

Holman had het gevoel dat hij geen steek wijzer was geworden. En nadenken kon hij ook al niet. Als hij dat probeerde, zag hij een jongen voor zich die meerende met zijn auto en hem een zak noemde.

'Heeft hij geleden?'

Levy aarzelde.

'Toen ik het vanochtend hoorde ben ik meteen naar de plaats delict gereden. Richard was een van mijn mensen. De andere drie niet, maar Richard was een van ons hier van Devonshire en daarom wilde ik het per se zelf zien. Ik weet het niet, meneer Holman, ik zou graag tegen u zeggen dat hij niet heeft geleden. Ik zou graag denken dat hij het niet eens heeft zien aankomen, maar ik weet het niet.'

Holman keek Levy aan. Hij stelde zijn eerlijkheid op prijs. Hij was helemaal koud geworden vanbinnen, maar dat had hij eerder gehad.

'Ik wil nog iets weten over de begrafenis. Is er iets wat ik moet doen?'

'Dat regelt het bureau met zijn weduwe. Er is op dit moment nog geen datum vastgesteld. We weten nog niet wanneer de lijkschouwer de lichamen vrijgeeft.'

'Ach ja, natuurlijk, dat begrijp ik. Zou ik haar nummer kunnen krijgen? Ik wil haar graag spreken.'

Clark schoof achteruit en Levy vouwde opnieuw zijn handen en legde ze op tafel.

'Ik kan u haar nummer niet geven. Als u ons uw adres en zo geeft, zullen wij dat aan haar doorgeven met de mededeling dat u haar graag wilt spreken. Dan kan ze zelf beslissen of ze contact met u wil opnemen.'

'Ik wil haar alleen maar spreken.'

'Ik kan u het nummer niet geven.'

'Het is een kwestie van privacy. Onze eerste plicht is de familie.'

'Ik ben zijn vader.'

'Niet volgens het personeelsdossier.'

Daar had je het. Holman wilde iets zeggen, maar slikte de woorden in, net als hij altijd had gedaan als een medegevangene hem uitdaagde. Je moest ze te vriend houden.

Holman keek naar de grond.

'Goed, ja, ik snap het.'

'Als ze wil bellen, dan doet ze dat wel. Maar zo liggen de zaken.'

'Ja, natuurlijk.'

Holman kon zich het telefoonnummer van het motel waar hij zou verblijven, niet herinneren. Levy liep met hem mee naar de hal. Wally gaf ze het nummer en Levy beloofde dat hij zou bellen zodra ze meer wisten. Holman bedankte Levy voor zijn tijd. Te vriend houden.

Toen Levy zich omdraaide en weg wilde lopen, hield Holman hem staande.

'Inspecteur?'

'Ja?'

'Was mijn zoon een goede politieman?'

Levy knikte.

'Ja. Dat was hij zeker. Het was een goeie vent.'

Hij liep weg en Holman keek hem na.

'Wat zeiden ze?' vroeg Wally.

Holman draaide zich om zonder antwoord te geven en liep de deur uit naar de auto. Terwijl hij op Wally wachtte zag hij politiemensen het gebouw in en uit lopen. Hij keek omhoog naar de diepblauwe lucht en naar de bergen in het noorden. Hij probeerde zich vrij te voelen, maar het was net of hij nog in Lompoc was. Dat was prima, besloot Holman. Hij had een groot deel van zijn leven achter de tralies gezeten. Hij wist precies hoe hij zich in de gevangenis moest handhaven.

3

Holmans nieuwe onderkomen was een gebouw van drie verdiepingen dat één straat achter Washington Boulevard in Culver City stond ingeklemd tussen de Smooth Running Transmission Repair Service en een buurtsuper met ijzeren tralies voor de ramen. Pacific Gardens Motel Apartments was een van de zes mogelijkheden geweest op de lijst die Gail Manelli hem had gegeven toen het tijd werd dat Holman op zoek ging naar een plek om te wonen. Het motel was schoon en goedkoop en lag aan de route van een bus waarmee Holman zonder te hoeven overstappen bij zijn werk kon komen.

Wally stopte voor de ingang en zette de motor uit. Ze waren onderweg bij het CCC langsgegaan om Holman de gelegenheid te geven de papieren te tekenen en zijn spullen op te halen. Holmans proeftijd was nu officieel begonnen. Hij was vrij.

'Wat een rotmanier om te beginnen, man,' zei Wally, 'met zulk slecht nieuws op je eerste dag. Als je nog een paar dagen bij ons wilt blijven, dan kan dat, hoor. Dan kunnen we erover praten. En je kunt ook een afspraak maken met een van de maatschappelijk werkers.'

Holman opende het portier, maar stapte niet uit. Hij wist dat Wally zich zorgen om hem maakte.

'Ik zet mijn spullen op mijn kamer en dan bel ik Gail. Ik wil vandaag nog achter een rijbewijs aan. Ik wil zo snel mogelijk een auto hebben.'

'Het is een klap, man, dit nieuws. Je gaat net een nieuw leven beginnen en dan krijg je dit voor je kiezen. Laat je er niet door van de wijs brengen. Geef niet toe aan verkeerde gedachten.'

'Niemand laat zich van de wijs brengen.'

Wally zocht in Holmans ogen naar een geruststellend teken en Holman probeerde geruststellend te kijken. Maar blijkbaar trapte Wally er niet in.

'Je zult het nog zwaar krijgen, Max, moeilijke momenten alsof je in een doos gevangenzit en de zuurstof opraakt. Je zult honderden slijterijen en bars tegenkomen en nergens anders aan kunnen denken. Als je een zwak moment hebt, bel me dan.'

'Het komt wel goed, Wally. Maak je geen zorgen.'

'Vergeet niet dat je mensen hebt die achter je staan. Niet iedereen zou zich laten pakken zoals jij destijds, en daaruit blijkt wel dat je een sterk karakter hebt. Je bent een goed mens, Max.'

'Ik moet gaan, Wally. Ik heb nog veel te doen.'

Wally stak zijn hand uit.

'Je kunt me dag en nacht bellen, wanneer je maar wilt.'

'Bedankt, man.'

Holman pakte zijn tas met kleren van de achterbank, stapte uit de auto en zwaaide toen Wally wegreed. Holman had een van de acht studio's in Pacific Gardens besproken. Vijf van de zes andere bewoners waren gewone burgers en de zesde was net als Holman zojuist uit de gevangenis ontslagen. Holman vroeg zich af of de gewone burgers minder huur hoefden te betalen omdat ze met criminelen in één gebouw woonden. Het waren waarschijnlijk arme sloebers, dacht Holman, die blij mochten zijn dat ze een dak boven hun hoofd hadden.

Er viel iets nats in Holmans nek en hij keek omhoog. Pacific Gardens had geen centrale airconditioning. Druipende raamairconditioners hingen boven het trottoir. Er viel een druppel water op Holmans gezicht en hij deed een stap opzij.

De manager was een wat oudere zwarte man die Perry Wilkes heette. Hij zwaaide toen hij Holman zag binnenkomen. Hoewel Pacific Gardens zich wel zo afficheerde, was er geen receptie zoals in een echt motel. Perry was eigenaar van het gebouw en woonde in het enige appartement op de begane grond. Hij zat achter een bureau dat in een hoekje van de krappe hal stond, zodat hij in de gaten kon houden wie er binnenkwam en wegging.

Perry wierp een blik op Holmans tas.

'Hoi. Zijn dat al je spullen?'

'Ja, meer heb ik niet.'

'Nou, goed dan. Je woont hier nu officieel. Je krijgt twee sleutels. Het zijn echte metalen sleutels, dus als je er een verliest, raak je je borg kwijt.'

Holman had de huurovereenkomst al ingevuld en twee weken huur vooruitbetaald, evenals honderd dollar schoonmaakkosten en zes dollar borg voor de sleutels. Toen Holman het motel was komen bekijken, had Perry een preek tegen hem gehouden over lawaai, nachtbraken, het roken van hasj of sigaren in de kamers en de huur die zonder mankeren precies twee weken vooruit betaald moest worden. Alles was geregeld, zodat Holman alleen nog maar de kamer hoefde te betrekken, want zo zagen Gail Manelli en het Bureau of Prisons het graag.

Perry haalde een stel sleutels uit de middelste la van zijn bureau en overhandigde ze aan Holman.

'Deze zijn voor twee-nul-zes, op de bovenste verdieping hier aan de voorkant. Ik heb er nog een vrij, op de tweede verdieping aan de achterkant, maar kijk eerst maar naar twee-nul-zes, die is mooier. Als je de andere ook wilt zien, dan hoor ik het wel.'

'Is dit een van de kamers die op de straat uitkijken?'

'Ja, hier aan de voorkant op de bovenste verdieping. Je hebt nog een aardig uitzicht ook.'

'Er druipt water uit de airconditioners op de mensen die voorbijkomen.'

'Dat heb ik al eerder gehoord en toen kon het me ook geen reet schelen.'

Holman ging naar boven om de kamer te bekijken. Het was een eenvoudige studio met vuilgele muren, een doorgezakt tweepersoonsbed en twee stoelen bekleed met een kaal geworden bloemetjesstof. Holman had een eigen badkamer en iets wat Perry een kitchenette noemde: een elektrisch plaatje boven op een kleine koelkast. Holman zette zijn tas met kleren aan het voeteneinde van het bed en trok de koelkast open. Die was leeg, maar glansde van properheid in het licht van een fel nieuw lampje. De badkamer was ook schoon en rook naar allesreiniger. Holman draaide de kraan open, vouwde zijn handen tot een kommetje en dronk wat water. Daarna bekeek hij zichzelf in de spiegel. In de afgelopen jaren had hij kraaienpootjes gekregen en dikke wallen onder zijn ogen. Zijn haar was hier en daar grijs. Hij kon zich niet herinneren dat hij in Lompoc ooit in de spiegel had gekeken. Hij zag er niet jong meer uit en had er vermoedelijk ook nooit jong uitgezien. Hij voelde zich net een mummie die uit de dood was opgestaan.

Holman waste zijn gezicht met het koele water, maar dacht er te laat aan dat hij geen handdoeken had of iets anders om zich mee af te drogen, dus veegde hij het water met zijn handen weg en liep nat de badkamer uit.

Hij ging op de rand van het bed zitten, zocht zijn lijstje met telefoonnummers op in zijn portefeuille en belde Gail Manelli.

'Met Holman. Ik ben op mijn kamer.'

'Max. Ik vind het zo vreselijk van je zoon. Hoe is het met je?'

'Het gaat wel. We hadden niet bepaald een hechte relatie.'

'Maar hij was toch je zoon.'

Er viel een stilte, want Holman wist niet wat hij moest zeggen. Ten slotte zei hij iets omdat hij wist dat ze dat graag wilde.

'Ik moet gewoon mijn hoofd erbij houden.'

'Zo is dat. Je hebt al veel bereikt en het is nu niet het moment om terug te vallen. Heb je Tony al gesproken?'

Tony was Holmans nieuwe baas, Tony Gilbert, van de Harding Sign Company. Holman had daar de afgelopen acht weken parttime gewerkt ter voorbereiding op de fulltime baan waarmee hij morgen zou beginnen.

'Nee, nog niet. Ik ben net op mijn kamer. Wally is met me naar Chatsworth geweest.'

'Ja, dat weet ik. Ik heb hem gesproken. Kon de politie je al iets vertellen?'

'Ze wisten nog niets.'

'Ik heb naar het nieuws geluisterd. Het is gewoon verschrikkelijk, Max. Ik vind het zo rot voor je.'

Holman keek zijn nieuwe kamer rond, maar zag dat hij geen televisie of radio had.

'Ik heb het nieuws nog niet gezien.'

'Was de politie behulpzaam? Deden ze aardig tegen je?'

'Ja, hoor.'

'Fijn. Zeg, als je een paar dagen vrij wilt hebben, kan ik dat wel regelen.'

'Ik ga liever aan het werk. Ik denk dat het beter is om iets omhanden te hebben.'

'Als je van gedachten verandert, laat je het maar weten.'

'Moet je horen, Gail, ik wil graag mijn rijbewijs ophalen. Het wordt al laat en ik weet niet precies welke bus ik moet hebben. Ik wil zo snel mogelijk weer auto kunnen rijden.'

'Goed, Max. Je weet dat je me altijd mag bellen, hè? Je hebt mijn nummer op kantoor en mijn pieper.'

'Ja, maar ik wil nu echt weg.'

'Ik vind het rot voor je dat het zo voor je moest beginnen, met zulk vreselijk nieuws.'

'Dank je, Gail. Ik ook.'

Toen Gail eindelijk ophing, pakte Holman zijn tas met kleren. Hij pakte de shirts eruit die bovenop lagen en diepte de foto van zijn zoon op. Hij keek naar Richies gezicht. Omdat Holman geen gaatjes in het hoofd van de jongen had willen prikken, had hij in de houtwerkplaats van Lompoc van restjes esdoornhout een lijstje gemaakt en de foto met houtlijm op een stuk karton geplakt. Gevangenen mochten geen glas hebben, want als je glas had, kon je een wapen maken, en met een scherf kon je zelfmoord plegen of iemand anders doden. Holman zette de foto op het tafeltje tussen de twee lelijke stoelen en ging naar beneden, waar hij Perry achter zijn bureau aantrof.

Perry had zijn stoel schuin achterover gezet. Het leek net of hij zat te wachten tot Holman de hoek bij de trap om kwam. Dat was ook zo.

'Je moet je kamer op slot doen als je weggaat. Ik hoorde dat je hem niet op slot draaide. Je bent hier niet in het CCC. Als je je kamer niet op slot doet, loop je de kans dat je spullen worden gestolen.'

Holman had er geen moment aan gedacht zijn deur op slot te doen.

'Dat is een goede tip. Na al die jaren vergeet je dat soort dingen.'

'Dat weet ik.'

'Zeg, ik moet een paar handdoeken hebben.'

'Had ik die niet neergelegd?'

'Nee.'

'Heb je in de kast gekeken? Op de plank?'

Holman onderdrukte de neiging te vragen waarom handdoeken in een kast lagen en niet in de badkamer.

'Nee, daar heb ik niet aan gedacht. Ik zal straks even kijken. Ik zou ook graag een televisie hebben. Kun je me daaraan helpen?'

'We hebben geen kabel.'

'Alleen een tv.'

'Misschien heb ik er nog wel een, maar dan moet ik even zoeken. Kost je acht dollar per maand en nog eens zestig dollar borg.'

Holman had niet veel geld achter de hand. De acht dollar per maand extra zou hij wel kunnen opbrengen, maar de borg was een grote hap uit zijn budget. Waarschijnlijk zou hij dat geld hard nodig hebben voor andere dingen.

'Dat lijkt me overdreven, die borg.'

Perry haalde zijn schouders op.

'Straks gooi je er een fles doorheen en dan zit ik. Ik weet dat het veel geld is. Ga anders naar zo'n discountzaak. Voor tachtig dollar heb je een nieuwe. Ze maken ze in Korea met slavenarbeid en ze geven ze zowat weg. Het kost je nu meer, maar het scheelt je die acht dollar per maand en je hebt nog beter beeld ook. Die oude toestellen die ik heb, zijn ook wat onscherp.'

Holman had geen tijd om een Koreaanse televisie te gaan kopen.

'Krijg ik die zestig dollar van je terug als ik je het toestel teruggeef?' vroeg hij.

'Ja, natuurlijk.'

'Goed, zet hem dan maar neer. Je krijgt hem van me terug als ik er zelf een heb gekocht.'

'Prima, regel ik voor je.'

Holman liep naar de buurtsuper naast het motel voor een *Times*. Hij kocht een pakje chocolademelk om bij zijn krant op te drinken en las staand op het trottoir het voorpagina-artikel over de moorden.

Brigadier Mike Fowler, een man die al zesentwintig jaar bij de politie zat, was de hoogste politieman ter plaatse geweest. Hij liet een vrouw en vier kinderen achter. De agenten Patrick Mellon en Charles Wallace Ash waren respectievelijk acht en zes jaar bij de politie. Mellon liet een vrouw en twee kleine kinderen achter, Ash was niet getrouwd. Holman keek aandachtig naar hun foto's. Fowler had een smal gezicht en een doorschijnende huid. Mellon was een donkere man met een breed voorhoofd en grove trekken die eruitzag alsof hij graag klappen uitdeelde. Ash was zijn tegenpool: een man met hamsterwangetjes, vlassig blond, bijna wit haar en schichtige ogen. De laatste foto was van Richie. Holman had nog nooit een foto van zijn zoon op volwassen leeftijd gezien. De jongen had Holmans magere gezicht en dunne lippen. Holman besefte dat zijn zoon dezelfde harde uitdrukking had als hij bij bajesklanten had gezien die een ruig leven hadden geleid en die door de wol geverfd waren. Holman werd boos en voelde zich verantwoordelijk. Hij vouwde de krant dubbel om het gezicht van zijn zoon niet te hoeven zien en las verder.

In het artikel werd de plaats delict ongeveer hetzelfde beschreven als Levy had gedaan, maar verder stond er weinig informatie in. Dat stelde Holman teleur. Hij kwam tot de conclusie dat de journalisten zich hadden moeten haasten om hun artikel op tijd in te leveren voor de krant ter perse ging.

De agenten hadden geparkeerd onder Fourth Street Bridge bij het kanaal van de rivier de Los Angeles en waren kennelijk in een hinderlaag gelokt. Levy had tegen Holman gezegd dat alle vier de politiemensen hun wapen in de holster hadden zitten, maar in de krant stond dat agent Mellon zijn wapen had getrokken, maar niet afgevuurd. Een woordvoerder van de politie bevestigde dat de hoogste politieman ter plaatse, Fowler, aan de centrale had doorgegeven dat hij pauze ging houden, maar zich daarna niet meer had gemeld. Holman floot zachtjes tussen zijn tanden: vier goed getrainde politiemensen waren zo snel buiten gevecht gesteld, dat ze geen kans hadden gezien terug te schieten en zelfs geen dekking hadden kunnen zoeken of hulp hadden kunnen inroepen. In het artikel stond geen nadere informatie over het aantal kogels dat was afgevuurd of het aantal keren dat de agenten waren geraakt, maar Holman vermoedde dat er ten minste twee schutters waren geweest. Het zou voor één man lastig zijn om vier politieagenten zó snel uit te schakelen dat ze geen tijd hadden om te reageren.

Op het moment dat Holman zich stond af te vragen waarom de agenten onder de brug waren geweest, las hij dat een woordvoerder van de politie ontkende dat er in een van de politieauto's een open sixpack bier was aangetroffen. Holman concludeerde dat de politiemannen hadden zitten drinken, maar verbaasde zich erover dat ze hiervoor naar de rivier waren gegaan. In het verleden had Holman wel eens met een motor door de rivierbedding gereden en er rondgehangen met drugsverslaafden en andere ongure types. Het betonnen kanaal was afgesloten voor publiek en hij klom altijd over het hek of knipte met een tang een slot open. De politie had misschien een loper, maar hij vroeg zich af waarom ze het zich zo moeilijk hadden gemaakt als ze alleen een rustig plekje zochten om wat te drinken.

Holman las het artikel uit en scheurde Richies foto uit de krant. Zijn portefeuille was dezelfde die hij had gehad toen hij voor de bankovervallen was gearresteerd. Bij zijn overplaatsing naar het CCC hadden ze hem teruggegeven, maar alles wat erin zat was zo langzamerhand verlopen. Holman had de oude spullen weggegooid om plaats te maken voor nieuwe. Hij deed Richies foto in de portefeuille en liep terug naar zijn kamer.

Holman ging weer naast zijn telefoon zitten en dacht na. Ten slotte belde hij Inlichtingen.

'Stad en staat, alstublieft?'

'O, Los Angeles. In Californië.'

'Naam?'

'Donna Banik, B-A-N-I-K.'

'Het spijt me. Ik kan niemand met die naam vinden.'

Donna was misschien getrouwd en had een andere naam aangenomen, en die wist hij niet. En als ze naar een andere stad was verhuisd, wist hij de naam daarvan ook niet.

'Kunt u iemand anders voor me opzoeken? Richard Holman?'

'Het spijt me, meneer. Niet te vinden.'

Holman vroeg zich af wat hij nog meer kon proberen.

'Los Angeles, is dat alleen de netnummers drie-tien en twee-een-drie?'

'Ja, meneer. En drie-twee-drie.'

Van 323 had Holman nog nooit gehoord. Hij vroeg zich af hoeveel andere netnummers erbij waren gekomen in de tijd dat hij weg was geweest.

'En nummers in Chatsworth? Wat hebben ze daar? Acht-een-acht?'

'Sorry, ik heb geen vermelding voor die naam in Chatsworth, of waar dan ook in die regio's.'

'Oké, bedankt.'

Geïrriteerd en gespannen legde Holman de telefoon neer. Hij liep terug naar zijn badkamer en waste opnieuw zijn gezicht. Daarna liep hij naar het raam en ging voor de airconditioner staan. Hij vroeg zich af of er water uit zijn afvoer op iemands hoofd viel. Hij haalde nogmaals zijn portefeuille voor de dag. Wat er over was van zijn spaargeld zat opgevouwen in het zijvak. Er werd van hem verwacht dat hij een bankrekening zou openen als blijk van zijn terugkeer in de normale wereld, maar Gail had tegen hem gezegd dat hij dat rustig ergens in de komende weken kon doen. Hij zocht tussen de bankbiljetten het stukje envelop op dat hij van Donna's laatste brief had afgescheurd. Daar stond het adres op waar hij de brieven naartoe had gestuurd die hij had teruggekregen. Hij bekeek het en stopte het terug tussen de biljetten.

Toen hij zijn kamer verliet, dacht hij er ditmaal aan de deur op slot te draaien.

Perry knikte naar hem toen hij de trap af kwam.

'Kijk eens aan. Ik hoorde dat je nu wel de deur op slot hebt gedaan.'

'Zeg, Perry, ik moet achter een rijbewijs aan en ik ben hartstikke laat. Kan ik van jou een auto lenen?'

Perry's glimlach veranderde in een frons.

'Je hebt niet eens een rijbewijs.'

'Dat weet ik, maar ik ben hartstikke laat, man. Je weet hoe lang de rijen daar zijn. Het is bijna lunchtijd.'

'Ben je niet goed bij je hoofd? Stel dat je wordt aangehouden? Wat denk je dat Gail zal zeggen?'

'Ik word niet aangehouden en ik zeg tegen niemand dat jij me een auto hebt geleend.'

'Ik leen helemaal niemand iets.'

Holman keek naar Perry's frons. Hij zag dat hij erover nadacht.

'Ik heb hem maar een paar uur nodig. Alleen om een rijbewijs te gaan halen. Morgen begin ik met werken en dan kan ik niet zomaar even weg. Dat weet jij ook wel.'

'Ja, dat is waar.'

'Misschien zou ik iets met een van de andere huurders kunnen regelen.'

'Dus je zit klem en je komt nu om een gunst vragen?'

'Ik heb alleen die auto even nodig.'

'En als ik je help, dan komt Gail dat niet te weten?'

'Kom nou, man, waar zie je me voor aan?'

Holman spreidde zijn handen. Waar zie je me voor aan?

Perry zette zijn stoel weer rechtop en trok de middelste la open.

'Ja, ik heb een oud beestje dat je wel mag gebruiken, een Mercury. Hij is niet mooi, maar hij loopt. Kost je twintig dollar en je moet hem vol terugbrengen.'

'Allemachtig, wat een geld. Twintig dollar voor een paar uur?'

'Twintig, ja. En als je rare ideeën krijgt en hem niet terugbrengt, zeg ik dat je hem gestolen hebt.'

Holman overhandigde hem een briefje van twintig. Zijn proeftijd was officieel pas vier uur oud. Dit was zijn eerste overtreding.

4

Perry's Mercury leek net een drol op wielen. Er kwam rook uit de uitlaat omdat de pakkingen slecht waren en de motor pingelde verschrikkelijk, zodat Holman bijna de hele rit bang was dat een ondernemende agent hem op de bon zou slingeren wegens luchtverontreiniging.

Donna's adres bracht hem bij een roze gepleisterd appartementengebouw in Jefferson Park, ten zuiden van de Santa Monica Freeway precies in het midden van het vlakke deel van de stad. Het was een lelijk gebouw van twee verdiepingen met scheuren in het pleisterwerk, dat door de felle zon was verbleekt. Hij had verwacht dat Donna mooier zou wonen, niet zo mooi als in Brentwood of Santa Monica, maar wel prettig in een aardige buurt.

Donna klaagde wel eens dat ze krap bij kas zat, maar ze had destijds een vaste baan als privéverpleegster voor oudere cliënten gehad. Holman vroeg zich af of Richie zijn moeder had geholpen naar een betere wijk te verhuizen toen hij een baan kreeg bij de politie. Naar zijn idee zou de man die Richie was geworden zoiets hebben gedaan, zelfs als hij zich daarvoor dingen had moeten ontzeggen.

Het appartementengebouw was opgezet als een langwerpige U waarvan de open kant naar de straat was gekeerd en naar een voetpad met struiken aan weerskanten dat tussen twee identieke rijen appartementen door slingerde. Donna had in appartement 108 gewoond.

Er stond geen hek om het gebouw. Iedereen kon er over het voetpad naartoe wandelen, maar toch durfde Holman zich niet op het voorterrein te wagen. Hij stond op het trottoir met een warm, nerveus fladderend gevoel in zijn buik. Hij zei tegen zichzelf dat hij enkel zou aanbellen om de nieuwe bewoners te vragen of ze Donna's huidige adres wisten. Het voorterrein op lopen was niet verboden en ergens aanbellen was geen schending van zijn proeftijd, maar het kostte hem moeite zich geen crimineel meer te voelen.

Uiteindelijk kreeg Holman zichzelf zover dat hij naar nummer 108 durfde lopen. Hij klopte op de deurpost en voelde dat de moed hem in de schoenen zonk toen er niet werd opengedaan. Hij klopte nog een keer, iets harder, toen de deur openging en een magere, kalende man verscheen. Hij hield de deur stevig vast om hem zo nodig direct dicht te kunnen duwen en sprak binnensmonds en op kortaangebonden toon.

'Ik zat te werken, joh. Wat is er?'

Holman liet zijn handen in zijn zakken glijden om iets minder bedreigend over te komen.

'Ik ben op zoek naar een oude vriendin van me. Donna Banik heet ze. Ze heeft hier vroeger gewoond.'

De man ontspande en deed de deur een stukje verder open. Hij stond als een ooievaar op één been met zijn rechtervoet tegen zijn linkerknie en had een wijde korte broek en een verschoten haltershirt aan. Hij had niets aan zijn voeten.

'Sorry, kerel. Kan je niet helpen.'

'Ze woonde hier een jaar of twee geleden nog. Donna Banik, donker haar, zo lang ongeveer.'

'Ik woon hier nu, wat zal het zijn, een maand of vijf? Ik weet niet wie de flat vóór mij had, laat staan twee jaar geleden.'

Holman keek naar de naastgelegen appartementen en vroeg zich af of een van de buren misschien meer wist.

'Weet je of een van die andere mensen hier toen al woonde?'

De bleke man volgde Holmans blik en fronste, alsof het idee dat hij zijn buren zou kennen hem tegenstond.

'Nee, man, sorry, ze komen en gaan.'

'Oké. Bedankt voor je tijd.'

'Niets te danken.'

Holman draaide zich om en kreeg ineens een ingeving, maar de man had de deur al dichtgedaan. Holman klopte nogmaals aan en de man deed direct open.

Holman zei: 'Sorry, hoor. Woont de beheerder hier in het gebouw?'

'Ja, daar, op nummer honderd. Het eerste appartement als je binnenkomt aan de noordkant.'

'Hoe heet hij?'

'Zij. Het is een vrouw. Mevrouw Bartello.'

'Oké. Bedankt.'

Holman liep over het voetpad terug naar nummer 100 en klopte ditmaal zonder aarzelen aan.

Mevrouw Bartello was een stevige dame. Ze droeg haar grijze haar strak naar achteren gekamd en ging gekleed in een vormloze huisjurk. Ze deed haar deur wijd open en keek door de hordeur naar buiten. Holman stelde zichzelf voor en legde uit dat hij op zoek was naar Donna Banik, de oude huurder van appartement 108.

'Donna en ik zijn vroeger getrouwd geweest, maar dat is lang geleden. Ik ben weggeweest en we zijn elkaar uit het oog verloren.'

Het leek Holman makkelijker te zeggen dat ze getrouwd waren, dan uit te leggen dat hij de klootzak was die Donna met kind had geschopt en daarna in de steek had gelaten, zodat zij hun zoon alleen had moeten grootbrengen.

Mevrouw Bartello kreeg een zachte uitdrukking op haar gezicht, alsof ze hem herkende, en deed de hordeur open.

'O, dan bent u zeker Richards vader, die meneer Holman?'

'Ja, dat klopt.'

Holman vroeg zich af of ze het nieuws over Richies dood misschien al had gehoord, maar begreep toen dat dat niet het geval was en dat ze niet wist dat Richie dood was.

'Richard is zo'n fantastische knul. Hij kwam vaak bij haar op bezoek. Hij ziet er heel knap uit in zijn uniform.'

'Inderdaad, mevrouw, dank u. Kunt u me vertellen waar Donna tegenwoordig woont?'

Haar blik werd nog zachter.

'Weet u het niet?'

'Ik heb Richie en Donna al heel lang niet gezien.'

Mevrouw Bartello deed de hordeur een stukje verder open en haar ogen werden groot van verdriet.

'O, wat erg nou. U weet het niet. Wat erg nou. Donna is overleden.'

Holman voelde zichzelf traag worden, alsof hij werd verdoofd; alsof zijn hart en zijn ademhaling en het bloed in zijn aderen steeds langzamer gingen, zoals een grammofoonplaat wanneer je de stekker eruit trok. Eerst Richie en nu Donna. Hij zei niets en in de verdrietige ogen van mevrouw Bartello verscheen een begripvolle blik.

Ze zette haar vlezige schouder tegen de hordeur, zodat ze haar armen over elkaar kon slaan.

'U wist het niet. O, wat erg nou, u wist het niet. Wat vreselijk, meneer Holman.'

Holman voelde hoe de traagheid versmolt tot een soort afstandelijke kalmte.

'Wat is er gebeurd?'

'Het komt allemaal door het verkeer. Ze rijden veel te hard op de snelweg, daarom ga ik ook niet graag ergens naartoe.'

'Heeft ze een auto-ongeluk gehad?'

'Ze was op weg naar huis, 's avonds. U weet toch dat ze als verpleegster werkte?'

'Ja.'

'Ze was op weg naar huis. Het is nu bijna twee jaar geleden. Wat ik heb gehoord is dat iemand de controle over het stuur verloor en dat vervolgens meer mensen de controle over hun auto verloren en dat Donna een van hen was. Ik vind het zo naar voor u. Ik had zo met haar te doen, en met die arme Richard.'

Holman wilde weg. Weg bij Donna's oude flat, de woning waar ze naartoe terugreed toen ze de dood vond.

'Ik moet Richie spreken. Weet u waar ik hem kan vinden?'

'Het is zo lief dat u hem Richie noemt. Toen ik hem leerde kennen werd hij Richard genoemd. Donna noemde hem altijd Richard. Hij is bij de politie, weet u.'

'Hebt u zijn telefoonnummer?'

'Nou, nee. Ik zag hem alleen wanneer hij op bezoek kwam, weet u. Ik geloof niet dat ik zijn nummer ooit heb gehad.'

'Dus u weet niet waar hij woont?'

'O, nee.'

'Misschien staat Richies adres wel op haar huurovereenkomst.'

'Ach, jee. Ik heb die oude papieren allemaal weggegooid toen... nou ja, toen ik eenmaal nieuwe huurders had, had het geen zin meer om ze te bewaren.'

Opeens wilde Holman haar vertellen dat Richie ook dood was. Het leek hem aardig dat te doen omdat ze zich zo vriendelijk over hen uitliet, maar hij had de kracht niet. Hij was óp, alsof hij alles had gegeven en niets meer te geven had.

Holman wilde haar net bedanken toen hem iets inviel.

'Waar is ze begraven?'

'In Baldwin Hills. Op de Baldwin Haven Cemetery. Dat was de laatste keer dat ik Richard heb gezien, weet u. Hij was niet in uniform. Dat had ik eigenlijk wel verwacht, want hij was er zó trots op. Maar hij had een mooi donker pak aan.'

'Waren er veel mensen?'

Mevrouw Bartello trok met een treurig gebaar haar schouders op.

'Nee. Nee, niet zo veel.'

Holman liep verdoofd en terneergeslagen terug naar Perry's oude barrel en toen hij recht tegen de zon in terugreed naar het motel kwam hij vast te zitten in de drukke spits. Het kostte hem bijna veertig minuten om de paar kilometer naar Culver City af te leggen. Holman zette Perry's auto op zijn plek achter het motel en ging door de voordeur naar binnen. Perry zat nog achter zijn bureau. Uit de radio kwam het schrille geluid van een liveverslag van een wedstrijd van de Dodgers. Toen Holman hem de sleutels overhandigde draaide Perry de volumeknop dicht.

'Hoe was je eerste dag op vrije voeten?'

'Klote.'

Perry leunde naar achteren en zette de radio harder.

'Dan kan het alleen maar beter worden.'

'Heeft er nog iemand voor me gebeld?'

'Dat weet ik niet. Heb je een antwoordapparaat?'

'Ik heb een paar mensen jouw nummer gegeven.'

'Geef ze je eigen nummer, niet dat van mij. Ik ben geen boodschappendienst.'

'Een politie-inspecteur, een zekere Levy, en een jonge vrouw. Hebben die gebeld?'

'Nee. Bij mijn weten niet en ik heb hier de hele dag gezeten.'

'Heb je mijn tv al neergezet?'

'Ik heb de hele dag hier gezeten. Ik breng hem morgen wel.'

'Heb je een telefoonboek of kun je dat ook pas morgen brengen?'

Perry dook achter het bureau en diepte een telefoonboek op.

Holman nam het mee naar boven en zocht de Baldwin Haven Cemetery op. Hij noteerde het adres en ging met zijn kleren aan op bed liggen. Hij dacht aan Donna. Na een tijdje keek hij naar zijn vaders horloge. De wijzers stonden stil zoals ze al sinds de dood van zijn vader stilstonden. Hij trok het knopje uit en draaide de wijzers rond. Hij keek hoe ze over de wijzerplaat rondtolden, maar hij wist dat hij zichzelf voor de gek hield. De wijzers stonden stil. De tijd ging alleen door voor anderen. Holman was een gevangene van zijn verleden.

5

De volgende ochtend stond Holman vroeg op en nog voordat Perry achter zijn bureau zat ging hij naar de buurtsuper. Hij kocht een pakje chocolademelk, een doosje met zes kleine besuikerde donuts en een *Times* en at alles op zijn kamer op terwijl hij de krant las. Het onderzoek naar de moorden was nog steeds voorpaginanieuws, hoewel het vandaag onder de vouw stond. De hoofdcommissaris had bekendgemaakt dat niet bij name genoemde getuigen zich hadden gemeld en dat de recherche het aantal verdachten aan het terugbrengen was. Er werden geen nadere bijzonderheden gegeven, alleen dat de gemeente een beloning van vijftigduizend dollar had uitgeloofd voor de arrestatie en veroordeling van de schutter. Holman vermoedde dat de politie geen enkele aanwijzing had, maar met zogenaamde getuigen schermde om echte getuigen zover te krijgen dat ze iets ondernamen om aanspraak te kunnen maken op de beloning.

Holman at de donuts op en wenste dat hij een televisie had, zodat hij het nieuws zou kunnen zien. Er kon na het sluiten van de krant veel zijn gebeurd.

Holman dronk zijn chocolademelk op, nam een douche en trok zijn enige stel schone kleren aan om naar zijn werk te gaan. Hij moest de bus van tien over zeven hebben om om acht uur op zijn werk te zijn. Eén bus, één lange rit zonder overstappen naar zijn werk en weer terug die avond. Holman moest het gewoon elke dag doen, rustig aan, één rit tegelijk, dan kon hij zijn leven weer op het goede spoor krijgen.

Toen hij klaar was voor vertrek, belde hij het politiebureau in Chatsworth en vroeg naar hoofdinspecteur Levy. Hij wist niet of Levy al zo vroeg op zijn werk zou zijn en vermoedde dat hij een boodschap zou moeten achterlaten, maar Levy kwam zelf aan de lijn.

'Inspecteur, met Max Holman.'

'Ah, meneer Holman. Ik heb u niets nieuws te melden.'

'Oké. Ik wilde nog een telefoonnummer aan u doorgeven. Ik heb geen antwoordapparaat, dus als er overdag iets is, kunt u mij op mijn werk bereiken.'

Holman las het nummer van zijn werk op.

'Nog één ding. Hebt u al contact gehad met Richies vrouw?'

'Ik heb haar gesproken, meneer Holman.'

'Ik zou het op prijs stellen als u haar dit nummer ook gaf. Als ze me hier in het motel probeert te bereiken, weet ik niet zeker of ik de boodschap krijg.'

Het antwoord van Levy kwam traag.

'Ik zal haar het nummer van uw werk geven.'

'En zegt u alstublieft nog eens tegen haar dat ik haar graag zo snel mogelijk wil spreken.'

Holman vroeg zich af waarom Levy niet reageerde en wilde al vragen of er een probleem was, maar Levy was hem voor.

'Meneer Holman, ik zal de boodschap doorgeven, maar ik wil ook eerlijk tegen u zijn over de situatie. U zult niet blij zijn met wat ik te zeggen heb.'

Levy kauwde op zijn woorden alsof het voor hem net zo moeilijk was ze uit te spreken als het voor Holman was om ze te horen.

'Ik was Richards teamchef. Ik wil zijn wensen en de wensen van zijn weduwe respecteren, maar ik ben ook een vader... Het zou niet correct zijn u te laten wachten op iets wat niet gaat gebeuren. Richard wilde niets met u te maken hebben. Zijn vrouw, nou ja, haar wereld is ingestort. Ik zou er niet op rekenen dat ze u belt. Begrijpt u dat?'

'Nee, ik snap er niets van. Zij heeft u juist van mijn bestaan op de hoogte gebracht, vertelde u. Daarom had u het Bureau of Prisons gebeld.'

'Ze vond dat u het moest weten, maar dat wil niet zeggen dat Richard er inmiddels anders over dacht. Ik vind het niet leuk het te moeten zeggen, maar zo staan de zaken. Wat er tussen u en uw zoon is voorgevallen, gaat mij niets aan, maar ik zal zijn wensen respecteren en dat betekent dat ik me zal houden aan wat zijn weduwe wil. Ik ben geen bemiddelaar in deze kwestie. Is dat duidelijk?'

Holman staarde naar zijn hand. Hij lag op zijn schoot als een krab op zijn rug die met zijn poten trok om weer rechtop te komen.

'Verwachtingen koester ik al lang niet meer.'

'Het is maar dat u het weet. Ik zal dit nieuwe nummer doorgeven, maar ik ga haar niet onder druk zetten. Wat u betreft, ik ben hier degene die uw vragen over het onderzoek zal beantwoorden als ik dat kan en ik zal u bellen om u bij te praten wanneer we iets nieuws te melden hebben.'

'En de begrafenis?'

Levy gaf geen antwoord. Holman hing op zonder verder iets te zeggen en ging naar beneden. Hij stond in de hal te wachten toen Perry verscheen.

'Ik heb die auto nog een keer nodig,' zei Holman.

'Dat kost je dan weer twintig dollar.'

Holman hield het briefje omhoog als een middelvinger en Perry griste het weg.

'Breng hem vol terug. Ik waarschuw je. Ik heb het gisteren niet gecontroleerd en vanochtend ook nog niet, maar ik wil dat die tank vol zit.'

'Ik moet die tv hebben.'

'Je kijkt alsof er iets is. Sorry als je kwaad bent dat je gisteravond geen tv had, maar hij staat in de opslag. Ik ga hem vanochtend halen.'

'Ik ben niet kwaad vanwege de tv.'

'Waarom kijk je dan zo?'

'Geef me die sleutels nou maar.'

Holman liep naar Perry's Mercury en ging op weg naar de City of Industry. Het was slimmer om de bus te nemen, maar Holman had veel te doen. Hij overschreed geen moment de maximumsnelheid en lette goed op het andere verkeer.

Holman was tien minuten te vroeg op zijn werk. Hij parkeerde aan de andere kant van het gebouw, want hij wilde niet dat zijn baas, Tony Gilbert, zag dat hij in een auto reed. Gilbert had al vaker ex-gedetineerden in dienst gehad en wist dat Holman nog geen rijbewijs kon hebben.

Holman werkte voor de Harding Sign Company in een filiaal waar reclames voor billboards van Harding werden gedrukt. De reclames werden geprint op een soort grote behangrollen die op maat werden gesneden en werden opgerold zodat ze door heel Californië, Nevada en Arizona konden worden vervoerd. Wanneer ze bij het juiste billboard kwamen, hingen speciale ploegen de rollen op aan grote strips en plakten ze vast. De afgelopen twee maanden had Holman parttime in de drukkerij gewerkt als snijder in opleiding, wat inhield dat het zijn taak was om rollen van anderhalve, twee en tweeënhalve meter breed in de drukpers te leggen en ervoor te zorgen dat het materiaal glad door de drukpers werd gevoerd en dat de automatische messen aan het einde van de machine het goed afsneden. Iedere idioot kon het. Holman had het in twee minuten geleerd, maar hij mocht zich gelukkig prijzen dat hij het baantje had en dat wist hij.

Hij klokte in en ging op zoek naar Gilbert, zodat zijn baas zou weten dat hij op tijd was. Gilbert zat de dagplanning door te nemen met de drukkers die verantwoordelijk waren voor het instellen van de drukpers en de kwaliteit van het drukwerk dat die dag zouden worden geproduceerd. Gilbert was een kleine dikke man met een kale kruin en een zwierige manier van lopen.

'Zo, nu ben je dus officieel een vrij man. Gefeliciteerd,' zei Gilbert.

Holman bedankte hem, maar liet het gesprek doodbloeden. Hij nam niet de moeite de receptioniste of iemand anders te waarschuwen dat Richies vrouw misschien zou bellen. Na zijn gesprek met Levy vermoedde hij dat dat telefoontje nooit zou komen.

De hele ochtend werd Holman gefeliciteerd met zijn vrijlating en welkom geheten als fulltime kracht, hoewel hij er al twee maanden werkte. Holman wierp tijdens het werk telkens een blik op de klok, omdat hij bijna niet kon wachten op het vrije uurtje dat hij tussen de middag had.

Om tien over elf nam Holman een plaspauze. Toen hij bij het urinoir stond, kwam Marc Lee Pitchess, een andere ex-gedetineerde, naast hem staan. Holman had een hekel aan Pitchess en was hem in de twee maanden van zijn opleidingsperiode uit de weg gegaan.

'Tien jaar is een lange tijd,' zei Pitchess. 'Welkom terug.'

'Je hebt me de afgelopen twee maanden vijf dagen per week gezien. Ik ben niet weggeweest.'

'Gaan ze je nu nog steeds testen?'

'Laat me met rust, joh.'

'Ik vraag het alleen maar. Ik kan je een setje bezorgen, dan kun je een beetje achter de hand houden en dan ben je erop voorbereid als ze je ineens vragen om in een potje te pissen.'

Holman was klaar en liep weg bij het urinoir. Hij draaide zich om naar Pitchess, maar Pitchess stond strak naar de muur te kijken.

'Blijf bij me uit de buurt met die zooi van je.'

'Als je iets nodig hebt, regel ik het voor je, je medicijnen, slaapmiddelen, coke, xtc, oxycontin, je zegt het maar.'

Pitchess schudde af en ritste zijn gulp dicht, maar kwam niet van zijn plaats. Hij staarde naar de muur. Iemand had een tekeningetje gemaakt van een lul met een klein tekstballonnetje. 'Zuigen, trut!' zei de lul.

'Ik probeer alleen maar een maat te helpen,' zei Pitchess.

Pitchess stond nog te glimlachen toen Holman het toilet uit liep en op zoek ging naar Gilbert.

'Hoe gaat het, zo op je eerste dag?' vroeg Tony.

'Prima. Zeg, wat ik je wilde vragen, ik moet de test voor mijn rijbewijs gaan maken en na het werk is het te laat. Zou ik tussen de middag een uurtje extra kunnen krijgen?'

‘Zijn ze op zaterdagochtend niet open?’

‘Dan moet je een afspraak maken en ze zijn altijd drie weken van tevoren al volgeboekt. Ik zou het graag snel regelen, Tony.’

Holman zag wel dat Gilbert niet blij was met zijn verzoek, maar uiteindelijk stemde hij ermee in.

‘Goed dan. Maar als er een probleem is, wat dan ook, dan bel je. Maak er geen misbruik van. Dit is niet bepaald een goed begin, op je eerste dag al een paar uur vrij vragen.’

‘Bedankt, Tony.’

‘Twee uur. Ik wil je om twee uur hier weer zien. Dat moet je kunnen redden.’

‘Tuurlijk, Tony. Bedankt.’

Gilbert had het niet over Richie gehad en Holman bracht hem niet ter sprake. Gail had niet gebeld en dat kwam Holman goed uit. Hij wilde geen uitleg hoeven geven over Richie, om dan van Richie op Donna te komen en op de puinzooi die hij van zijn leven had gemaakt.

Toen Gilbert zich ten slotte omdraaide en wegbeende, liep Holman terug naar het kantoor. Hoewel het nog geen twaalf uur was, klokte hij uit.

6

Holman kocht een klein boeketje rode rozen bij een latino onder aan de afrit van de snelweg. De man, waarschijnlijk een illegaal, stond daar met een cowboyhoed en een grote plastic emmer vol bosjes bloemen te wachten op een mazzeltje bij mensen die naar de begraafplaats gingen. De man vroeg acht – *ocho* – maar Holman betaalde tien, omdat hij zich schaamde dat hij er niet aan had gedacht bloemen mee te nemen voor hij die vent met zijn emmer zag staan, en zich nog meer schaamde omdat Donna was overleden en Richie zo'n lage dunk van hem had gehad dat hij het niet eens nodig had gevonden hem dat te laten weten.

Baldwin Haven Cemetery strekte zich uit op de weidse helling van een glooiende heuvel vlak bij de 405 in Baldwin Hills. Holman draaide het hek in en parkeerde naast het kantoortje. Hij hoopte dat niemand had gezien in wat voor staat zijn auto verkeerde. Perry's Mercury was zo'n oude roestbak dat iedereen die hem zag aankomen zou denken dat hij kwam vragen of ze iemand nodig hadden om onkruid te wieden. Holman nam de bloemen mee naar binnen zodat hij een betere indruk zou maken.

Het kantoortje van de begraafplaats was een grote ruimte die door een balie in tweeën werd gedeeld. Aan de ene kant van de balie stonden twee bureaus en een paar archiefkasten. Aan de andere kant lagen grote plattegronden van het terrein uitgespreid op een lange tafel. Een oudere vrouw met grijs haar achter een van de bureaus keek op toen hij binnenkwam.

'Ik ben op zoek naar iemands graf,' zei Holman.

De vrouw stond op en kwam naar de balie.

'Zeker, meneer. Kunt u mij de naam van de betrokkene geven?'

'Donna Banik.'

'Banner?'

'B-A-N-I-K. Ze is ongeveer twee jaar geleden hier begraven.'

De vrouw liep naar een boekenplank en haalde er een zwaar beduimeld boekwerk af, een soort register, meende Holman. Haar lippen bewogen toen ze de bladzijden omsloeg en de naam Banik voor zich uit mompelde.

Ze vond de gegevens, noteerde iets op een stukje papier, kwam achter de balie vandaan en nam Holman mee naar de plattegronden.

'Ik zal u even laten zien hoe u er komt.'

Ze dribbelde om de plattegronden heen en Holman liep achter haar aan. Ze keek naar de gegevens die ze op het stukje papier had geschreven en wees vervolgens een piepklein rechthoekje aan in een slagorde van eendere rechthoekjes, elk voorzien van een nummer.

'Ze ligt hier, op de zuidhelling. Wij zijn hier in het kantoortje, dus u gaat dadelijk rechtsaf de parkeerplaats af, volgt de weg tot deze splitsing en houdt daar links aan. Ze ligt hier, recht voor het mausoleum. U telt gewoon de rijen, derde rij van de straat, zesde steen van het eind. Het is niet moeilijk te vinden, maar als het niet lukt, komt u maar terug. Dan help ik u wel.'

Holman keek naar het piepkleine blauwe rechthoekje met het onleesbare nummer.

'Het is mijn vrouw.'

'O, wat naar voor u.'

'Nou ja, ze was niet echt mijn vrouw, maar zoiets, lang geleden. We hadden elkaar al een tijd niet gezien. Ik wist niet eens dat ze was overleden, tot gisteren.'

'Nou, als u hulp nodig hebt, laat u het me maar weten.'

De vrouw liep terug naar haar bureau achter de balie. Het kon haar duidelijk niet schelen wie Donna voor hem was. Holman begon te koken van woede, maar hij had nooit de gewoonte gehad zijn gevoelens te uiten. In de tien jaar die hij in Lompoc had doorgebracht, had hij het zelden over Donna en Richie gehad. Wat had het voor zin? Hij ging toch geen verhalen over zijn gezin uitwisselen met een stelletje hopeloze bajesklanten en criminele aasgieren als Pitchess? Echte mensen spraken over hun gezin met andere echte mensen, maar Holman kende geen echte mensen en had zijn vrouw en kind in de steek gelaten – en verloren. Hij had plotseling behoefte gehad om met iemand over Donna te praten, maar de enige die hij kon vinden was een ongeïnteresseerde vreemde. Toen hij dat inzag, voelde hij zich eenzaam en zielig.

Holman stapte weer in de Mercury en reed volgens de aanwijzingen naar Donna's graf. Hij trof een kleine bronzen gedenkplaat aan met Donna's naam, het jaar van haar geboorte en dat van haar overlijden. Op de gedenkplaat stond een simpel grafschrift: MIJN LIEVE MOEDER.

Holman legde de rozen op het gras. Hij had talloze keren gerepeteerd wat hij haar had willen vertellen wanneer hij vrijkwam, maar nu was ze dood en was het te laat. Holman geloofde niet in een hiernamaals. Hij geloofde niet dat ze in de hemel was en dat ze hem zag. Hij vertelde het haar toch maar, met zijn blik op de rozen en de gedenkplaat gericht.

'Ik ben een ongelooflijke lul geweest. Ik was alles waarvoor je me ooit hebt uitgemaakt, maar dat niet alleen. Je had geen idee hoe slecht ik was. Vroeger was ik blij dat je het niet wist, maar nu schaam ik me. Als je het had geweten, zou je me aan de dijk hebben gezet en was je misschien met een fatsoenlijke vent getrouwd. Ik zou willen dat je het had geweten. Niet voor mij, maar voor jou. Zodat je iets van je leven had kunnen maken.'

Mijn lieve moeder.

Holman liep terug naar zijn auto en reed naar het kantoortje. De vrouw liet net de plattegrond van de begraafplaats aan een bejaard echtpaar zien toen Holman binnenkwam en hij bleef bij de deur staan. Na in de warme zon te hebben gestaan was het aangenaam in het koele kantoortje. Na een paar minuten liet de vrouw het echtpaar alleen, zodat ze over de beschikbare plaatsen konden overleggen, en ze kwam naar hem toe.

'Hebt u het kunnen vinden?'

'Ja, dank u wel, u had het goed uitgelegd. Ik wilde nog iets vragen. Weet u wie alles heeft geregeld?'

'Voor de begrafenis?'

'Ja. Het kan zijn dat haar zus dat heeft gedaan, of een echtgenoot of zo, maar ik zou graag een deel van de kosten op me nemen. We zijn heel lang bij elkaar geweest, toen ben ik een tijd weggeweest, en, nou ja, ik vind het niet juist dat ik er niet aan heb meebetaald.'

'Het is allemaal voldaan. Dat is bij de begrafenis gebeurd.'

'Dat dacht ik wel, maar ik wil toch aanbieden om te betalen. Een deel op zijn minst.'

'U wilt weten wie de begrafenis heeft betaald?'

'Inderdaad. Als u me een telefoonnummer of een adres kunt geven, kan ik ze aanbieden een deel van de kosten op me te nemen.'

De vrouw wierp een blik op haar klanten, maar ze stonden nog te praten over de verschillende plekjes. Ze liep naar haar bureau achter de balie en zocht in haar prullenbak het briefje met het nummer van het graf.

'Banik was het, hè?'

'Ja, dat klopt.'

'Ik moet dat nakijken. Die gegevens zal ik moeten opzoeken. Kunt u me uw telefoonnummer geven?'

Holman schreef Perry's nummer op haar blocnote.

'Het is bijzonder genereus van u. Haar familie zal vast blij zijn met uw aanbod,' zei ze.

'Ja, mevrouw, dat hoop ik ook.'

Holman liep naar buiten naar zijn auto en reed terug naar de City of Industry. Gezien de tijd en de drukte dacht hij wel voor tweeën op zijn werk terug te kunnen zijn. Toen zette hij de radio aan en werd alles op slag anders. De zender had het gewone programma onderbroken voor het bericht dat er in de moordzaak op de vier politieagenten een naam van een verdachte was vrijgegeven en dat er een arrestatiebevel was uitgevaardigd.

Holman zette het geluid harder en vergat zijn werk. Hij ging meteen op zoek naar een telefoon.

7

Holman reed door tot hij een kleine sportcafé in het oog kreeg waarvan de deur openstond. Hij manoeuvreerde het oude barrel een laad- en losplaats op en bleef vervolgens aarzelend in de deuropening staan kijken tot hij een televisie zag. Holman was sinds de week voor zijn arrestatie niet meer in een café geweest, maar eigenlijk was er niets veranderd: een jonge barman met strakke bakkebaarden bediende een paar zuiplappen die hun vloeibare lunch naar binnen werkten. De televisie stond op ESPN, een sportzender, maar niemand keek ernaar. Holman liep naar de bar.

'Zeg, vind je het erg om hem op het nieuws te zetten?'

De barman keek hem aan alsof hij al bijna bezweek bij het idee dat hij voor Holman een glas zou moeten inschenken.

'Maakt mij niet uit. Wil je iets drinken?'

Holman wierp een blik op de twee vrouwen naast hem. Ze zaten hem op te nemen.

'Doe maar een glas water. Waar blijft dat nieuws?'

De barman kneep een beetje limoensap op het ijs, schonk het glas tot de rand toe vol en zette het op de bar, waarna hij de televisie op een zender met pratende mensen zette. Ze hadden het over het Midden-Oosten.

'En het plaatselijke nieuws?' zei Holman.

'Ik weet niet of er nu nieuwsuitzendingen zijn. Het is allemaal soaps wat de klok slaat.'

De vrouw die het dichtst bij Holman zat, zei: 'Probeer het eens op vijf, of negen.'

De barman zocht een lokale zender op en daar had je het zowaar: verschillende hooggeplaatste functionarissen van de LAPD die een persconferentie hielden.

'Wat is er gebeurd? Gaat dit over die neergeschoten politiemannen?' vroeg de barman.

'Ja, ze weten wie het heeft gedaan. Even horen.'

'Wat is er gebeurd?' vroeg de andere vrouw.

'Kunnen we even luisteren?' vroeg Holman daarop.

'Ik heb dat vanochtend al gezien. Allemaal oud nieuws,' zei de eerste vrouw.

'Kunnen we alsjeblieft even naar ze luisteren?' vroeg Holman nogmaals.

De vrouw maakte een snuivend geluid en trok een gezicht alsof ze zich afvroeg waar hij zich druk over maakte. De barman zette het geluid harder, maar nu deed een zekere Donnelly, een adjunct-commissaris, verslag van het misdrijf en vertelde dingen die Holman al wist. Er verscheen telkens even een foto van een van de neergeschoten politieagenten op het scherm wanneer Donnelly hun naam noemde; die van Richie verscheen als laatste. Het was de foto die Holman in de krant had zien staan, maar nu kreeg hij er kippenvel van. Het was net of Richie vanaf het televisiescherm op hem neerkeek.

'Ik hoop dat ze die schoft te pakken krijgen die dat heeft gedaan,' zei een man aan het einde van de bar.

'Kunnen we niet ergens anders naar kijken?' vroeg de eerste vrouw. 'Ik ben al dat geweld spuugzat.'

'Wees nou stil,' zei Holman.

Ze richtte zich tot haar vriendin alsof ze een vertrouwelijk gesprek voerden, maar dan hard.

'Alleen maar slecht nieuws en dan vragen ze zich nog af waarom er niemand kijkt.'

'Hou je kop nou eens,' zei Holman.

Het beeld schakelde weer over op Donnelly, die een grimmig gezicht trok terwijl er rechts van hem een nieuwe foto op het scherm verscheen.

'We hebben in verband met de moord op deze politiemensen een arrestatiebevel uitgevaardigd voor deze man, Warren Alberto Juarez,' zei Donnelly.

De vrouw draaide zich bliksemsnel om naar Holman.

'Hoe durf je zo'n toon tegen me aan te slaan? Wat denk je wel?'

Holman deed zijn best om te verstaan wat Donnelly zei.

'De heer Juarez woont in Cypress Park. Hij heeft een lang strafblad voor onder meer mishandeling, gewapende overvallen, wapenbezit en lidmaatschap van een criminele organisatie...'

De vrouw zei: 'Doe maar niet of je me niet hoort.'

Holman concentreerde zich op wat Donnelly zei, maar miste toch een deel.

'...contact met ons opnemen op het nummer dat op uw scherm verschijnt. Probeer in geen geval, in géén geval, zeg ik u, deze man zelf aan te houden.'

Holman keek aandachtig naar het gezicht op het scherm. Warren Alberto Juarez zag er met zijn dikke snor en glad naar achteren geplakte haar uit als een lid van een straatbende. Hij keek sloom uit zijn ogen om er stoer uit te zien op de politiefoto. Die slome blik was populair bij zwarte en latino criminelen, maar Holman was er niet van onder de indruk. In de tijd dat hij in Men's Colony en Pleasant Valley zijn straf uitzat, had hij heel wat van die slome klootzakken een pak op hun lazer gegeven enkel en alleen om in leven te blijven.

'Ik heb het tegen jou, hoor,' zei de vrouw. 'Hoe durf je zo'n toon tegen me aan te slaan!'

Holman knikte naar de barman.

'Hoeveel krijg je van me?'

'Ik práát tegen je.'

'Twee dollar.'

'Heb je een munttelefoon?'

'Kijk me áán als ik tegen je praat.'

'Achter bij de wc.'

Holman legde twee dollar op de bar en volgde daarna de vinger van de barman naar de munttelefoon, terwijl de vrouw hem uitschold voor klootzak. Toen Holman bij de telefoon kwam, diepte hij zijn lijst op voor het nummer van Levy op bureau Devonshire. Hij moest wachten tot Levy klaar was met een ander telefoongesprek, maar toen kwam Levy aan de lijn.

'Ik heb het op het nieuws gehoord,' zei Holman.

'Dan weet u net zoveel als ik. Parker Center heeft nog geen uur geleden gebeld.'

'Hebben ze hem al?'

'Meneer Holman, ze hebben net het arrestatiebevel uitgevaardigd. Ik hoor meer zodra de arrestatie heeft plaatsgehad.'

Holman was zo opgewonden, dat hij stond te trillen alsof hij al een week aan de speed was. Hij wilde Levy niet afschrikken, dus haalde hij een paar keer diep adem om rustig te worden.

'Goed, dat begrijp ik. Weten ze al waarom het is gebeurd?'

'Het enige wat ik heb gehoord, is dat het iets te maken had met een vete tussen Juarez en brigadier Fowler. Fowler heeft vorig jaar de jongere broer van Juarez gearresteerd en blijkbaar is die broer in de gevangenis om het leven gekomen.'

'Wat had Richie met Juarez te maken?'

'Niets.'

Holman wilde meer horen. Hij wilde dat Levy hem de reden vertelde die de vier moorden tot een duidelijk geheel maakten, maar Levy zweeg.

'Kom nou, zeg... Kom op, zeg... Heeft die klootzak alle vier die kerels vermoord alleen vanwege Fowler?'

'Toe, meneer Holman. Ik snap wel wat u wilt; u wilt het kunnen begrijpen. Ik zou het ook graag begrijpen, maar soms zit dat er gewoon niet in. Richard had niets met de arrestatie van die Juarez te maken. Voor zover ik weet, Mellon en Ash ook niet. Ik kan geen definitieve uitspraken doen, maar dat is de indruk die ik tijdens het gesprek met hun meerderen heb gekregen. Hopelijk komen we meer te weten en wordt het allemaal duidelijk.'

'Weten ze wie hij bij zich had?'

'Ik heb begrepen dat hij het alleen heeft gedaan.'

Holman merkte dat zijn stem weer begon te trillen. Hij deed zijn uiterste best hem in bedwang te houden.

'Dat kan toch niet. Hoe wist hij dat ze onder die brug waren? Heeft hij ze gevolgd? Lag hij ze op te wachten, in zijn eentje, en dan schiet hij er vier neer om er één te grazen te nemen? Dat slaat toch nergens op.'

'Ja, ik weet het. Sorry.'

'Weten ze zeker dat het Juarez is geweest?'

'Ze zijn er heilig van overtuigd. Vingerafdrukken van patroonhulzen op de plaats delict bleken overeen te komen met die van Juarez. Naar ik heb begrepen, hebben ze ook getuigen die Juarez dreigementen hebben horen uiten en hem eerder die avond ter plaatse hebben gezien. Ze hebben vanochtend vroeg geprobeerd Juarez in zijn woning te arresteren, maar hij was al gevlucht. Zeg, ik heb nog meer telefoontjes –'

'Wanneer denken ze hem te arresteren?'

'Dat weet ik niet. Nu moet ik echt –'

'Nog één ding. Alstublieft, inspecteur. Op het nieuws zeiden ze dat hij lid was van een bende.'

'Dat heb ik ook gehoord, ja.'

'Weet u bij welke bende hij hoorde?'

'Nee, dat weet ik niet. Ik moet nu echt ophangen.'

Holman bedankte hem en liep naar de barman om een dollar te wisselen. De vrouw met de grote mond keek hem vuil aan, maar zei deze keer niets. Holman nam de muntjes mee naar de telefoon en belde Gail Manelli.

'Hoi, met Holman. Heb je even?'

'Natuurlijk, Max. Ik wilde je net bellen.'

Holman vermoedde dat ze hem had willen vertellen dat de politie de naam van een verdachte had vrijgegeven, maar hij ging daar niet op in.

'Je zei toch dat jij het met Gilbert zou regelen als ik een paar dagen vrij wilde? Weet je dat nog?'

'Heb je een paar vrije dagen nodig?'

'Ja. Er komt nogal wat op me af, Gail. Meer dan ik dacht.'

'Heb je vandaag de politie al gesproken?'

'Ik heb net inspecteur Levy gebeld. Kun jij een paar dagen regelen bij Gilbert? Die man is goed voor me geweest, met dat baantje...'

'Ik zal hem direct bellen, Max, ik ben ervan overtuigd dat hij het zal begrijpen. Maar wat ik wilde vragen: wil je niet met een maatschappelijk werker praten?'

'Nee, het gaat goed met me, Gail. Ik hoef niet naar een maatschappelijk werker.'

'Dit is niet het moment om alles wat je geleerd hebt te vergeten, Max. Maak er gebruik van. Probeer geen ijzervreter te zijn en denk niet dat je het allemaal in je eentje moet doen.'

Holman wilde haar vragen of ze zijn schuldgevoel en schaamte met hem wilde delen. Hij was het zat dat mensen hem behandelden alsof ze doodsbenauwd waren dat hij zou ontploffen, maar hij herinnerde zichzelf eraan dat Gail alleen maar haar werk deed.

'Ik heb alleen wat tijd nodig, dat is alles. Als ik van gedachten verander over die maatschappelijk werker, laat ik het je weten.'

'Als je maar niet vergeet dat ik er voor je ben.'

'Ja, dat weet ik. Zeg, ik moet ophangen. Bedankt dat je die vrije dagen wilt regelen met Gilbert. Zeg maar tegen hem dat ik hem over een paar dagen bel.'

'Dat zal ik doen, Max. Zorg goed voor jezelf. Ik weet dat je verdriet hebt, maar het belangrijkste is nu dat je goed voor jezelf blijft zorgen. Dat zou je zoon ook willen.'

'Dank je, Gail. Ik zie je gauw.'

Holman legde de telefoon neer. Gail had zo haar ideeën over wat belangrijk was, maar Holman had heel andere. De criminele wereld was een wereld die hij kende. En waar hij de weg wist.

8

Criminelen hebben geen vrienden. Ze hebben compagnons, leveranciers, helers, hoeren, mainteneurs, meelopers, dealers, maten, handlangers, slachtoffers en bazen, die ze stuk voor stuk zouden verlinken als het moest en die geen van allen te vertrouwen waren. Vrijwel niemand die Holman tijdens zijn tien jaar in Lompoc op de luchtplaats had ontmoet, was gearresteerd omdat een Dick Tracy of Sherlock Holmes zijn zaak had opgelost. Bijna iedereen was verraden door iemand die hij kende en vertrouwde. De politie kon niet alles alleen. Holman wilde iemand vinden die Warren Juarez wilde verlinken.

Die middag zei Gary 'L'Chee' Moreno: 'Jij moet wel de stomste gringo zijn die op twee benen rondloopt.'

'Doe eens een beetje aardig, man.'

'Ach, kom nou, Holman. Waarom ben je er niet vandoor gegaan? Dat wil ik je nu al tien jaar vragen, sufkop die je bent.'

'Je had geen tien jaar hoeven wachten, Chee. Je had me kunnen opzoeken in Lompoc.'

'Kijk, daarom hebben ze jou nou gepakt, omdat je zo denkt, stommeling. Ik zou die bank uit zijn gevlogen alsof ik peper in mijn reet had, rechtstreeks naar Zacatecas. Kom hier, man. Laat me je eens vasthouden.'

Chee kwam achter de balie van zijn carrosseriebedrijf in East L.A. uit en sloeg zijn armen stevig om Holman heen. Het was tien jaar geleden dat ze elkaar voor het laatst hadden gezien, tien jaar na de dag dat Chee voor de bank op Holman had staan wachten toen de politie en de FBI arriveerden, waarna Chee, zoals ze hadden afgesproken, was weggereden.

Holman had Chee leren kennen toen ze allebei veertien waren en een straf uitzaten in de jeugdgevangenis, Holman voor een reeks winkeldiefstallen en inbraken en Chee na een tweede veroordeling wegens autodiefstal. De kleine maar onbevreesde Chee werd door drie leden van de Bloods op de luchtplaats in elkaar geslagen toen Holman, in die tijd met zijn brede nek en schouders al fors voor zijn lengte, zich ermee bemoeide en de Bloods een pak op hun donder gaf. Chee ging daarna voor hem door het vuur, en dat gold ook voor Chees familie. Chee was een jongen van de bende White Fence, vijfde generatie en neef van de beruchte Chihuahua

Brothers uit Pacoima, twee Guatemalaanse onderdeurtjes die zich in de jaren zeventig in L.A. met een kapmes omhoog hadden gewerkt in de handel in gestolen auto's. Als hij nuchter genoeg was om ze te stelen – wat op het laatst niet zo heel vaak het geval was – had Holman Chee vroeger Porsches en Corvettes toegespeeld en Chee had zelfs bij een paar van de bankovervallen de vluchtauto bestuurd. Maar dat, wist Holman, had hij alleen gedaan vanwege de kick die hij kreeg van het wilde leven met zijn gabber Holman.

Chee deed een stap achteruit en Holman zag dat zijn ogen ernstig stonden. Holman betekende echt iets voor hem. Vanwege al die momenten in het verleden had hij een bijzonder plaatsje in zijn hart.

'Goed je te zien, man. Potdomme. Ben je gek geworden? Dat je hier staat is al een overtreding.'

'Ik val onder de federale overheid, kerel. Daar is het weer anders dan bij een voorwaardelijke vrijlating in Californië. Zij zeggen niet met wie ik mag omgaan.'

Chee keek ongelovig.

'O ja, joh?'

'Jep.'

Chee was duidelijk perplex en onder de indruk van de ingewikkelde regels binnen het gevangeniswezen.

'Kom mee naar achteren, daar is het niet zo'n herrie.'

Chee nam Holman mee naar een klein kantoortje achter de balie. Het kantoortje was in het verleden het zenuwcentrum geweest van een handel in onderdelen van gestolen auto's die Chee voor zijn ooms dreef. Chees ooms waren nu al tijden dood en hij was ouder en wijzer geworden. Hij had nu een vrijwel legaal carrosseriebedrijf waarin zijn zonen en neven werkten. Holman keek met veel interesse het kantoortje rond.

'Ziet er anders uit.'

'Is anders, kerel. Mijn dochter werkt hier drie dagen per week. Ze wil geen naakte vrouwen aan de muur. Wil je een biertje?'

'Ik drink niet meer.'

'Meen je dat nou? Wat goed, man, dat is echt goed. Potdomme, we worden oud.'

Chee lachte en liet zich in zijn stoel vallen. Wanneer Chee lachte, plooide zijn verweerde huid, met kraters van de acne en tatoeages uit zijn bendetijd, zich als de balg van een accordeon. Hij hoorde nog steeds bij de White Fence. Hij was een officiële *veterano*, maar zat niet meer in het straatleven. Chees verweerde gezicht betrok en hij staarde voor zich uit, tot hij Holman na een tijdje aankeek.

'Heb je geld nodig? Ik schiet het wel voor, kerel. Je hoeft me niet eens terug te betalen. Serieus.'

'Ik ben op zoek naar een zekere Warren Alberto Juarez.'

Chee draaide zich om in zijn stoel en trok een dik telefoonboek tussen de rommel uit. Hij sloeg een paar bladzijden om, omcirkelde een naam en schoof het boek over het bureau.

'Daar staat hij. Leef je uit, zou ik zeggen.'

Holman wierp een blik op de bladzijde. Warren A. Juarez. Een adres in Cypress Park. Een telefoonnummer. Toen Holman opkeek, zat Chee naar hem te kijken alsof Holman niet goed bij zijn hoofd was.

'Ben je daarvoor gekomen, kerel, om de beloning te innen? Denk je dat hij zich hier in een kast heeft verstopt? Lazer toch op, joh.'

'Weet je waar hij heen is?'

'Waarom denk je dat ik zoiets zou weten?'

'Jij bent Little Chee. Jij wist altijd alles.'

'Die dagen zijn voorbij, man. Ik ben meneer Moreno. Kijk om je heen. Ik zit niet meer in het circuit. Ik betaal belasting. Ik heb aambeien.'

'Je hoort nog steeds bij de White Fence.'

'Tot in het hiernamaals. En laat ik je één ding zeggen, als ik wist waar die vent zat, zou ik die vijftig zelf innen: hij hoort niet bij de White Fence. Hij is van Frogtown, kerel, van bij de rivier, en op dit moment is hij voor mij alleen maar lastig. De helft van mijn jongens heeft zich vanochtend ziek gemeld omdat ze op dat geld uit zijn. Mijn hele planning loopt in de soep.'

Chee stak zijn handen op om duidelijk te maken dat hij het helemaal had gehad met die Warren Juarez en hij vervolgde zijn tirade.

'Vergeet die beloning, Holman. Ik heb toch gezegd dat ik je geld geef als je het nodig hebt.'

'Het gaat mij niet om het geld.'

'Waarom dan?'

'Een van de politiemannen die hij heeft gedood, was mijn zoon. Richie is politieman geworden, kun je het je voorstellen? Mijn kleine jongen.'

Chees ogen werden groot. Hij had de jongen een paar keer ontmoet, voor het eerst toen Richie drie was. Holman had Donna toen zover gekregen dat hij de jongen mocht meenemen naar het reuzenrad op de pier van Santa Monica. Holman en Chee hadden met elkaar afgesproken, maar

Holman had Richie bij de vriendin van Chee achtergelaten zodat hij en Chee een Corvette konden gaan stelen die ze op het parkeerterrein hadden zien staan. Echt iets voor de Vader van het Jaar.

'Kerel, kerel, wat erg.'

'Dat was de goede invloed van zijn moeder, Chee. Ik heb erom gebeden. Laat hem niet zo'n klootzak worden als ik, laat hem worden zoals zijn moeder.'

'God heeft je gebeden verhoord.'

'De politie beweert dat Juarez hem heeft vermoord. Ze beweren dat Juarez ze alle vier heeft vermoord, alleen om die Fowler te pakken, om iets met Juarez' broer.'

'Daar weet ik niets van, man. Dat is allemaal Frogtown, kerel.'

'Hoe dan ook, ik moet hem vinden. Ik wil weten wie hem heeft geholpen. Dan ga ik daar ook achteraan.'

Chee ging verzitten, waardoor zijn stoel kraakte. Hij wreef mompelend en peinzend met een ruwe hand over zijn gezicht. Latijns-Amerikaanse bendes ontleenden hun naam aan hun wijk: de Happy Valley Gang, Hazard Street, Geraghty Lomas. Frogtown stamde uit vroeger dagen, toen de jongens uit de buurt in slaap vielen bij het gekwaak van kikkers in de rivier de Los Angeles, vóór de rivierbedding door de gemeente werd bekleed met betonplaten en de kikkers stierven. Dat Juarez lid was van Frogtown, raakte Holman diep. De agenten waren bij de rivier vermoord.

Chee keek langzaam op en richtte zijn blik op Holman.

'Ga je hem omleggen? Is dat wat je wilt?'

Holman wist eigenlijk niet wat hij zou doen. Hij wist eigenlijk niet wat hij hier bij Chee deed. De voltallige politie van Los Angeles was op zoek naar Warren Juarez.

'Holman?'

'Het was mijn zoon. Als iemand je zoon vermoordt, kun je niet werkloos toezien.'

'Je bent geen moordenaar, Holman. Een crimineel, ja, maar moord? Dat heb ik nooit in je gezien, kerel, en geloof me, ik heb heel wat keiharde moordenaars gezien, gasten die een kind overhoop steken en daarna rustig een biefstuk gaan eten. Maar zo ben jij nooit geweest. Stel dat je die knul omlegt. Ben je dan straks in de bus naar de gevangenis tevreden over wat je hebt gedaan?'

'Wat zou jij doen?'

'De klootzak om zeep helpen, kerel. Die knul zijn hoofd afhakken, het goed in het zicht aan mijn achteruitkijkspiegel hangen zodat iedereen het ziet en ermee over Whittier Boulevard rijden. Ga jij zoiets doen? Zou je dat kunnen?'

'Nee.'

'Laat de politie zijn werk dan doen. Ze hebben vier van hun eigen mensen verloren. Ze zullen alles op alles zetten om die gozer te vinden.'

Holman wist dat Chee gelijk had, maar probeerde onder woorden te brengen waarom hij dit móést doen.

'Bij de politie moeten ze zo'n formulier invullen over hun familie. In het vakje voor de vader had Richie "onbekend" geschreven. Hij schaamde zich zo voor me, dat hij het niet eens nodig vond me te noemen – hij schreef dat zijn vader "onbekend" was. Dat kan ik niet accepteren, Chee. Ik ben zijn vader. Ik kan niet anders reageren dan zo.'

Chee leunde weer stil en peinzend naar achteren terwijl Holman verder ging.

'Ik kan dit niet aan iemand anders overlaten. Ze beweren dat Juarez het helemaal alleen heeft gedaan. Kom nou, Chee, welke straatboef is zo goed dat hij in zijn eentje vier gewapende politiemannen kan uitschakelen, en dan ook nog zo snel dat ze niet eens terug kunnen schieten?'

'Er komen veel jongens terug uit Irak, kerel. Als die knul daar zijn spullen heeft gekocht, wist hij waarschijnlijk precies hoe hij het moest aanpakken.'

'Dan wil ik dat weten. Ik wil weten hoe het is gegaan en de schoften vinden die het gedaan hebben. Ik doe geen wedstrijdje met de politie. Ik wil alleen dat die klootzak wordt gevonden.'

'Nou, je zult genoeg hulp krijgen. Voor zijn huis in Cypress Park lijkt het wel een politiecongres. Ik ben er tussen de middag met mijn vrouw en dochter langsgereden, alleen om even te kijken, net een stelletje echte ramptoeristen! Zijn vrouw is nu zelf ook ondergedoken. Het adres dat ik je net heb gegeven, daar is niemand meer.'

'Waar is zijn vrouw naartoe?'

'Hoe moet ik dat weten, Holman? Die jongen hoort niet bij de White Fence. Als hij daar wel bij hoorde en hij had je zoon gedood, zou ik hem eigenhandig neerschieten, kerel. Maar hij hoort bij die club van Frogtown.'

'Little Chee?'

Bij twee van de bankovervallen hadden getuigen Holman in een auto zien stappen die door een andere man werd bestuurd. Na Holmans arrestatie had de FBI hem onder druk gezet om de naam van zijn handlanger te weten te komen. Ze hadden ernaar gevraagd, maar Holman had zijn lippen stijf op elkaar gehouden.

'Na mijn arrestatie, hoe vaak heb je toen wakker gelegen omdat je bang was dat ik je erbij zou lappen?' vroeg Holman.

'Nooit. Nog geen uur, kerel.'

'Want?'

'Want ik wist dat ik je kon vertrouwen. Je was mijn maat.'

'Is daar iets aan veranderd of is dat hetzelfde gebleven?'

'Dat is nog zo. We zijn nog steeds maatjes.'

'Help me dan, Little Chee. Waar kan ik dat meisje vinden?'

Holman wist dat Chee er niet op zat te wachten, maar Chee aarzelde geen moment. Hij pakte de telefoon.

'Ga maar even koffie drinken, kerel. Ik moet een paar mensen bellen.'

Een uur later liep Holman naar buiten, maar Chee ging niet met hem mee. Na tien jaar was veel nog hetzelfde, maar sommige dingen waren veranderd.

9

Holman besloot eerst langs het huis van Juarez te rijden om het politiecongres te zien. Hoewel Chee hem al had gewaarschuwd dat er veel politie zou zijn, viel Holmans mond open van verbazing. Drie bestelbusjes van de pers en een surveillancewagen van de LAPD stonden voor een kleine bungalow. Zendantennes spreidden zich als spichtige palmbomen boven de bestelbusjes uit en agenten in uniform en mensen van de pers stonden op de stoep met elkaar te praten. Eén blik en Holman wist dat Juarez niet meer zou terugkomen, ook niet als de politie was vertrokken. Een kleine groep buurtbewoners stond zich aan de overkant van de straat te vergapen en het leek wel of het om een dodelijk verkeersongeluk op de 405 ging, zo'n lange stoet auto's reed langzaam door de straat. Geen wonder dat de vrouw van Juarez de benen had genomen.

Holman reed door.

Chee was te weten gekomen dat Maria Juarez was vertrokken naar het huis van haar neef in Silver Lake, in een buurt ten zuiden van Sunset waar veel lui uit Midden-Amerika woonden. Holman vermoedde dat de politie ook wist waar ze was en haar waarschijnlijk zelfs bij haar vertrek had geholpen om haar tegen de media te beschermen; als ze uit eigen beweging was ondergedoken, zouden ze haar hebben aangemerkt als voortvluchtig en zou er een arrestatiebevel zijn uitgevaardigd.

Op het adres dat Chee Holman had gegeven, bleek een klein vierkant houten huis te zijn in een straat met verzakte trottoirs. Het huis stond op een steile heuvel en lag verscholen achter een slordige cipressenhaag. Het lijkt net of het huis zich verstopt, dacht Holman. Hij parkeerde een stukje hoger op de heuvel en overwoog wat hij het best kon doen. De deur en de jaloezieën zaten dicht, maar dat was bij de meeste huizen zo. Holman vroeg zich af of Juarez in het huis was. Het zou kunnen. Holman kende tientallen kerels die in hun eigen garage waren opgepakt omdat ze nergens anders heen konden. Criminelen gingen altijd terug naar hun vriendin, hun vrouw, hun moeder, hun huis, hun caravan, hun auto – ze vluchtten naar de plaatsen of personen die hun een gevoel van veiligheid gaven. Holman zou indertijd waarschijnlijk ook thuis zijn opgepakt, als hij zoiets als een thuis had gehad.

Holman bedacht zich dat de politie dat ook wist en het huis mogelijk in de gaten hield. Hij draaide zijn hoofd naar alle kanten om de auto's en huizen in de omgeving te bekijken, maar zag niets verdachts. Hij stapte uit en liep naar de voordeur. Hij zag geen reden al te drastisch te werk te gaan, behalve als er niemand opendeed. In dat geval zou hij langs de zijkant van het huis lopen en aan de achterkant inbreken. Hij klopte aan.

Holman had niet verwacht dat er zo snel zou worden gereageerd. Er werd onmiddellijk opengedaan door een jonge vrouw. Ze kon niet ouder zijn dan een jaar of eenentwintig, jonger nog dan Richie, en ze was spuuglelijk. Ze had een platte neus, grote tanden en zwart platgekamd haar waarvan twee plukjes in een krul voor haar oren zaten geplakt.

'Is alles goed met hem?' vroeg ze.

Ze dacht dat hij van de politie was.

'Maria Juarez?' vroeg Holman.

'Zeg alsjeblieft dat alles goed met hem is. Hebben jullie hem gevonden? Hij is toch niet dood, hè?'

Ze had Holman precies verteld wat hij weten moest. Juarez was niet hier. De politie was al eerder geweest en ze had met hen samengewerkt. Holman wierp haar een ontspannen glimlach toe.

'Ik heb een paar vragen. Mag ik binnenkomen?'

Ze deed een stap achteruit en Holman ging naar binnen. De tv stond aan, maar verder was het stil. Hij luisterde of er iemand achter in het huis was, maar hij hoorde niets. Door de eetkamer en de keuken heen kon hij de achterdeur zien. Die was dicht. Het rook in het huis naar chorizo en koriander. Naast de woonkamer was een gang die waarschijnlijk naar een badkamer en enkele slaapkamers leidde. Holman vroeg zich af of er iemand in een van de slaapkamers was.

'Is er verder nog iemand?' vroeg Holman.

Haar ogen schoten de andere kant op en Holman wist dat hij zijn eerste fout had gemaakt. De vraag wekte argwaan.

'Mijn tante. Ze ligt in bed.'

Hij nam haar bij de arm en duwde haar naar de gang.

'We gaan eens even kijken.'

'Wie ben jij? Ben jij van de politie?'

Holman wist dat veel meisjes uit dit soort buurten je even snel zouden doden als welke *veterano* dan ook en sommigen nog sneller, dus greep hij haar arm stevig beet.

'Ik wil alleen zien of Warren hier is.'

'Hij is hier niet. Jullie weten dat hij hier niet is. Wie ben jij? Jij bent niet van de recherche.'

Holman nam haar mee door de gang, keek eerst in de badkamer en vervolgens in de voorste slaapkamer. Rechtop in bed zat een oude dame, zo rimpelig en klein als een rozijn en gewikkeld in sjaals en dekens. Ze zei iets in het Spaans dat Holman niet verstond. Hij glimlachte verontschuldigend, deed de deur van de oude dame weer dicht en trok Maria mee naar de tweede slaapkamer.

'Daar mag je niet naar binnen,' zei Maria.

'Warren zit daar toch niet, hè?'

'Daar ligt mijn dochtertje. Ze slaapt.'

Holman hield de vrouw van Juarez voor zich en deed de deur op een kiertje open. Het was schemerig in de kamer. Hij ontwaarde een kleine gedaante die in een groot bed lag te slapen, een meisje van een jaar of drie. Holman bleef weer even staan luisteren, want hij besefte dat Juarez zich onder het bed of in de kast kon hebben verstopt, maar hij wilde het kleine meisje niet wakker maken. Hij hoorde het zachte, snorrende geluid van het snurken van een kind. Iets in de onschuldige houding van het kind deed Holman denken aan Richie op die leeftijd. Holman probeerde zich te herinneren of hij Richie ooit had zien slapen, maar dat lukte hem niet. De herinneringen kwamen niet, want ze bestonden niet. Hij was nooit lang genoeg gebleven om zijn kind te zien slapen.

Holman sloot de deur en nam Maria mee naar de woonkamer.

'Jij was er niet bij toen de politie hier was. Ik wil weten wie je bent.'

'Ik heet Holman. Zegt die naam je iets?'

'Maak dat je wegkomt. Ik weet niet waar hij is. Dat heb ik ze al verteld. Wie ben jij? Je hebt me je legitimatie nog niet laten zien.'

Holman duwde haar neer op de bank. Hij boog zich over haar heen, neus tegen neus, en wees naar zijn gezicht.

'Zie je dit gezicht? Heb je dit gezicht op het nieuws gezien?'

Ze huilde. Ze begreep niet waar hij het over had en ze was bang. Holman zag het, maar hij kon niet ophouden. Hij sprak op een fluistertoon en verhief zijn stem geen moment. Op dezelfde manier als wanneer hij een bank beroofde.

'Ik heet Holman. Een van de politiemannen heette ook Holman. Die klotevent van jou heeft mijn zoon vermoord. Begrijp je?'

'Nee!'

'Waar is hij?'

'Dat weet ik niet.'

'Is hij naar Mexico? Ik heb gehoord dat hij de grens over is gepiept.'

'Hij heeft het niet gedaan. Ik heb het ze laten zien. Hij was bij ons.'

'Waar is hij?'

'Dat weet ik niet.'

'Vertel me bij wie hij zich schuilhoudt.'

'Dat weet ik niet. Ik heb het ze verteld. Ik heb het ze laten zien. Hij was bij ons.'

Holman had vooraf geen plan gemaakt en wist nu niet hoe hij verder moest. De psychosociaal medewerkers in de gevangenis hadden daar voortdurend op gehamerd: criminelen waren mensen die niet in staat of niet bereid waren zich op de gevolgen van hun daden te beraden. Geen impulscontrole, noemden ze het. Holman greep haar opeens bij de keel. Zijn hand omvatte haar van oor tot oor alsof hij een eigen wil had. Hij pakte haar vast zonder te beseffen wat hij deed en waarom...

...toen maakte ze echter een benauwd gorgelend geluid en zag Holman zichzelf ineens staan. Rood van schaamte liet hij haar los en deed een stap achteruit.

'Mama?' zei het meisje vragend.

Ze stond in de gang, voor de slaapkamer van de oude dame, een miniatuurmensje, zo klein was ze. Holman wilde weglopen. Hij walgde van zichzelf en schaamde zich omdat het kind hem misschien had gezien.

Maria zei: 'Het is goed, lieverd. Ga maar weer naar bed. Ik kom zo bij je kijken. Toe maar.'

Het kleine meisje ging terug naar haar kamer.

Net zoals Richie weg was gelopen toen Donna hem voor waardeloze lul uitmaakte.

'Sorry. Gaat het?' zei Holman.

Maria keek hem aan zonder iets te zeggen. Ze voelde aan haar keel, waar hij haar had beetgepakt, en aan een krul die met gel tegen haar wang zat geplakt.

'Zeg, het spijt me. Ik ben van streek. Hij heeft mijn zoon vermoord,' zei Holman.

Ze vermande zich en schudde haar hoofd.

'Het was haar verjaardag, eergisteren. Hij was bij ons voor haar verjaardag. Hij was geen agenten aan het vermoorden.'

'Haar verjaardag? Van je dochtertje?'

'Ik kan het bewijzen. Ik heb ze de band laten zien. Warren was bij ons.'

Holman schudde zijn hoofd om het deprimerende gevoel van verlies kwijt te raken en probeerde te begrijpen wat ze zei.

'Ik snap niet waar je het over hebt. Vierden jullie de verjaardag van je dochtertje? Hadden jullie visite?'

Holman zou geen enkele door haar aangevoerde getuige geloven, en de politie evenmin, maar ze gebaarde naar de televisie.

'Warren had zo'n videocamera meegebracht. Hij ligt bij mij thuis. We hebben gefilmd dat ze de kaarsjes uitblies en dat ze met ons aan het spelen was, eergisteren.'

'Dat bewijst niets.'

'Je snapt het niet. Dat programma was op televisie, dat ene, met die komiek. Warren nam haar op zijn rug om paardje te rijden en hij ging de hele woonkamer met haar door, voor de televisie. Het programma was op tv toen Warren hier was. Dat bewijst dat hij bij ons was.'

Holman had geen idee over welk programma ze het had.

'Die agenten zijn om halftwee 's nachts vermoord.'

'Ja! Dat programma begint om één uur. Het was op tv toen Warren met haar aan het paardjerijden was. Je kunt het zien op de band.'

'Jullie vierden midden in de nacht de verjaardag van je dochtertje? Maak dat de kat wijs.'

'Er lopen arrestatiebevelen tegen hem, snap je? Hij kan niet zomaar op elk moment langskomen. Hij moet goed uitkijken. Mijn vader heeft de band ook gezien. Hij zegt dat het programma bewijst dat Warren bij ons thuis was.'

Kennelijk geloofde ze zelf wat ze zei en het zou ook makkelijk te controleren zijn. Als op haar videoband een televisieprogramma stond dat op de buis was, hoefde je alleen maar bij de televisiezender na te vragen wanneer het was uitgezonden.

'Goed. Laat maar zien. Ik wil wel eens kijken.'

'De politie heeft hem meegenomen. Ze zeiden dat het bewijsmateriaal was.'

Holman dacht even na. De politie had de band meegenomen, maar geloofde duidelijk niet dat de opname Warren vrijpleitte, want ze hadden een arrestatiebevel tegen hem uitgevaardigd. Toch meende Holman dat Maria eerlijk tegen hem was en hij ging er daarom maar van uit dat ze de waarheid sprak toen ze zei dat ze niet wist waar haar man was.

'Mama,' zei het kleine meisje.

Het kind stond weer in de gang.

'Hoe oud ben je?' zei Holman.

Het kleine meisje keek strak naar de grond.

'Geef eens antwoord, Alicia. Waar zijn je manieren?' vroeg Maria.

Het kleine meisje stak drie vingers op.

'Ik vind het heel erg dat je zoon vermoord is, maar Warren heeft het niet gedaan. Ik weet wat je nu in je hart voelt. Als je hem vermoordt, zul je ook dat in je hart meedragen.'

Holman trok zijn blik los van het kleine meisje.

'Sorry dat ik me zo heb misdragen.'

Hij liep de voordeur uit. Het zonlicht was fel na het schemerige huis. Hij sjokte terug naar Perry's auto en voelde zich als een stuurloos schip op een woeste zee. Hij kon nergens heen en had geen idee wat hij moest doen. Waarschijnlijk moest hij gewoon weer aan het werk gaan, geld verdienen. Hij kon niets anders bedenken.

Holman probeerde nog steeds tot een besluit te komen toen hij bij Perry's auto aankwam. Hij stak het sleuteltje in het slot. Plotseling werd hij zo hard van achteren geslagen dat hij geen lucht meer kreeg. Zijn voeten werden onder hem uit geschopt, hij knalde tegen de zijkant van de auto en vervolgens drukten ze hem met de elegantie van echte professionals hard met gespreide armen en benen voorover op straat.

Toen Holman opkeek, hield een vent in burger, met rood haar en een zonnebril, een politiepas omhoog.

'Politie van Los Angeles. U staat onder arrest.'

Holman kneep zijn ogen dicht en de handboeien sloten zich om zijn polsen.

10

Bij zijn aanhouding waren vier agenten in burger geweest, maar toen ze hem naar Parker Center brachten waren er nog maar twee: de roodharige politieman, die Vukovich heette, en ene Fuentes, een latino. Holman was twaalf keer gearresteerd door de politie van Los Angeles en alle keren, behalve de laatste (toen hij was gearresteerd door Katherine Pollard, een agent van de FBI), was hij naar een van de negentien wijkbureaus gebracht. Hij had twee keer in de Men's Central Jail gezeten en drie keer in het Men's Detention Center, maar hij was nog nooit op Parker Center geweest. Toen ze hem meenamen naar Parker, wist Holman dat hij zwaar in de problemen zat.

Parker was het hoofdbureau van de politie van Los Angeles, een wit gebouw met veel glas waar de hoofdcommissaris, de afdeling Interne Zaken, verschillende beleidsmedewerkers en administratieve afdelingen waren gehuisvest, alsook de hoofdafdeling Moord en Gewapende Overvallen die toezicht hield op de onderafdelingen Moord, Overvallen en Zeden. Alle negentien bureaus hadden rechercheurs in dienst die moorden, overvallen en zedenmisdrijven onderzochten, maar die rechercheurs werkten alleen in hun eigen wijk. De rechercheurs van de hoofdafdeling Moord en Gewapende Overvallen werkten aan zaken die door de hele stad speelden.

Vukovich en Fuentes namen Holman mee naar een verhoorkamer op de tweede verdieping. Ze ondervroegen hem ruim een uur. Daarna nam een ander stel rechercheurs het over. Holman kende het klappen van de zweep. De rechercheurs stelden telkens dezelfde vragen om te zien of je antwoorden veranderden. Als dat zo was, wisten ze dat je loog, dus vertelde Holman hun de waarheid, behalve over Chee. Toen Vukovich, de roodharige man, vroeg hoe hij wist dat Maria Juarez bij haar neven was, vertelde Holman hun dat hij het had gehoord in een café, waar een of andere *chicano* uit Frogtown stond op te scheppen dat hij Maria had geneukt toen ze op de middelbare school zaten – hij én tweeënzestig andere gasten, die meid was zo'n sloerie – en dat de agenten die Warren had gedood die kleine slet waarschijnlijk ook hadden gepakt. Chee uit de wind houden was iets wat hij eerder had gedaan en het was deze keer de enige leugen die

Holman vertelde. Eén leugen, makkelijk te onthouden, hoewel hij er zenuwachtig van werd.

Om tien over halfnegen die avond zat Holman nog in die kamer. Hij was al ruim zes uur verhoord zonder dat men hem een advocaat had aangeboden of een proces-verbaal had opgemaakt. Om elf over halfnegen ging de deur weer open en kwam Vukovich binnen met een onbekende man.

De onbekende nam Holman even op en stak vervolgens zijn hand uit. Hij kwam Holman bekend voor.

'Meneer Holman, ik ben John Random. Gecondoleerd met uw zoon.'

Random was de eerste rechercheur die hem een hand gaf. Hij droeg een wit overhemd met lange mouwen en een stropdas, maar geen colbert. Aan zijn riem hing een goudkleurige politiepenning. Random nam plaats op een stoel tegenover Holman. Vukovich leunde tegen de muur.

'Word ik ergens van beschuldigd?' vroeg Holman.

'Heeft rechercheur Vukovich uitgelegd waarom we u hebben opgepakt?'

'Nee.'

Opeens wist Holman waarom Random hem bekend voorkwam. Random had bij de persconferentie gezeten die Holman in het café had gezien. Randoms naam had hij niet geweten, maar zijn gezicht herkende hij wel.

'Toen de agenten uw kenteken natrokken, bleken er tweeëndertig parkeerboetes en nog negen andere bekeuringen open te staan,' zei Random.

'Allemachtig,' zei Holman.

Vukovich glimlachte.

'Ja, en het signalement van de eigenaar dat we van het Bureau Kentekenregistratie kregen, klopte ook niet. U bent tenslotte geen zevenenveertig jaar oude zwarte man. We dachten dat u in een gestolen auto zat.'

'We hebben contact gehad met meneer Wilkes,' zei Random. 'Wat de auto betreft gaat u vrijuit, ook al hebt u zonder rijbewijs gereden. Dus laten we de auto verder vergeten en ons concentreren op mevrouw Juarez. Waarom hebt u haar opgezocht?'

Deze vraag was hem al dertig keer gesteld. Holman gaf hetzelfde antwoord.

'Ik was op zoek naar haar echtgenoot.'

'Wat weet u over haar echtgenoot?'

'Ik heb u op televisie gezien. U bent naar hem op zoek.'

'Maar waarom was ú naar hem op zoek?'

'Hij heeft mijn zoon vermoord.'

'Hoe hebt u mevrouw Juarez gevonden?'

'Hun adres stond in het telefoonboek. Ik ben naar hun huis gegaan, maar daar krioelde het van de mensen. Toen heb ik een paar cafés in de buurt bezocht. Daar ontmoette ik een paar lui die ze kenden en algauw kwam ik in Silver Lake terecht, waar ik een vent tegenkwam die zei dat hij haar kende. Hij vertelde me dat ze bij haar neven logeerde en daar bleek ze inderdaad te zijn.'

Random knikte.

'Wist hij het adres?'

'Inlichtingen heeft me het adres gegeven. Die kerel die ik tegenkwam, vertelde me alleen bij wie ze logeerde. Zo moeilijk was het niet. Er zijn maar weinig mensen met een geheim nummer.'

Random glimlachte en keek hem strak aan.

'In welk café was dat?'

Holman ontmoette Randoms blik en keek vervolgens terloops naar Vukovich.

'Ik weet niet hoe die tent heet, maar hij zit op Sunset, een stuk ten westen van Silver Lake Boulevard. Aan de noordkant. Ik weet vrijwel zeker dat hij een Mexicaanse naam had.'

Holman was er langsgekomen. Op Sunset zaten allemaal Mexicaanse cafés.

'Hmmm, dus u zou het ons kunnen aanwijzen?'

'O, ja, zeker. Ik heb een uur of drie geleden al tegen rechercheur Vukovich gezegd dat ik het jullie kan aanwijzen.'

'En die man die u hebt gesproken, zou u hem herkennen als u hem weer zag?'

Holman ontmoette opnieuw Randoms blik, maar ontspande zich en maakte er geen punt van.

'Tuurlijk. Ongetwijfeld. Als hij er na al die tijd nog is.'

Vukovich vroeg, opnieuw met een glimlach: 'Neem je me nou in de maling of hoe zit het?'

Random sloeg geen acht op Vukovich' opmerking.

'Zeg eens, meneer Holman, en de vraag die ik u nu stel, is zeer belangrijk: heeft Maria Juarez iets verteld wat ons kan helpen haar man te vinden?'

Holman vatte opeens sympathie voor Random op. De gedrevenheid van de man en zijn verlangen Warren Juarez te vinden spraken hem aan.

'Nee.'

'Wist ze niet waar hij zich schuilhield?'

'Ze zei van niet.'

'Heeft ze u verteld waarom hij de agenten heeft vermoord? Of andere bijzonderheden over het misdrijf?'

'Ze beweerde dat hij het niet had gedaan. Ze vertelde me dat hij bij haar was toen de moorden werden gepleegd. Ze hebben een dochtertje. Het meisje was jarig, zei ze, en ze hadden een video opgenomen waaruit bleek dat Warren bij hen was ten tijde van de moorden. Ze zei dat ze hem aan jullie had gegeven. Dat is alles.'

'Deed ze alsof ze niet wist waar haar man was?' vroeg Random.

'Ze heeft alleen maar gezegd dat hij het niet had gedaan. Ik weet niet wat ik verder moet vertellen.'

'Wat wilde u gaan doen toen u bij haar wegging?'

'Wat ik daarvoor ook al deed. Met mensen praten om te zien of ik nog iets te weten kon komen. Maar toen kwam ik meneer Vukovich tegen.'

Vukovich lachte en veranderde van houding.

'Mag ik u een vraag stellen?' vroeg Holman.

Random haalde zijn schouders op.

'Vragen staat vrij. Ik zeg niet dat ik antwoord geef, maar kom maar op.'

'Hebben ze echt een videoband?'

'Ze heeft ons een band gegeven, maar die bewijst niet wat hij volgens haar bewijst. Het is onduidelijk wanneer die band is gemaakt.'

'Ze hoeven die videoband niet dinsdagnacht om één uur te hebben gemaakt,' zei Vukovich. 'We hebben onze technicus ernaar laten kijken. Zij denkt dat ze het televisieprogramma hebben opgenomen en daarna op de videorecorder hebben afgedraaid om het als alibi te gebruiken. Als je naar die band kijkt, kijk je niet naar het televisieprogramma op het moment dat het oorspronkelijk werd uitgezonden; je kijkt naar een opname van een opname. We denken dat ze de band de ochtend na de moorden hebben gemaakt.'

Holman fronste. Hij begreep wel dat het mogelijk was om zo'n band te maken, maar hij had ook de angst in Maria's ogen gezien toen hij haar bij de keel greep. Hij had oog in oog gestaan met doodsbange mensen toen hij auto's stal en banken beroofde en hij had het gevoel gehad dat ze de waarheid sprak.

'Wacht eens even. Wil je zeggen dat ze met haar echtgenoot onder één hoedje speelt?'

Random deed zijn mond al open om antwoord geven, maar scheen zich te bedenken. Hij keek op zijn horloge en stond op alsof hij een zware last optilde.

'Laten we het hier maar bij houden. Het onderzoek is nog in volle gang.'

'Goed, maar nog één ding. Richies teamchef vertelde me dat het om een persoonlijke vete ging tussen Juarez en een van de andere agenten, Fowler. Klopt dat?'

Random knikte naar Vukovich en liet hem antwoorden.

'Ja, dat klopt. Het is iets meer dan een jaar geleden begonnen. Fowler en zijn pupil hielden een knul aan voor een verkeersovertreding. Dat was Jaime Juarez, het jongere broertje van Warren. Juarez werd agressief. Fowler wist dat hij high was, trok hem uit de auto en vond een paar brokjes crack in zijn broekzak. Juarez beweerde natuurlijk dat Fowler ze er zelf in had gestopt, maar hij kreeg toch drie jaar cel. De tweede maand dat hij in de bak zat, brak er een gevecht uit tussen zwarte en latino gevangenen en daarbij kwam Jaime om het leven. Warren gaf Fowler de schuld. Verkondigde in heel de Eastside dat hij Fowler kapot zou maken omdat hij de dood van die knul op zijn geweten had. Hij deed er niet geheimzinnig over. We hebben een lijst van twee bladzijden van mensen die zijn dreigementen hebben gehoord.'

Holman dacht na. Dat Juarez de man vermoordde die hij verantwoordelijk achtte voor de dood van zijn broer, hield hij heel goed voor mogelijk, maar dat was niet wat hem dwarszat.

'Hebt u al namen van andere verdachten?'

'Er zijn geen andere verdachten. Juarez heeft het alleen gedaan.'

'Dat is toch godsonmogelijk, dat Juarez het alleen heeft gedaan. Hoe wist hij dat ze daar waren? Hoe heeft hij ze gevonden? Hoe schakelt één straatboef vier gewapende politieagenten uit, zonder dat een van hen een schot kan lossen?'

Holmans stem werd luid en dat betreurde hij. Random raakte geïrriteerd. Hij tuitte zijn lippen en keek nogmaals op zijn horloge alsof er iets of iemand op hem wachtte. Hij kwam blijkbaar tot een besluit en keek Holman aan.

'Hij benaderde ze vanuit het oosten en gebruikte daarbij de pilaren van de brug als dekking. Zo kon hij dichtbij komen. Hij stond al op negen meter afstand toen hij begon te schieten. Hij maakte gebruik van een Benelli-jachtgeweer met kaliber twaalf, grove hagel. Weet u wat grove hagel is, meneer Holman?'

Holman knikte. Hij voelde zich beroerd.

'Twee van de agenten werden in de rug geschoten. Dat wijst erop dat ze het geen moment hebben zien aankomen. De derde agent zat waarschijnlijk op de motorkap van zijn auto. Hij sprong eraf, draaide zich om en kreeg het schot recht van voren. De vierde politieman wist zijn wapen te trekken, maar hij was dood voor hij het vuur kon beantwoorden. Vraag me niet welke uw zoon was, meneer Holman. Dat ga ik u niet vertellen.'

Holman had het koud. Hij haalde snel en oppervlakkig adem. Random keek nogmaals op zijn horloge.

'We weten dat er maar één schutter was, want alle patroonhulzen zijn uit hetzelfde wapen afkomstig. Het was Juarez. Die video is gewoon een slappe poging van hem om zich in te dekken. Wat u betreft, we laten u gaan. Dat was geen unaniem besluit, maar u bent vrij. We zullen u laten terugbrengen naar uw auto.'

Holman stond op, maar hij had nog steeds vragen. Voor het eerst in zijn leven had hij geen haast een politiebureau uit te komen.

'Hebt u al enig idee waar u de vuilak kunt vinden? Hebben uw mensen hem al in de peiling?'

Random wierp een blik op Vukovich. Het gezicht van Vukovich verried niks. Random keek weer naar Holman.

'We hebben hem al. Vanavond om tien voor halfzeven is Warren Alberto Juarez dood aangetroffen. Hij heeft zichzelf overhoop geschoten.'

Vukovich raakte de onderkant van zijn kin aan.

'Zelfde jachtgeweer als waarmee hij uw zoon heeft vermoord. Recht omhoog, hier doorheen, zo de bovenkant van zijn hoofd eraf. Hij had het geweer nog in zijn handen.'

Random stak opnieuw zijn hand uit. Holman was volkomen uit het veld geslagen door het nieuws, maar schudde de hand werktuiglijk.

'Het spijt me, meneer Holman. Ik vind het echt verschrikkelijk dat we op deze manier vier politieagenten zijn kwijtgeraakt. Het is doodzonde.'

Holman gaf geen antwoord. Ze hadden hem hier de hele avond vastgehouden, terwijl Juarez al dood was.

Holman zei: 'Waarom vroegen jullie me in godsnaam of zijn vrouw wist waar hij was en wat ik van plan was?'

'Om te zien of ze tegen me had gelogen. U weet hoe het werkt.'

Holman begon kwaad te worden, maar onderdrukte zijn boosheid. Random deed de deur open.

'Even voor alle duidelijkheid: u gaat niet terug naar mevrouw Juarez.

Haar man mag dan dood zijn, maar zij maakt nog steeds deel uit van een lopend onderzoek.'

'Denkt u dat ze iets met de moorden te maken had?'

'Ze heeft hem geholpen met zijn alibi. Of ze wel of niet van tevoren van het misdrijf wist, moeten we nog nagaan. Ik wil dat u zich er niet meer mee bemoeit. We zien het deze ene keer door de vingers omdat u uw zoon hebt verloren, maar daar kunnen we geen rekening mee blijven houden. Als u nog een keer in deze kamer terechtkomt, Holman, maak ik een proces-verbaal op en zorg ik ervoor dat u wordt vervolgd. Is dat duidelijk?'

Holman knikte.

'Doe rustig aan, meneer Holman. We hebben de schoft te pakken.'

Random liep weg zonder op een antwoord te wachten. Vukovich trok zichzelf los van de muur en gaf Holman een klap op de rug, alsof ze oude vrienden waren.

'Kom, kerel. Dan breng ik je terug naar je auto.'

Holman liep achter Vukovich aan naar buiten.

11

Holman dacht aan Maria Juarez toen ze onderweg naar zijn auto langs haar huis reden. Hij keek of hij de andere leden van het politieteam zag, maar kon ze niet ontwaren.

'Random meent het, Holman, over het lastigvallen van die vrouw. Blijf uit haar buurt,' zei Vukovich.

'Als jullie zeggen dat ze die band hebben bewerkt, dan zal dat wel. Maar ik kreeg het idee dat ze eerlijk tegen me was.'

'Dank je voor je deskundige mening. Vertel eens: als je in de rij stond als je die banken ging beroven, zag je er dan onschuldig uit of schuldig?'

Holman ging er niet op in.

'Eén voor mij, nul voor Holman,' zei Vukovich.

Ze kwamen naast het stuk oud roest tot stilstand en Holman opende het portier.

'Bedankt voor de lift.'

'Misschien moet ik je niet laten rijden en kan ik je beter thuisbrengen. Je hebt niet eens een rijbewijs.'

'Het eerste wat ik hoorde toen ik werd vrijgelaten, was dat Richie was vermoord. Ik had wel iets anders aan mijn hoofd dan een rijbewijs.'

'Zorg dat je er een krijgt. Ik zeg het niet om je te pesten. Als je wordt aangehouden, krijg je alleen maar een hoop ellende.'

'Morgen. Het eerste wat ik doe.'

Holman stapte uit en keek Vukovich na toen hij wegreed. Hij wierp een blik op het huis van Maria Juarez. Er brandde licht en hoogstwaarschijnlijk waren haar neven thuis. Holman vroeg zich af waar ze het over hadden. Hij vroeg zich af of de politie haar had verteld dat haar echtgenoot dood was. Holman hield zichzelf voor dat het hem niet kon schelen, maar de wetenschap dat er in de kleine woning waarschijnlijk verdriet heerste, zat hem niet lekker. Hij stapte in zijn auto en reed naar huis.

Holman werd niet aangehouden en kwam zonder kleerscheuren bij het motel. Perry was nog op en zat met een zuur gezicht achterover geleund met zijn armen over elkaar en zijn benen op het bureau op hem te wachten. Hij zat er zo gespannen bij, dat hij Holman deed denken aan een spin die zich op het eerste het beste insect zou storten dat in de buurt kwam.

‘Dat heb je lekker voor elkaar. Weet je hoeveel ik moest betalen aan achterstallige boetes?’

Holman was evenmin in een goed humeur. Hij liep naar Perry toe en ging vlak voor zijn bureau staan.

‘Rot toch op met die boetes van je. Je had me moeten vertellen dat ik in een gezochte auto rondreed. Je hebt me een oude roestbak verhuurd en ik had zo weer in de nor kunnen belanden.’

‘Rot zelf op, joh! Ik wist het helemaal niet van die bekeuringen! Die krijgen kerels zoals jij als ze op de weg zitten en tegen mij zeggen ze niks. Nu zit ik met de gebakken peren, vierentwintighonderdachttien dollar mag ik betalen!’

‘Je had tegen ze moeten zeggen dat ze hem mochten houden. Het is een rotkar.’

‘Ze wilden er een wielklem op zetten en mij voor het wegslepen en de beslaglegging laten opdraaien. Ik moest midden in de spits helemaal naar het centrum om dat geld te gaan betalen.’

Holman wist dat Perry hem dolgraag voor een deel van het bedrag wilde laten opdraaien, maar hij wist ook dat Perry bang was voor de gevolgen. Als Gail Manelli ervan hoorde, wist ze dat Perry welbewust zijn auto verhuurde aan mensen zonder rijbewijs. Dan zou hij de huurders kwijtraken die zij hem via het Bureau of Prisons toespeelde.

‘Dikke pech. Ik was ook in het centrum, dankzij die rotauto van je. Heb je mijn televisie al gehaald?’

‘Hij staat in je kamer.’

‘Als hij maar niet gestolen is.’

‘Zeur niet zo, joh. Hij staat er. Je moet een beetje met de antenne draaien. De ontvangst is niet zo goed.’

Holman wilde de trap op gaan.

‘Hé. Wacht even. Ik heb nog een paar berichten voor je.’

Holman fleurde direct op. Misschien had Richies vrouw eindelijk gebeld. Hij draaide zich vlug weer om naar het bureau. Perry keek nerveus.

‘Gail heeft gebeld. Je moet haar terugbellen, man.’

‘Wie nog meer?’

Perry had een briefje in zijn hand, maar Holman kon niet zien wat erop stond.

Perry zei: ‘Zeg, als je Gail spreekt, vertel haar dan niet van die auto. Je had niet mogen rijden en ik had hem niet aan je mogen verhuren. We zitten geen van beiden op dat soort problemen te wachten.’

Holman stak zijn hand uit naar het briefje.

'Ik zeg niks. Wie heeft er nog meer gebeld?'

Holman gaf een ruk aan het briefje en Perry liet het los.

'Een of ander mens van een begraafplaats. Ze zei dat je wel wist waar het over ging.'

Holman las het briefje. Er stond een adres met telefoonnummer op.

Richard Holman
42 Berke Drive, nr. 216
LA, CA 90024
310-555-2817

Holman vermoedde al dat Richie zijn moeders begrafenis had betaald. Dit bevestigde het.

'Hebben er nog meer mensen gebeld? Ik verwachtte nog een telefoontje.'

'Nee, dat was het. Tenzij ze hebben gebeld toen ik de deur uit was om voor jou die rottige boetes te betalen.'

Holman stak het briefje in zijn zak.

'Ik heb de auto morgen weer nodig.'

'Als je je mond maar houdt tegen Gail.'

Holman gaf geen antwoord. Hij ging naar boven, zette de televisie aan en wachtte op de nieuwsuitzending van elf uur. De televisie was van een onbekend Amerikaans merk dat al twintig jaar uit de handel was. Het beeld flikkerde en je zag alleen vage schimmen. Holman prutste aan de antenne in een poging de schimmen te laten verdwijnen, maar ze gingen niet weg. Het werden er alleen maar meer.

12

De volgende ochtend stapte Holman om kwart over vijf uit bed. Door de waardeloze matras had hij pijn in zijn rug en hij had slecht geslapen. Hij zou een plank tussen de matras en de spiraalbodem moeten schuiven, of de matras op de grond moeten leggen. De bedden in Lompoc waren beter.

Hij ging naar beneden om een krant en chocolademelk te halen en keerde terug naar zijn kamer om de artikelen te lezen over de ontwikkelingen van de vorige dag.

De krant berichtte dat drie jongens het lichaam van Juarez hadden gevonden in een leegstaande woning in Cypress Park, op nog geen anderhalve kilometer van het huis van Juarez. Bij het artikel stond een foto van de drie jongens voor een vervallen woning met politieagenten op de achtergrond. Een van de politiemensen leek op Random, maar de foto was te korrelig om het goed te kunnen zien. De politie had verklaard dat een buurtbewoner die vlak bij het leegstaande huis woonde, had verteld dat hij de dag na de moorden vroeg in de ochtend een geweerschot had gehoord. Holman vroeg zich af waarom de man de politie niet had gebeld toen hij het schot hoorde, maar wist uit ervaring dat mensen voortdurend dingen hoorden en die niet aan de politie meldden. Een dief voer wel bij stilte.

In de verklaringen die zowel door de jongens als door de politieagenten ter plaatse waren afgelegd, stond dat Juarez op de vloer had gezeten met zijn rug tegen de muur en een Benelli-jachtgeweer met kaliber twaalf in zijn rechterhand. Een vertegenwoordiger van het gerechtelijk laboratorium verklaarde dat de dood onmiddellijk was ingetreden ten gevolge van een zeer grote hoofdwond, veroorzaakt door een in opwaartse richting door de kaak van de overledene afgevuurd schot. Holman had uit de beschrijving van Random begrepen dat het een kort jachtgeweer was geweest, zodat Juarez het makkelijk onder zijn kin had kunnen houden. Hij stelde zich het lichaam voor en kwam tot de conclusie dat Juarez' vinger waarschijnlijk in de trekkerbeugel was blijven steken, want anders was het jachtgeweer uit zijn hand geschoten. De grove hagel moest de bovenkant van zijn hoofd eraf hebben geblazen en had waarschijnlijk het grootste deel van zijn gezicht meegenomen. Holman kon zich een goed beeld van het lichaam vormen, maar er was iets wat hem dwarszat, hoewel hij niet precies wist wat. Hij las verder.

Een paar alinea's van het artikel waren gewijd aan de relatie tussen Warren Juarez en Michael Fowler, maar er stond niets in wat Holman niet al van Random en Vukovich had gehoord. Holman kende mannen die levenslang hadden omdat ze andere mannen hadden gedood om iets wat veel minder erg was dan de dood van een broer of zus: *veterano's* die geen dag van hun straf betreurden omdat hun opvatting van trots geen andere optie open had gelaten. Toen Holman aan die mannen dacht, wist hij opeens wat hem aan de dood van Juarez dwarszat. Zelfmoord paste niet bij de man die Maria Juarez had beschreven. Random had het vermoeden uitgesproken dat Juarez en zijn vrouw de video de ochtend na de moorden hadden gemaakt. Als Random gelijk had, had Juarez de moorden gepleegd, de volgende ochtend voor de camera de paljas uitgehangen en zijn dochtertje op zijn rug laten paardjerijden en was vervolgens naar het leegstaande huis gevlucht en daar zo neerslachtig geworden, dat hij zichzelf van het leven had beroofd. De paljas uithangen en paardjerijden mondden niet uit in zelfmoord. Juarez zou bij zijn maten in hoog aanzien staan, omdat hij de dood van zijn broer had gewroken en zijn dochter zou door hen beschermd worden als een koningin. Juarez had genoeg om voor te leven, zelfs als hij de rest van zijn leven achter de tralies zou moeten doorbrengen.

Holman zat hier nog steeds over na te denken toen het nieuws van zes uur met hetzelfde verhaal opende. Hij legde de krant opzij om naar filmbeelden te kijken van de persconferentie die de avond ervoor was gehouden toen Holman in de verhoorkamer zat. Opnieuw was het voornamelijk adjunct-commissaris Donnelly die het woord voerde, maar ditmaal herkende Holman Random op de achtergrond.

Holman zat nog steeds te kijken toen zijn telefoon ging. Hij schrok van het onverwachte geluid en maakte een heftige beweging alsof hij een elektrische schok kreeg. Dit was het eerste telefoontje dat hij kreeg sinds hij in de bank was gearresteerd. Aarzelend nam hij op.

'Hallo?'

'Kerel! Ik dacht dat je in de bak zat, man! Ik hoorde dat je was opgepakt!'

Holman was even beduusd, maar begreep toen waar Chee het over had. 'Gisteravond bedoel je?'

'Allejezus, Holman! Wat denk je dan dat ik bedoel? De hele buurt heeft gezien dat je werd opgepakt, man! Ik was al bang dat ze je een pak op je lazer hadden gegeven! Wat heb je daar uitgespookt?'

'Ik heb alleen met die dame gesproken. Het is niet verboden ergens op bezoek te gaan.'

'Allejezus, klootzak! Me zo in de rats laten zitten! Ik zou je zelf een pak op je lazer moeten geven! Op mij kun je rekenen, kerel! Op mij kun je rekenen!'

'Er is niets aan de hand, man. Ze hebben alleen met me gepraat.'

'Moet je een advocaat hebben? Ik kan er wel een voor je regelen.'

'Nee, niets aan de hand, man.'

'Heb jij d'r vent om zeep geholpen?'

'Daar heb ik niets mee te maken.'

'Ik was ervan overtuigd dat jij het had gedaan, kerel.'

'Hij heeft zelfmoord gepleegd.'

'Dat geloofde ik niet, dat van die zelfmoord. Ik dacht dat jij hem een kopje kleiner had gemaakt.'

Holman wist niet wat hij moest zeggen en veranderde van onderwerp.

'Zeg, Chee. Ik huur een auto van een vent voor twintig dollar per dag en dat kan ik niet opbrengen. Kun jij iets voor me regelen?'

'Tuurlijk, man, je zegt het maar.'

'Ik heb geen rijbewijs.'

'Daar kan ik ook wat aan doen. Het enige wat we nodig hebben is een foto.'

'Het moet wel een echte zijn.'

'Laat dat maar aan mij over, kerel. Ik heb zelfs de goeie camera.'

Vroeger had Chee rijbewijzen, verblijfsvergunningen en identiteitsbewijzen voor zijn ooms gemaakt. Blijkbaar was hij de kunst nog niet verleerd.

Holman sprak af dat hij later op de dag zou langskomen en hing op. Hij nam een douche en kleedde zich aan. Zijn andere kleren stopte hij in een plastic tasje, want hij was van plan naar een wasserette te gaan. Het was tien voor zeven toen hij zijn kamer uit liep.

Richies appartement zat in een flatgebouw van vier hoog dat rond een binnenplaats was gebouwd en dat ten zuiden van Wilshire Boulevard in Westwood stond, vlak bij de universiteit. Omdat het adres nog uit de tijd van Donna's begrafenis stamde en al bijna twee jaar oud was, had Holman zich een groot deel van de nacht zorgen liggen maken. Richie kon verhuisd zijn. Hij overwoog het telefoonnummer te bellen, maar de vrouw van Richie had niet gebeld en wilde dus blijkbaar geen contact. Als Holman nu belde en haar aan de lijn kreeg, zou ze misschien weigeren hem te ontvangen en zou ze misschien zelfs de politie bellen. Holman meende dat hij de meeste kans van slagen had als hij vroeg naar haar toe ging en haar niet van tevoren waarschuwde dat hij kwam. Als ze er überhaupt nog woonde.

De hoofdingang van het gebouw was een glazen deur waarvoor je een sleutel moest hebben. Buiten naast de deur zaten brievenbussen en een intercom, zodat bezoekers beneden konden aanbellen en door de huurders konden worden binnengelaten. Holman liep naar de brievenbussen en ging de nummers van de flats langs in de hoop dat hij bij 216 de naam van zijn zoon zou aantreffen.

En warempel.

HOLMAN.

Donna had de jongen Holmans naam gegeven, ook al waren ze niet getrouwd geweest, en het ontroerde hem nu hij hem zag staan. Hij raakte de naam aan – HOLMAN – en dacht: dit was mijn zoon. Hij voelde een steek in zijn borst en draaide zich abrupt om.

Holman wachtte bijna tien minuten bij de hoofdingang tot een jonge Aziaat die met een boekentas op weg was naar de universiteit de deur openduwde. Holman hield de deur tegen voor hij weer in het slot viel en ging naar binnen.

De binnenplaats was klein en stond vol welig groeiende paradijsvogelplanten. Er was een trappenhuis met daarnaast een gemeenschappelijke lift waarmee je op de galerijen kon komen die aan de binnenkant van het gebouw zaten. Holman nam de trap. Hij klom naar de tweede verdieping en liep langs de voordeuren tot hij bij 216 kwam. Om zichzelf tegen zijn eigen emoties te beschermen probeerde hij stoïcijns te blijven en klopte aan.

Een jonge vrouw deed open. Wég was zijn stoïcijnse kalmte.

Haar blik was in zichzelf gekeerd, alsof ze met haar gedachten elders was, bij iets wat belangrijker was dan het opendoen van de deur. Ze was tenger en ze had donkere ogen, een mager gezicht en afstaande oren. Ze droeg een korte broek van spijkerstof, een lichtgroene bloes en sandalen. Haar haar was vochtig, alsof ze nog niet zo lang onder de douche vandaan was. Ze zag eruit als een kind, vond Holman.

Ze keek hem met onverschillige nieuwsgierigheid aan.

'Ja?'

'Ik ben Max Holman. De vader van Richie.'

Holman wachtte tot ze zou losbarsten. Hij verwachtte dat ze hem zou vertellen wat een vuile schoft en wat een waardeloze vader hij was, maar de onverschilligheid verdween uit haar blik en ze liet haar hoofd schuin zakken alsof ze hem nu voor het eerst zag.

'O mijn god. Jeetje. Dat is raar.'

'Het is voor mij ook nogal pijnlijk. Ik weet niet hoe je heet.'

'Elizabeth. Liz.'

'Ik wil graag even met je praten als je er geen bezwaar tegen hebt. Ik zou het erg fijn vinden.'

Plotseling deed ze de deur wijd open.

'Ik moet u mijn verontschuldigingen aanbieden. Ik wilde bellen, maar ik... ik wist gewoon niet wat ik zeggen moest. Kom binnen. Alstublieft. Ik moet zo naar de universiteit, maar ik heb nog wel een paar minuten. Ik heb koffie...'

Holman liep langs haar naar binnen de woonkamer in, terwijl zij de deur dichtdeed. Hij zei haar dat ze geen moeite hoefde te doen, maar terwijl hij in de woonkamer stond ging ze toch naar de keuken en haalde twee bekers uit de kast.

'Dit is zo bizar. Sorry. Ik gebruik geen suiker. Misschien hebben we ergens nog zoetjes...'

'Zwart is goed.'

'Ik heb wel koffiemelk.'

'Doe maar zwart.'

Het was een groot appartement met een woon- annex eetkamer en een open keuken. Holman kreeg het opeens te kwaad. Hij had tegen zichzelf gezegd dat hij kalm moest blijven, zijn vragen moest stellen en dan moest weggaan, maar nu stond hij midden in het leven van zijn zoon en wilde hij het allemaal in zich opzuigen: een bank en een leunstoel die niet bij elkaar pasten tegenover een televisie op een driepoot die schuin in de hoek stond, planken vol cd's en dvd's aan de muur – Green Day, Beck, *Jay and Silent Bob Strike Back*, een gashaard ingebouwd in de muur, en rijen foto's op de schoorsteenmantel, schots en scheef door elkaar. Holman liep voorzichtig die kant op.

'Wat een leuk huis,' zei hij.

'Het is eigenlijk te duur voor ons, maar het is dicht bij de universiteit. Ik studeer kinderpsychologie.'

'Dat klinkt goed.'

Holman kon zichzelf wel voor zijn kop slaan dat hij niets beters wist te zeggen.

'Ik ben net uit de gevangenis.'

'Dat weet ik.'

Stom.

Op de foto's stonden Richie en Liz, alleen en met andere stellen. Er waren foto's van hen op een boot; met vuurrode parka's in de sneeuw; bij een picknick waar alle aanwezigen een T-shirt van de LAPD aanhadden. Onwillekeurig glimlachte Holman, maar toen zag hij een foto van Richie en Donna en zijn mond verstrakte. Donna was jonger geweest dan Holman, maar op de foto leek ze ouder. Haar haar was slecht geverfd en ze had donkere wallen en diepe rimpels in haar gezicht. Holman wendde snel zijn hoofd af, door alle herinneringen en plots opwellende schaamte, en merkte dat Liz met de koffie naast hem stond. Ze hield hem een beker voor en Holman pakte hem aan. Hij trok even zijn schouders op en nam het hele appartement goed in zich op.

'Je hebt een leuk huis. Ik vind de foto's erg mooi. Zo leer ik hem toch nog een beetje kennen.'

Haar ogen lieten hem geen moment los en Holman voelde zich bekeken. Aangezien ze psychologie studeerde, vroeg hij zich af of ze hem stond te analyseren.

Opeens liet ze haar beker zakken.

'Je lijkt op hem. Hij was iets langer, maar niet veel. Jij bent zwaarder.'

'Ik ben dik geworden.'

'Dat bedoelde ik niet. Richard was een hardloper. Zo bedoelde ik het.'

Haar ogen schoten vol. Holman wist niet wat hij moest doen. Hij tilde zijn hand op met de bedoeling haar schouder aan te raken, maar hij was bang dat ze daarvan zou schrikken. Toen vermande ze zich en wreef haar ogen droog met de vlakke palm van haar vrije hand.

'Sorry. Het is zo klote. Het is zo verschrikkelijk klote. Maar wat ik zeggen wilde...'

Ze wreef nogmaals over haar ogen en stak toen haar hand uit.

'Het is fijn je eindelijk te leren kennen.'

'Vind je echt dat ik op hem lijk?'

Ze glimlachte flauwtjes.

'Als twee druppels water. Donna zei het ook altijd.'

Holman veranderde van onderwerp. Als ze over Donna begonnen, zou hij ook gaan huilen.

'Zeg,' vroeg hij, 'ik weet dat je naar college moet, maar mag ik je een paar vragen stellen over wat er is gebeurd? Het duurt niet lang.'

'Ze hebben de man gevonden die ze heeft vermoord.'

'Dat weet ik. Ik probeer alleen... Ik heb een gesprek met rechercheur Random gehad. Ken je die?'

'Ja, ik heb met hem en hoofdinspecteur Levy gesproken. Levy was Richards teamchef.'

'Ja. Die heb ik ook gesproken, maar het is me nog steeds niet helemaal duidelijk hoe dit heeft kunnen gebeuren.'

'Juarez hield Mike verantwoordelijk voor wat er met zijn broer is gebeurd. Ken je het hele verhaal?'

'Ja, dat staat in de krant. Heb je brigadier Fowler ooit ontmoet?'

'Mike was Richards instructeur op de opleiding. Ze waren nog steeds dikke vrienden.'

'Random vertelde me dat Juarez vanaf het moment waarop zijn broer werd vermoord heeft lopen dreigen. Maakte Mike zich daar zorgen over?'

Ze trok een frons terwijl ze erover nadacht en het zich probeerde te herinneren. Toen schudde ze haar hoofd.

'Mike maakte op mij nooit de indruk dat hij zich ergens zorgen over maakte. Niet dat ik hem zo vaak zag, maar eens in de zoveel maanden, maar ik heb nooit gemerkt dat hem iets dwarszat.'

'Heeft Richie misschien een keer gezegd dat Mike zich zorgen maakte?'

'Ik hoorde pas voor het eerst over dat gedoe met die bende toen ze het arrestatiebevel uitvaardigden. Richard heeft nooit iets gezegd, maar dat is ook logisch. Hij nam dat soort dingen niet mee naar huis.'

Als een of andere vent vuile praatjes rondstrooide en ging lopen dreigen, bedacht Holman, zou hij hem zelf een bezoekje brengen. Hij zou die kerel de kans geven het eens en voor altijd uit te vechten of hem eens goed op zijn plaats zetten, maar hij zou hoe dan ook iets ondernemen. Hij vroeg zich af of de vier agenten daarom die avond hadden afgesproken, omdat ze een plan wilden maken om Juarez aan te pakken. Was Juarez hen vóór geweest? Het was een mogelijkheid, maar Holman wilde daar niet met Elizabeth over praten.

In plaats daarvan zei Holman: 'Fowler wilde waarschijnlijk niemand bang maken. Er zijn zo vaak kerels als Juarez die agenten bedreigen. Dat zijn ze wel gewend.'

Elizabeth knikte, maar haar ogen werden opnieuw rood en Holman besefte dat hij een fout had gemaakt. Zij dacht dat het deze keer niet bij dreigementen was gebleven. Ditmaal had zo'n kerel als Juarez ze uitgevoerd en nu was haar man dood. Holman veranderde snel van onderwerp.

'Er is nog iets wat ik niet begrijp. Random zei dat Richie die avond geen dienst had.'

'Nee. Hij was hier aan het werk. Ik zat te studeren. Hij ging 's avonds wel eens met zijn vrienden op stap, maar nooit zo laat. Hij zei tegen me dat ze hadden afgesproken, meer niet.'

'Zei hij dat hij naar de rivier ging?'

'Nee. Ik ben er gewoon van uitgegaan dat ze in een café hadden afgesproken.'

Holman dacht hier even over na, maar het hielp hem niet verder.

'Wat ik niet begrijp is hoe Juarez ze heeft gevonden. De politie heeft dat nog niet kunnen verklaren. Het is lastig iemand naar de rivierbedding te volgen zonder zelf gezien te worden. Dus als ze daar nu vaak heen gingen, dacht ik... je weet wel, als het hun vaste ontmoetingsplaats was, dan had Juarez dat misschien van iemand gehoord en wist hij waar hij ze kon vinden.'

'Ik zou het echt niet weten. Ik kan me niet voorstellen dat ze daar altijd heen gingen en hij heeft er ook niets over gezegd – het ligt zo ver uit de buurt.'

Holman was het met haar eens. Ze hadden overal een biertje kunnen gaan drinken, maar ze waren naar een afgelegen, verboden terrein gegaan. Daaruit kon je opmaken dat ze niet gezien wilden worden. Maar Holman wist dat agenten ook maar gewone mensen waren. Ze waren er misschien alleen maar heen gegaan omdat ze het spannend vonden ergens te zijn waar niemand mocht komen, net kleine kinderen die in een leegstaand huis inbraken of naar de Hollywood Sign klommen.

Holman stond er nog over na te denken toen hem iets te binnen schoot wat ze eerder had gezegd. Hij vroeg haar ernaar.

'Je zei dat hij bijna nooit zo laat nog de deur uit ging, maar die avond wel. Wat was er anders aan die avond?'

Ze reageerde verrast, maar vervolgens betrok haar gezicht en op haar voorhoofd verscheen een diepe, verticale rimpel. Ze keek de andere kant op en daarna aandachtig naar hem. Haar gezicht was kalm, maar Holman zag bij wijze van spreken de radertjes achter haar ogen rondtollen terwijl ze met het antwoord worstelde.

'Jij,' zei ze.

'Hoe bedoel je?'

'Jij zou de volgende dag worden vrijgelaten. Dat was wat er anders was die avond en we wisten het allebei. We wisten dat je de volgende dag op vrije voeten zou komen. Richard had het nooit met mij over jou. Vind je het niet vervelend dat te horen? Het is zo afschuwelijk, wat we nu meemaken. Ik wil het niet nog erger maken voor je.'

'Ik vroeg ernaar. Ik wil het weten.'

Ze sprak verder.

'Ik heb geprobeerd met hem over jou te praten. Ik was nieuwsgierig. Je was zijn vader. Je was mijn schoonvader. Toen Donna nog leefde, hebben we het allebei geprobeerd, maar hij wilde het gewoon niet. Ik wist dat de datum van je vrijlating er aan zat te komen. Richard wist het ook, maar hij wilde er toch niet over praten. Ik wist dat hij ermee zat.'

Holman voelde zich beroerd en had het koud.

'Heeft hij iets gezegd, waarom hij ermee zat?'

Ze hield opnieuw haar hoofd schuin, zette haar beker neer en draaide zich om.

'Kom eens mee.'

Hij liep achter haar aan naar een slaapkamer die als studeerkamer was ingericht. Er stonden twee bureaus, een voor hem en een voor haar. Op het eerste bureau, dat van haar, lagen stapels studieboeken, ringbanden en papier. Het bureau van Richie stond in de hoek tegen de muur onder twee grote prikborden. Aan de prikborden hingen zo veel knipsels, Post-it-briefjes en kleine stukjes papier, dat ze elkaar overlapten als de schubben van een vis. Elizabeth nam Holman mee naar Richies bureau en wees naar de knipsels.

'Kijk maar eens.'

VUURGEVECHT MAAKT EINDE AAN BANKOVERVALLEN. BANKOVERVALLERS NEERGESCHOTEN. OMSTANDER GEDOOD BIJ OVERVAL. De artikelen die Holman vlug bekeek gingen over een paar gestoorde bankovervallers, Marchenko en Parsons. Holman had in Lompoc van hen gehoord. Marchenko en Parsons kleedden zich als commando's en schoten altijd de hele bank aan flarden voordat ze er met de buit vandoor gingen.

'Hij was de laatste tijd gefascineerd door bankovervallen,' zei ze. 'Hij knipte artikelen uit, haalde stukken van internet en zat de hele tijd met zijn neus in die spullen. Het is wel duidelijk waarom.'

'Om mij?'

'Omdat hij wilde weten wie je was. Een manier om dicht bij je te zijn zonder dicht bij je te zijn, dacht ik. We wisten dat je binnenkort zou worden vrijgelaten. We wisten niet of je zou proberen met ons in contact te komen, of wij contact met jou moesten opnemen, wat we met je aan moesten. Het was wel duidelijk dat hij een oplossing zocht voor zijn problemen met jou.'

Holman voelde zich opeens schuldig. Hij hoopte dat ze zich vergiste.

'Heeft hij dat gezegd?'

Elizabeth keek hem niet aan. Ze staarde met een strak gezicht naar de knipsels en sloeg haar armen over elkaar.

'Dat zou hij nooit zeggen. Hij had het nooit met mij of zijn moeder over jou, maar toen hij vertelde dat hij met de jongens had afgesproken, had hij hier de hele avond gezeten. Ik denk dat hij met ze moest praten. Dat kon hij niet met mij. En moet je nu zien... moet je zien.'

Haar gezicht werd nog strakker en kreeg de harde uitdrukking die met boosheid gepaard gaat. Holman zag dat haar ogen zich vulden met tranen, maar durfde haar niet aan te raken.

'Hé...' zei hij.

Ze schudde haar hoofd. Holman vatte dat op als een waarschuwing – dat ze misschien doorhad dat hij haar wilde troosten – en voelde zich nog beroerder. Haar hals en armen stonden als snaren zo strak van woede.

'Hij moest gewoon naar buiten, verdomme. Hij moest naar buiten. Goddomme...'

'Misschien kunnen we beter naar de woonkamer gaan.'

Ze sloot haar ogen en schudde nogmaals haar hoofd, maar ditmaal gebaarde ze dat het wel ging: ze vocht tegen de verschrikkelijke pijn en was vastbesloten die te vermorzelen. Uiteindelijk deed ze haar ogen open en maakte haar oorspronkelijke gedachte af.

'Soms is het voor een man makkelijker om wat in zijn ogen een zwakte is aan een andere man te laten zien dan aan een vrouw. Het is makkelijker om te doen alsof het werk is dan eerlijk je emoties onder ogen te zien. Dat heeft hij volgens mij die avond gedaan. Daarom is hij nu dood.'

'Door over mij te praten?'

'Nee, niet over jou, niet specifiek... Over die bankovervallen. Dat was zijn manier om over jou te praten. Hij deed het voorkomen alsof het overwerk was. Hij wilde rechercheur worden en promotie maken.'

Holman wierp een blik op Richies bureau, maar putte daar geen troost uit. Kopieën van zo te zien officiële politierapporten en -dossiers lagen over het bureau verspreid. Holman las snel de bovenste bladzijden en besefte dat alles over Marchenko en Parsons ging. Aan het prikbord hing een kleine kaart van de stad met een aantal kruisjes, genummerd van 1 tot 13, die met elkaar waren verbonden. Richie had zelfs hun overvallen in kaart gebracht.

Holman vroeg zich opeens af of Richie en Liz dachten dat hij zich vroeger als Marchenko en Parsons had gedragen.

'Ik heb wel banken beroofd,' zei hij, 'maar dit soort dingen heb ik nooit gedaan. Ik heb nooit iemand kwaad gedaan. Ik was heel anders dan die gasten.'

Haar blik werd zacht.

'Zo bedoelde ik het niet. Donna heeft ons verteld hoe het kwam dat je werd gearresteerd. Richard wist dat je niet was zoals zij.'

Holman stelde haar poging op prijs, maar de muur hing vol knipsels over twee ontaarde kerels die als ze weggingen hun slachtoffers met hun wapen neersloegen. Het was wel duidelijk.

'Ik wil niet onbeleefd zijn, maar ik moet opschieten, anders kom ik te laat op college,' zei Liz.

Holman draaide zich met tegenzin om en bleef toen staan.

'Heeft hij hieraan zitten werken voor hij de deur uit ging?'

'Ja. Hij had hier de hele avond gezeten.'

'Waren die andere kerels ook bezig met die Marchenko en zo?'

'Mike misschien. Hij sprak er vaak met Mike over. Van de anderen weet ik het niet.'

Holman knikte en wierp nog een laatste blik op de studeerkamer van zijn zoon. Hij wilde alles lezen wat op Richies bureau lag. Hij wilde weten waarom een agent die pas enkele jaren bij de politie was, bij een groot onderzoek was betrokken en waarom zijn zoon in het holst van de nacht zijn huis had verlaten. Hij was hierheen gekomen voor antwoorden, maar had alleen maar meer vragen gekregen.

Holman draaide zich voor de laatste keer om.

'Ze hebben me verder nog niets verteld. Over de begrafenis.'

Hij vond het vreselijk het te vragen en hij vond het nog erger toen haar gezicht opnieuw die harde uitdrukking kreeg. Maar ze vermande zich en schudde haar hoofd.

'Ze houden zaterdag een herdenkingsplechtigheid voor hen vieren op de politieacademie. De politie heeft de lichamen nog niet vrijgegeven. Ik denk dat ze nog...'

Haar stem stierf weg, maar Holman begreep waarom. Deze agenten waren vermoord. De patholoog-anatoom was waarschijnlijk nog bewijsmateriaal aan het verzamelen en ze konden niet worden begraven voor alle testen en onderzoeken waren afgerond.

Elizabeth legde opeens een hand op zijn arm.

'Je komt toch wel, hè? Ik zou het fijn vinden als je er was.'

Holman slaakte een zucht van verlichting. Hij had gevreesd dat ze zou proberen hem bij de plechtigheid weg te houden. Bovendien besefte hij dat Levy en Random hem niet van de herdenkingsbijeenkomst op de hoogte hadden gesteld.

'Dat zou ik fijn vinden, Liz. Dank je wel.'

Ze keek hem even aan en ging toen op haar tenen staan om hem een kus op zijn wang te geven.

'Was het maar anders geweest.'

Holman had de afgelopen tien jaar niets anders gedaan dan wensen dat alles anders was geweest.

Hij bedankte haar nogmaals toen ze hem uitliet en liep terug naar zijn auto. Hij vroeg zich af of Random de herdenkingsplechtigheid zou bijwonen. Holman had vragen. Van Random verwachtte hij antwoorden.

13

De herdenkingsplechtigheid werd gehouden in de aula van de politieacademie van de LAPD in Chavez Ravine, die gelegen was tussen twee heuvels vlak bij de ingang van het Dodger-stadion aan de kant van Stadium Way. Jaren geleden hadden de Dodgers hun eigen versie van de Hollywood Sign opgericht op de heuvel die de academie van het stadion scheidde. THINK BLUE stond er, want de kleur van de Dodgers was blauw. Toen Holman die ochtend de letters zag, leek het hem een passende herinnering aan de vier dode agenten. Blauw was ook de kleur van de LAPD.

Liz had Holman uitgenodigd samen met haar en haar familie de plechtigheid bij te wonen, maar die uitnodiging had Holman afgeslagen. Haar ouders en zus waren uit de Bay Area overgevlogen, maar Holman voelde zich bij hen niet op zijn gemak. De vader van Liz was arts en haar moeder was maatschappelijk werker. Ze waren hoogopgeleid, rijk en normaal op een manier waar Holman bewondering voor had, maar ze deden hem aan alles denken wat hij niet was. Toen Holman langs het hek voor het Dodger-stadion reed, moest hij denken aan al die keren dat hij en Chee over de parkeerplaats hadden getoerd om auto's te zoeken die ze konden pikken als de wedstrijd aan de gang was. Liz' vader had waarschijnlijk herinneringen aan nachtenlang studeren, feesten van het corps en bals op de universiteit, maar het beste waar Holman mee kon komen, waren herinneringen aan stelen en high worden.

Holman parkeerde een eind buiten het terrein van de academie en wandelde er over Academy Road naartoe, zoals Liz hem had uitgelegd. Het parkeerterrein van de academie was al vol. Overal in de straat stonden auto's geparkeerd en een stoet mensen liep de heuvel naar de academie op. Holman speurde de gezichten af in de hoop dat hij Random of Vukovich zou zien. Hij had Random drie keer gebeld om te bespreken wat hij van Liz had gehoord, maar Random had niet teruggebeld. Holman vermoedde dat Random zich van hem wilde afmaken, maar Holman was niet van plan zich te laten afschepen. Hij had nog altijd vragen en hij wilde nog altijd antwoorden hebben.

Liz had tegen hem gezegd dat ze elkaar in de rotstuin voor de aula zouden treffen. De mensenstroom voerde hem mee, door de centrale hal van de academie, naar de tuin waar verspreid in kleine groepjes een heleboel mensen stonden. Cameraploegen filmden de aanwezigen terwijl verslaggevers lokale politici en hoge pieten van de LAPD interviewden. Holman voelde zich niet op zijn gemak. Liz had hem een van Richies donkere pakken geleend, maar de broek zat zo strak dat Holman er een riem omheen moest dragen omdat hij de knoop niet dicht kreeg. Het pak was al nat van het zweet voor hij bij de tuin was en nu voelde hij zich net een dronkenlap in tweedehands kleren.

Holman trof Liz en haar familie aan in gezelschap van Richies teamchef, hoofdinspecteur Levy. Levy schudde Holman de hand en nam hen mee om hen voor te stellen aan de families van de andere agenten, Richies collega's. Liz merkte kennelijk dat Holman zich slecht op zijn gemak voelde en bleef een beetje achter toen Levy hen tussen de mensen door leidde.

'Je ziet er goed uit, Max. Ik ben blij dat je er bent.'

Holman produceerde met moeite een glimlach.

Levy stelde hen voor aan de weduwe en de vier zonen van Mike Fowler, de vrouw van Mellon en de ouders van Ash. Ze maakten allemaal een uitgebluste indruk en Holman vermoedde dat de vrouw van Fowler onder de kalmeringsmiddelen zat. Iedereen was beleefd tegen hem en behandelde hem met respect, maar toch had Holman erg het gevoel dat hij uit de toon viel. Hij merkte verschillende keren dat de anderen naar hem keken en hij moest elke keer blozen, want hij was ervan overtuigd dat ze dachten: dat is de vader van Holman, de crimineel. Hij vond het erger voor Richie dan voor zichzelf. Zelfs nu zijn zoon dood was, maakte hij hem te schande.

Levy kwam een paar minuten later terug, legde zijn hand op Liz' arm en nam hen mee naar binnen door een openstaande dubbele deur. De hele aula stond vol met stoelen. Op het podium waren een verhoging en een spreekgestoelte neergezet. Rond grote foto's van de vier politieagenten was de Amerikaanse vlag gedrapeerd. Holman aarzelde bij de deuren, keek achterom naar de tuin en zag Random met drie andere mannen enigszins apart van de andere aanwezigen staan. Holman maakte onmiddellijk rechtsomkeert. Hij was bijna bij Random toen Vukovich hem opeens de weg versperde. Vukovich droeg een somber donkerblauw kostuum en een zonnebril. Zijn ogen waren volkomen onzichtbaar.

'Het is een droevige dag, Holman. Je rijdt hopelijk niet meer zonder rijbewijs?' vroeg Vukovich.

'Ik heb Random drie keer gebeld, maar hij vond het kennelijk niet nodig terug te bellen. Ik heb nog een aantal vragen over wat er die nacht is gebeurd.'

'We weten wat er die nacht is gebeurd. We hebben het je verteld.'

Holman keek langs Vukovich naar Random. Random gluurde kort zijn kant op, maar ging toen verder met zijn gesprek. Holman richtte zijn blik weer op Vukovich.

'Wat jullie me hebben verteld, klopt niet. Werkte Richie aan het onderzoek naar Marchenko en Parsons?'

Vukovich nam hem even aandachtig op en draaide hem de rug toe.

'Eén momentje, Holman. Ik zal kijken of de baas je even te woord kan staan.'

Men fluisterde elkaar toe dat het tijd werd plaats te nemen. De mensen in de rotstuin schuifelden naar de aula, maar Holman bleef staan waar hij stond. Vukovich liep naar Random en de drie mannen. Holman vermoedde dat het hoge pieten waren, maar hij wist het niet zeker en het interesseerde hem ook niet. Toen Vukovich bij hen kwam staan, keken Random en twee van de mannen even achterom naar Holman. Kort daarna kwamen Random en Vukovich op hem af. Random keek niet blij, maar schudde Holman wel de hand.

'Laten we even uit de loop gaan staan, meneer Holman. Dan kunnen we rustig met elkaar praten.'

Holman ging met hen mee naar de rand van de tuin. Random liep links en Vukovich rechts van hem. Het was net of ze hem opbrachten.

Toen ze uit de buurt van de andere aanwezigen waren, sloeg Random zijn armen over elkaar.

'Goed, ik begreep dat u een paar vragen had?'

Holman vertelde over zijn gesprek met Elizabeth en de enorme hoeveelheid informatie over Marchenko en Parsons die hij op Richies bureau had aangetroffen. Het verhaal van de politie over het motief van Juarez geloofde hij nog steeds niet. Als Richie aan het onderzoek had meegewerkt, leken de bankovervallen hem een aannemelijkere verklaring. Holman opperde zijn theorie, maar al voor Holman was uitgesproken schudde Random zijn hoofd.

'Ze waren niet bezig met een onderzoek naar Marchenko en Parsons. Marchenko en Parsons zijn dood. Dat dossier is al drie maanden geleden gesloten.'

'Richie heeft zijn vrouw verteld dat hij een extra opdracht had gekregen. Volgens haar is het heel goed mogelijk dat Mike Fowler er ook aan werkte.'

Random begon ongeduldig te worden. De aula stroomde langzaam vol.

'Als uw zoon zich met Marchenko en Parsons bezighield, dan deed hij dat als hobby, of misschien was het een opdracht voor een cursus die hij volgde, maar meer niet. Hij werkte bij de uniformdienst. Mensen van de uniformdienst zijn geen rechercheur.'

Vukovich knikte.

'Wat zou het trouwens uitmaken? Die zaak was gesloten.'

'Richie was die avond thuis. Hij was de hele avond thuis tot hij om één uur 's nachts werd gebeld en de deur uit ging, naar zijn vrienden. Als mijn maten mij op zo'n tijdstip zomaar zouden bellen om iets te gaan drinken, zou ik ze het bos in sturen. Maar als we met politiewerk bezig waren geweest, zou ik misschien wel zijn gegaan. Als ze onder de brug waren vanwege Marchenko en Parsons, zou dat iets met hun dood te maken kunnen hebben.'

Random schudde zijn hoofd.

'Dit is niet het goede moment, meneer Holman.'

'Ik heb gebeld, maar u belt niet terug. Wat mij betreft is dit een prima moment.'

Random keek hem onderzoekend aan. Holman kreeg het idee dat de man zijn sterke en zwakke punten probeerde in te schatten, zoals hij een verdachte die hij aan het ondervragen was zou proberen te doorgronden. Ten slotte knikte hij, alsof hij tot een besluit was gekomen dat hij niet prettig vond.

'Goed, als u het dan per se wilt weten. Ze gingen daarheen om te drinken. Ik zal u iets vertellen, maar als u het aan iemand doorvertelt en ze kijken mij erop aan, dan ontken ik dat ik het heb gezegd. Vuke?'

Vukovich knikte om te kennen te geven dat hij het ook zou ontkennen.

Random tuitte zijn lippen alsof hij bij voorbaat al een vieze smaak in zijn mond kreeg en liet zijn stem dalen.

'Mike Fowler was alcoholist. Dat was hij al jaren en hij was een schande voor het korps.'

Vukovich keek snel om zich heen om te zien of er niemand meeluisterde en scheen zich niet op zijn gemak te voelen.

'Rustig aan, chef.'

'Het moet meneer Holman glashelder zijn. Fowler gaf aan de centrale door dat hij pauze ging houden, maar hij hoorde niet te drinken en hij had het recht niet met die jonge agenten af te spreken op verboden terrein. Ik wil dat u één ding voor ogen houdt, Holman, Fowler was een leidinggevende. Hij hoorde beschikbaar te zijn voor de agenten in zijn wijk als ze zijn hulp nodig hadden, maar in plaats daarvan besloot hij te gaan drinken. Mellon had ook dienst en wist beter, maar hij was niet zo'n goede politieman. Hij was niet eens in de wijk waar hij hoorde te zijn. Ash had geen dienst, maar die was ook geen kanshebber voor Politieman van het Jaar.'

Holman kreeg het gevoel dat Random hem stond af te zeiken, maar hij wist niet waarom en het beviel hem niet.

'Wat wilt u nou eigenlijk zeggen? Wat heeft dit met Marchenko en Parsons te maken?'

'U bent op zoek naar een reden waarom die politiemannen onder de brug waren, dus vertel ik die. Ik stel Mike Fowler verantwoordelijk voor wat er is gebeurd omdat hij hoger in rang was, maar niemand was daar om de misdaad van de eeuw op te lossen. Het waren inferieure politieagenten met een slechte staat van dienst en een waardeloze instelling.'

Holman voelde het bloed naar zijn hoofd schieten. Levy had hem verteld dat Richie een uitstekend politieman was, een van de beste.

'Wilt u beweren dat Richie een waardeloze politieman was? Bedoelt u dat?'

Vukovich stak een vinger naar hem op.

'Rustig aan, vriend. Je hebt er zelf naar gevraagd.'

'Ik wilde u dit helemaal niet vertellen, meneer,' zei Random, 'ik hoopte dat het niet nodig zou zijn.'

Het bonzen in Holmans hoofd breidde zich uit naar zijn schouders en armen en hij wilde uithalen. Diep vanbinnen wilde hij op de vuist gaan en Random en Vukovich neerslaan omdat ze zeiden dat Richie een slechte agent was, maar zo was Holman niet meer. Hij zei tegen zichzelf dat hij zo niet was. Hij onderdrukte zijn boosheid en sprak langzaam.

'Richie was bezig met iets wat met Marchenko en Parsons te maken had. Ik wil weten waarom hij om één uur 's nachts zo nodig met Fowler moest spreken.'

'Weet u wat u moet doen? U moet zorgen dat uw proeftijd een succes wordt en ons ons werk laten doen. Ik ben uitgepraat met u, meneer Holman. Ik zou maar een beetje kalmeren als ik u was, dan kunt u de plechtigheid bijwonen.'

Zonder nog een woord te zeggen draaide Random zich om en liep met de menigte mee de aula in. Vukovich bleef nog een moment bij Holman staan en liep toen achter Random aan.

Holman verroerde zich niet. Hij dacht dat hij in stukken zou breken, zo fragiel voelde hij zich door zijn verschrikkelijke woede. Hij wilde het uitschreeuwen. Hij wilde een Porsche jatten en zo hard als hij kon door de stad scheuren. Hij had zin om high te worden, een fles goede tequila leeg te drinken en te huilen naar de maan.

Holman liep naar de dubbele deuren, maar kon niet naar binnen. Hij zag mensen hun plaats innemen zonder hen echt te zien. Hij zag de vier dode mannen op de enorme foto's naar hem kijken. Hij voelde Richies tweedimensionale dode ogen.

Holman draaide zich om en liep hevig zwetend door de hitte snel terug naar zijn auto. Hij trok Richies colbert uit, deed zijn stropdas af en maakte het boordenknoopje van zijn overhemd los, terwijl de tranen in zijn ogen sprongen, grote warme druppels die tevoorschijn kwamen alsof ze uit zijn hart werden geperst.

Richie was niet slecht.

Hij leek niet op zijn vader.

Holman veegde het snot van zijn gezicht en begon nog sneller te lopen. Hij geloofde het niet. Hij vertikte het. Hij wilde het niet geloven.

Mijn zoon lijkt niet op mij.

Holman beloofde zichzelf dat hij het zou bewijzen. Hij had de laatste en enige persoon die hij vertrouwde al om hulp gevraagd en wachtte op haar reactie. Hij had haar hulp nodig. Hij had haar nodig en hij bad dat ze iets van zich zou laten horen.

DEEL TWEE

14

Speciaal agent buiten dienst Katherine Pollard van de FBI stond in de keuken van haar kleine eengezinswoning en keek naar de klok boven de gootsteen. Ze hield haar adem in en in huis was het volmaakt stil. Ze zag de secondewijzer geluidloos naar de twaalf toe glijden. De grote wijzer stond op twee over halftwaalf. De secondewijzer bereikte de twaalf. De lange wijzer schoot als een slagpin vooruit en sprong naar drie over halftwaalf –

TIK!

Het geluid van de verstrijkende tijd verbrak de stilte met een knal.

Pollard veegde een straaltje zweet van haar gezicht terwijl ze de rommel in ogenschouw nam die zich in haar keuken had verzameld: kopjes, lege pakjes grapefruitsap, open dozen CocoPops en Smacks en schaaltjes met volle melk in de eerste stadia van schifting, door de warmte. Pollard woonde in Simi Valley, waar de temperatuur die dag – het was pas zevenentwintig minuten voor twaalf – de veertig graden al had bereikt. De airconditioner was al zes dagen kapot en zou niet op korte termijn worden gerepareerd. Katherine Pollard was blut. Ze gebruikte de hete bende om zich voor te bereiden op het onvermijdelijke en vernederende telefoontje om haar moeder om geld te vragen.

Pollard had acht jaar geleden ontslag genomen bij de FBI toen ze trouwde met een collega, Marty Baum, en zwanger raakte van hun eerste kind. Ze had goede redenen haar baan op te zeggen: ze hield van Marty, ze wilden allebei dat ze fulltime moeder zou worden voor hun zoon (hoewel Pollard het belang van het fulltime moederschap misschien sterker voelde dan Marty) en met Marty's salaris konden ze het zich permitteren. Maar dat was tóén. Twee kinderen en één scheiding van tafel en bed later was Marty, vijf jaar na haar ontslag, overleden aan een hartaanval toen hij op Aruba aan het duiken was met zijn toenmalige vriendinnetje, een tweeëntwintig jaar oude serveerster uit Huntington Beach.

TIK!

Het lukte Pollard om rond te komen van het weduwepensioen dat ze na Marty's dood kreeg, maar ze had steeds vaker hulp van haar moeder nodig, wat vernederend en deprimerend was, en nu was de airconditioner al bijna een week kapot. Nog één uur en zesentwintig minuten voor haar kinderen, David van zeven en Lyle van zes, vuil thuis zouden komen van kamp en over de warmte zouden gaan zeuren. Pollard veegde nog wat zweet van haar gezicht, greep de draadloze telefoon en liep ermee naar de auto.

De brandende hitte beukte als een vlammenwerper uit de strakblauwe hemel op haar neer. Katherine maakte haar Subaru open, startte de motor en liet ogenblikkelijk de raampjes zakken. Het was in de auto zeker vijfenzestig graden. Ze zette de airco op de hoogste stand tot er koude lucht uit kwam en sloot de raampjes weer. Ze liet de ijskoude lucht hard in haar gezicht blazen en tilde haar T-shirt op om hem tegen haar huid te laten blazen.

Toen ze dacht dat het gevaar van een zonnesteek was geweken, zette ze de telefoon aan en toetste haar moeders nummer in. Ze kreeg het antwoordapparaat, zoals ze al had verwacht. Haar moeder luisterde altijd eerst wie er belde terwijl ze ondertussen online zat te pokeren.

'Mam, met mij, neem eens op. Ben je daar?'

Haar moeder kwam aan de lijn.

'Wat is er?'

Zo begroette haar moeder haar altijd. Door te suggereren dat haar leven een eindeloze aaneenschakeling van noodgevallen en drama's was, drong ze Pollard direct in het defensief. Pollard was zo verstandig geen praatje te beginnen. Ze zette zich schrap en viel met de deur in huis.

'Onze airconditioner is kapot. Het kost twaalfhonderd dollar hem te laten repareren. Dat heb ik niet, ma.'

'Wanneer ga je nu eens op zoek naar een nieuwe man, Katherine?'

'Ik heb twaalfhonderd dollar nodig, ma, geen nieuwe man.'

'Heb ik ooit nee gezegd?'

'Nee.'

'Dan weet je dat ik leef om jou en die prachtige jongens te helpen, maar je moet jezelf ook helpen, Katherine. De jongens zijn inmiddels wat ouder en jij wordt er ook niet jonger op.'

Pollard liet de telefoon zakken. Haar moeder praatte door, maar Pollard hoorde niet wat ze zei. Ze zag de postbode aankomen en de dagelijkse portie rekeningen in de brievenbus stoppen. De man droeg een tropenhelm, een zonnebril en een korte broek en zag eruit alsof hij op safari was. Toen hij doorliep, drukte Pollard de telefoon weer tegen haar oor.

'Mam, mag ik iets vragen? Als ik weer ga werken, wil jij dan op de jongens passen?'

Haar moeder aarzelde. De stilte beviel Pollard niet. Haar moeder was nooit stil.

'Wat voor werk dan? Toch niet weer bij de FBI?'

Pollard had erover nagedacht. Als ze terugging naar de FBI, kreeg ze waarschijnlijk geen functie bij de actieve dienst in Los Angeles. L.A. was een geliefde standplaats die veel meer gegadigden trok dan er functies waren. Waarschijnlijk zouden ze Pollard ergens in de rimboe stationeren, maar ze wilde niet zomaar ergens heen gestuurd worden. Katherine Pollard had drie jaar bij de eliteafdeling Bankovervallen gewerkt in de stad met de meeste bankovervallen ter wereld, Los Angeles. Ze miste de actie. Ze miste het salaris. Ze miste die tijd, misschien wel de beste tijd van haar leven.

'Ik kan misschien wel aan de bak komen als beveiligingsadviseur bij een van de grote banken of bij een privéfirma zoals Kroll. Ik deed het goed bij de FBI, ma. Ik heb vrienden die dat nog weten.'

Haar moeder aarzelde opnieuw en ditmaal klonk haar stem argwanend.

'Over hoeveel uur hebben we het dan, dat ik bij de jongens moet zijn?'

Pollard liet de telefoon wederom zakken en dacht: is het niet geweldig? Ze keek hoe de postbode naar het volgende huis ging en naar het huis daarnaast. Toen ze de telefoon weer tegen haar oor drukte, hoorde ze dat haar moeder haar riep.

'Katherine? Katherine, ben je daar? Is de verbinding verbroken?'

'We hebben het geld nodig.'

'Natuurlijk zal ik die airconditioner laten repareren. Ik kan mijn kleinkinderen niet laten wonen in –'

'Ik bedoel dat ik weer aan het werk moet. Ik kan alleen weer gaan werken als jij me helpt met de jongens...'

'Daar valt over te praten, Katherine. Ik vind het een goed idee van je om weer aan de slag te gaan. Misschien ontmoet je iemand –'

'Ik moet de reparateur bellen. Ik spreek je nog.'

Pollard hing op. Ze keek hoe de postbode langzaam van deur tot deur ging en liep toen naar haar brievenbus om haar post te pakken. Terwijl ze terugliep naar de auto bladerde ze het stapeltje door en zag naast de voorspelbare afrekeningen van Visa en Mastercard iets wat haar verbaasde: een bruine envelop met als afzender het adres van het kantoor van de FBI in Westwood waar ze vroeger had gewerkt. Katherine had in geen jaren iets van de FBI in Westwood ontvangen.

Toen ze weer veilig in haar auto zat, scheurde ze de envelop open en haalde er een witte envelop uit. Hij was opengemaakt en weer dichtgeplakt, zoals alle post die door de FBI werd doorgestuurd naar huidige en voormalige agenten. Bij de brief zat een voorbedrukt geel strookje papier: DIT PAKJE IS GETEST OP TOXISCHE STOFFEN EN BIOLOGISCHE WAPENS EN VEILIG BEVONDEN.

De tweede envelop was geadresseerd aan haar, per adres de FBI in Westwood. Als afzender stond een adres in Culver City vermeld dat haar niets zei. Ze scheurde de envelop open, trok er een handgeschreven brief van één kantje uit die om een krantenknipsel zat gevouwen en las:

Max Holman
Pacific Garden Motels Apartments
Culver City, CA 90232

Zodra ze de naam zag stopte ze met lezen. Ze verzonk in herinneringen aan de afdeling Bankovervallen en er verscheen een scheve glimlach op haar gezicht.

'O mijn god! Max Holman!'

Ze las verder.

Geachte agent Pollard,

Ik hoop dat het goed met u gaat. Ik hoop ook dat u niet bent opgehouden met lezen toen u mijn naam zag staan. Ik ben Max Holman. U hebt mij gearresteerd bij een bankoverval. Ik koester geen wrok en waardeer het nog steeds dat u een goed woordje voor me hebt gedaan bij de openbare aanklager. Ik heb mijn straf uitgezeten. Ik ben nu met proefverlof en ik heb werk. Ik dank u nogmaals voor uw vriendelijke en ondersteunende woorden en ik hoop dat u zich die nu herinnert.

Katherine herinnerde zich Holman nog en had een hoge dunk van hem, voor zover een wetshandhaver dat kan hebben van een man die negen banken had beroofd. Ze koesterde de warme gevoelens voor hem niet vanwege zijn overvallen, maar vanwege de manier waarop zijn arrestatie was verlopen toen zij hem bij zijn negende klus had opgepakt. Max Holman was zelfs bij de blasé agenten van de afdeling Bankovervallen van de FBI beroemd geworden om de manier waarop hij de bak in was gedraaid.

Ze las verder.

Agent Richard Holman van de LAPD, over wie u in het bijgesloten artikel kunt lezen, was mijn zoon. Hij en drie andere politiemannen zijn vermoord. Ik schrijf u om u om hulp te vragen. Ik hoop dat u wilt lezen wat ik te zeggen heb.

Pollard vouwde het krantenknipsel open. Ze zag onmiddellijk dat het een artikel was over de vier agenten die in de rivierbedding waren vermoord toen ze daar iets zaten te drinken. Pollard had een reportage gezien bij het avondnieuws.

Ze nam niet de moeite het krantenknipsel te lezen, maar ze keek naar de foto's van de vier omgekomen agenten. Onder de laatste foto stond de naam Richard Holman. Er was een cirkel omheen getrokken. Naast de cirkel waren twee woorden geschreven: MIJN ZOON.

Pollard kon zich niet herinneren dat Holman een zoon had, maar ze kon zich ook niet herinneren hoe Holman er zelf uitzag. Toen ze de foto bestudeerde, kwam het allemaal weer boven. Ja, nu zag ze het: de dunne lippen en sterke nek. Holmans zoon leek op zijn vader.

Pollard schudde haar hoofd en dacht: Jezus, komt die arme man uit de gevangenis, wordt zijn zoon vermoord. Had het hem nu niet even kunnen meezitten?

Geïnteresseerd las ze verder.

De politie is ervan overtuigd dat ze de moordenaar hebben gevonden, maar ik heb nog vragen en krijg geen antwoorden. Ik heb het idee dat de politie mij mijn verleden als crimineel aanrekent en dat ze daarom niet naar me willen luisteren. Aangezien u een speciaal agent van de FBI bent, hoop ik dat u die antwoorden voor mij zult kunnen krijgen. Dat is het enige wat ik wil.

Mijn zoon was een goed mens. Niet zoals ik. Bel me alstublieft als u me wilt helpen. U kunt ook met mijn reclasseringsambtenaar praten. Zij staat voor mij in.

Hoogachtend,
Max Holman

Onder zijn naam had Holman zijn telefoonnummer, het telefoonnummer van de receptie van Pacific Gardens en het nummer van zijn werk geschreven. Onder de telefoonnummers had hij de naam en het nummer van Gail

Manelli genoteerd. Pollard keek nogmaals naar het krantenartikel, dacht opeens aan haar eigen zoons en hoopte dat ze nooit het nieuws zou krijgen dat Max Holman had gekregen. Het was al erg genoeg geweest toen ze over Marty hoorde, ook al was hun huwelijk voorbij en waren ze hard op weg naar een scheiding. Op dat moment waren de slechte tijden vergeten en had ze het gevoel dat ze een stuk van zichzelf verloor. Het verlies van zijn zoon moest voor Holman nog erger zijn.

Opeens raakte Pollard geïrriteerd en ze schoof de brief en het krantenknipsel opzij. Haar nostalgische gevoelens voor Holman en de dag dat ze hem had opgepakt waren verdwenen. Pollard geloofde wat alle politiemensen uiteindelijk leerden: criminelen waren gedegenereerde klootzakken. Je kon ze oppakken, huisvesten, medicijnen en therapie geven, maar criminelen veranderden nooit, dus was het vrijwel zeker dat Holman een of andere truc probeerde uit te halen en Pollard was er bijna in getrapt.

Pisnijdig graaide ze de telefoon en de rekeningen bij elkaar, zette de motor uit en stormde door de hitte naar het huis. Ze had zich vernederd door haar moeder om geld te vragen en was nog eens vernederd door in Holmans zielige verhaal te trappen. En nu moest ze die arrogante reparateur smeken of hij alsjeblieft langs wilde komen om haar kokend hete huis weer leefbaar te maken. Pollard stond al binnen het nummer van de reparateur te draaien toen ze de telefoon neerlegde en terugliep naar haar auto om die zielige, stomme brief van Max Holman te halen.

Ze belde de reparateur, maar daarna belde ze ook Gail Manelli, de reclasseringsambtenaar van Holman.

15

Holman trof Chee achter de receptie in zijn garagebedrijf in East L.A. aan met een knap jong meisje dat schuchter glimlachte toen Holman binnenkwam. Op Chees gezicht brak een brede grijns door. Zijn tanden waren bruin van de koffie.

'Yo, kerel. Dit is mijn jongste dochter, Marisol. Zeg meneer Holman eens gedag, liefje,' zei Chee.

Marisol mompelde 'aangenaam kennis te maken' tegen Holman.

'Vraag Raul even of hij wil komen, lieverd,' zei Chee. 'Naar mijn kantoor. Zo, kerel, kom binnen.'

Marisol drukte op een intercom om Raul te roepen en Holman liep achter Chee aan naar zijn kantoor. Chee deed de deur achter hen dicht en onttrok Marisol aan het zicht.

'Knappe meid, Chee, gefeliciteerd,' zei Holman.

'Wat loop je te lachen, man? Je hebt toch geen verkeerde gedachten, hè?'

'Ik lach om de beruchte Little Chee die zijn dochter "liefje" noemt.'

Chee liep naar een archiefkast en haalde er een camera uit.

'Dat kind is mijn lust en mijn leven, man, zij en de anderen. Ik dank God elke dag dat ze er is, en ik kus de grond onder haar voeten. Kom, ga hier eens staan, kijk eens naar mij.'

'Heb je een auto voor me geregeld?'

'Heet ik Chee? Laten we nou eerst even dat rijbewijs voor je in orde maken.'

Chee zette Holman voor een donkerblauwe muur en stelde de camera in.

'Digitaal, mannetje, het nieuwste van het nieuwste. Potverdomme, Holman, het is geen politiefoto. Kijk effe niet alsof je me wilt vermoorden.'

Holman glimlachte.

'Allemachtig. Je trekt een smoel alsof je een niersteen staat uit te pissen.'

Op het moment dat de flits afging, klopte er iemand op de deur. Een kleine jongeman met harde ogen kwam binnen. Zijn armen en gezicht zaten onder de olie van het werk in de garage. Chee keek aandachtig naar de digitale foto in de camera en besloot na enig aarzelen dat hij ermee door kon. Hij gooide de camera naar de jongeman.

'Californisch rijbewijs, datum van uitgifte is vandaag, geen restricties. Je hebt toch geen bril, hè, Holman, nu je een paar jaartjes ouder bent?'

'Nee.'

'Geen restricties.'

Raul wierp een blik op Holman.

'Ik heb een adres nodig, zijn geboortedatum, zijn lengte en gewicht en een handtekening.'

Chee pakte een blocnote en een pen van zijn bureau en overhandigde ze aan Holman.

'Schrijf je gegevens op. En zet je handtekening op een apart blaadje.'

Holman deed wat hem werd gezegd.

'Hoelang duurt het voor ik dat rijbewijs heb? Ik heb een afspraak.'

'Je hebt het voor je hier vertrekt, man. Het duurt niet lang.'

Chee voerde een kort gesprek met Raul in het Spaans en daarna liep Holman met hem mee door de garage naar een parkeerplaats waar allerlei auto's stonden. Chee bekeek Perry's oude barrel.

'Mijn hemel. Geen wonder dat je werd aangehouden. Dat ding straalt aan alle kanten "proeftijd" uit.'

'Kun je hem voor me naar het motel laten brengen?'

'Ja, geen probleem. Kijk, deze had ik voor jou gedacht: een mooie Ford Taurus, of deze splinternieuwe Highlander, allebei keurige saaie middenklasseauto's. Ze staan geregistreerd op een verhuurbedrijf van mij, alle papieren zijn in orde en er staan geen bekeuringen meer open, zoals bij die rotkar waar je nu in rijdt. Als je wordt aangehouden, dan heb ik je de auto verhuurd. Dat is alles.'

Holman had nog nooit een Highlander gezien. Hij was zwart, hij glom en stond hoog op zijn grote banden. Het leek hem fijn te kunnen zien wat er aankwam.

'Het wordt de Highlander, denk ik.'

'Prima keus, man, zwart, leren bekleding, schuifdak. Je ziet er straks uit als een yuppie op weg naar de Whole Foods. Kom, stap in. Ik heb nog iets voor je, om het leven wat eenvoudiger te maken nu je terug bent in de echte wereld. Kijk eens in de console.'

Holman wist niet wat een Whole Foods was, maar hij was het zat voortdurend te laten merken dat hij net tien jaar in de bak had gezeten. En hij begon zich zorgen te maken dat het allemaal veel te lang duurde. Hij stapte in zijn nieuwe auto en keek in de console. Daar lag een mobiele telefoon.

Chee straalde van trots.

'Heb een mobiele telefoon voor je gekocht, man. Het is geen tien jaar geleden meer, toen je met een handvol kwartjes naar een telefooncel ging. Je moet nu vierentwintig uur per dag bereikbaar zijn. De handleiding ligt er ook in en je nummer. Je sluit hem met dat snoertje aan op de sigarettenaansteker om hem op te laden.'

Holman keek Chee aan.

'Je hebt me een paar dagen geleden aangeboden wat geld voor te schieten, weet je nog? Ik doe het niet graag, man, want je bent al zo aardig met die auto en die telefoon, maar ik moet terugkomen op wat ik heb gezegd. Ik heb een *pack* nodig.'

Een *pack* was duizend dollar. Wanneer banken gebruikte briefjes van twintig verpakten, deden ze vijftig briefjes in een wikkel. Duizend dollar.

Chee knipperde niet eens met zijn ogen. Hij nam Holman aandachtig op en raakte toen zijn neus aan.

'Je zegt het maar, kerel, maar ik wil één ding van je weten, ben je weer aan de speed? Als je jezelf naar de kloten wilt helpen, moet je niet bij mij zijn.'

'Nee, dat is het niet. Ik heb iemand gevraagd me te helpen met Richie, een professional, man, die echt weet wat ze doet. Ik wil goed voorbereid zijn als er kosten gemaakt moeten worden.'

Holman was zowel opgelucht als nerveus geweest toen agent Pollard via Gail Manelli contact met hem opnam. Hij had niet durven hopen dat hij iets van haar zou horen, maar dat was wel gebeurd. Naar goed gebruik van de enigszins paranoïde FBI had ze zijn verhaal zowel bij Manelli als bij Wally Figg van het CCC gecheckt voor ze hem belde en had ze geweigerd hem haar telefoonnummer te geven, maar Holman hoorde je niet klagen: ze had uiteindelijk in een Starbucks in Westwood met hem afgesproken om zijn verhaal aan te horen. Het was Holman niet ontgaan dat de locatie die ze opgaf dicht bij het gebouw van de FBI zat.

Chee keek hem met samengeknepen ogen aan.

'Wat bedoel je, zij? Wat voor soort professional?'

'De FBI-agent die me heeft gearresteerd.'

Chees ogen vernauwden zich nog meer en hij gesticuleerde wild.

'Man! Holman, ben je gek geworden, kerel?'

'Ze heeft me goed behandeld, Chee. Ze is voor mij met de openbaar aanklager in discussie gegaan. Ze heeft ervoor gezorgd dat de tenlastelegging werd aangepast.'

'Ja, omdat je jezelf min of meer hebt overgegeven, stomme klootzak! Holman, ik zie dat mens nog zo die bank in rennen! Die gaat je te grazen nemen, kerel! Je hoeft maar íéts te doen en dat kreng zet je achter de tralies!'

Holman besloot niet te vertellen dat Pollard niet meer bij de FBI werkte. Het was een hele teleurstelling geweest toen ze het hem vertelde, maar hij was ervan overtuigd dat ze nog wel connecties had en hem kon helpen antwoorden te krijgen.

Hij zei: 'Zeg, Chee, ik moet weg. Ik heb met haar afgesproken. Kun je me nog helpen met dat geld?'

Chee gebaarde opnieuw met zijn hand om zijn afschuw van zich af te zetten.

'Ja, ik zorg dat je dat geld krijgt. Vertel haar niet over mij, Holman. Zorg dat mijn naam in haar aanwezigheid niet over je lippen komt. Ik wil niet dat ze weet dat ik besta.'

'Ik heb tien jaar geleden tijdens al die verhoren je naam ook niet genoemd, kerel. Waarom zou ik dat nu wel doen?'

Chee keek beschaamd en toen hij wegliep gebaarde hij nog eens.

Onder het wachten maakte Holman zich vertrouwd met de Highlander en probeerde hij erachter te komen hoe de mobiele telefoon werkte. Toen Chee terugkwam, overhandigde hij Holman een blanco witte envelop en het rijbewijs. Holman keek niet in de envelop. Hij legde hem in de console en bekeek daarna het rijbewijs. Het was een perfect Californisch exemplaar. Het zegel van de staat stond half over Holmans foto, de verloopdatum was over zeven jaar en een piepkleine versie van zijn handtekening was onder zijn adres en persoonsgegevens afgedrukt.

'Dat ziet er echt uit,' zei Holman.

''t Is echt, kerel. Dat is een origineel rijbewijsnummer dat zo in het systeem van de staat Californië gaat. Als je wordt aangehouden, controleren ze dat rijbewijs in het systeem en vanaf vandaag kom jij daar dan uit met je adres en een brandschoon rijverleden. Die magnetische strip op de achterkant? Die laat precies zien wat hij moet laten zien.'

'Bedankt, joh.'

'Geef me de sleutels van die grafbak waar je mee gekomen bent. Dan laat ik hem door een paar jongens terugbrengen.'

'Bedankt, Chee. Ik vind het echt heel tof van je.'

'Laat mijn naam niet vallen tegen die agent, Holman. Hou mij erbuiten.'

'Je staat erbuiten, Chee. Dat is nooit anders geweest.'

Chee legde zijn hand op het portier van de Highlander en leunde met felle ogen door het raampje naar binnen.

'Ik zeg het alleen maar, meer niet. Je moet die vrouw niet vertrouwen, Holman. Ze heeft je al eens eerder achter de tralies gezet. Wees voorzichtig met haar.'

'Ik moet weg.'

Chee deed met een blik van afkeer een stap achteruit en Holman hoorde hem mompelen.

'De Heldhaftige Bandiet, ja, ja.'

Holman reed de weg op. Hij bedacht zich dat het jaren geleden was dat iemand hem de Heldhaftige Bandiet had genoemd.

16

Holman was er een kwartier te vroeg en ging zitten aan een tafeltje met goed uitzicht op de deur. Hij wist niet zeker of hij agent Pollard zou herkennen, maar hij wilde vooral dat zij hem duidelijk kon zien wanneer ze binnenkwam. Hij wilde dat ze zich veilig voelde.

Het was natuurlijk druk bij Starbucks, en Holman wist dat dat een van de redenen was waarom ze deze locatie als ontmoetingsplaats had gekozen. Met andere mensen om zich heen zou ze zich veiliger voelen en waarschijnlijk dacht ze ook dat hij zich gedeisd zou houden omdat ze dicht bij het gebouw van de FBI waren.

Holman ging er rustig voor zitten. Hij verwachtte dat ze te laat zou zijn. Ze zou te laat komen om haar gezag te laten gelden en ervoor te zorgen dat hij begreep dat zij in deze situatie de macht in handen had. Holman vond het niet erg. Hij had die ochtend zijn haar bijgeknipt, zich twee keer geschoren om mooi glad te zijn en zijn schoenen gepoetst. Hij had de avond ervoor zijn kleren met de hand gewassen en voor twee dollar Perry's strijkijzer en strijkplank gehuurd om er zo weinig bedreigend mogelijk uit te zien.

Twaalf minuten na de afgesproken tijd keek Holman naar de deur en zag agent Pollard binnenkomen. Hij wist eerst niet zeker of het Pollard was. De agent die hem had gearresteerd, was knokig en mager geweest, met een smal gezicht en licht, kortgeknipt haar. Deze vrouw was zwaarder dan hij zich herinnerde en ze had donker haar tot op de schouders. Het lange haar stond haar leuk. Ze droeg een strogeel jasje op een lange broek en een donkere blouse en ze had een zonnebril op. Haar gezichtsuitdrukking verried haar. Het ernstige pokergezicht wasemde aan alle kanten 'FBI' uit. Holman vroeg zich af of ze er onderweg op had geoefend.

Holman legde zijn handen plat op tafel en wachtte tot ze hem zag. Toen ze hem eindelijk in het oog kreeg, lachte Holman naar haar, maar ze beantwoordde zijn glimlach niet. Ze stapte tussen de mensen door die op hun *latte* stonden te wachten en liep naar de lege stoel tegenover hem.

'Meneer Holman,' zei ze.

'Hallo, agent Pollard. Mag ik opstaan? Dat zou beleefd zijn, maar ik wil niet de indruk wekken dat ik u aanval of zoiets. Zal ik een kop koffie voor u halen?'

Holman liet zijn handen op tafel liggen zodat zij ze kon zien en lachte nogmaals. Opnieuw beantwoordde ze zijn glimlach niet en ze stak ook haar hand niet uit. Bruusk en zakelijk nam ze tegenover hem plaats.

'U hoeft niet op te staan en ik heb geen tijd voor koffie. Ik wil zeker weten dat u begrijpt wat de grondregels zijn. Ik ben blij dat u uw straf hebt uitgezeten en dat u werk hebt en zo – gefeliciteerd. Dat meen ik, Holman, gefeliciteerd. Maar u moet één ding goed begrijpen: ook al staan mevrouw Manelli en meneer Figg voor u in, ik ben hier uit respect voor uw zoon. Als u op enigerlei wijze misbruik maakt van dat respect, ben ik weg.'

'Ja, mevrouw. Als u me wilt fouilleren, dan vind ik dat prima.'

'Als ik dacht dat u zoiets zou proberen, was ik niet gekomen. Nogmaals, ik vind het heel erg van uw zoon. Dat is een vreselijk verlies.'

Holman wist dat hij niet veel tijd zou krijgen om zijn verhaal te vertellen. Pollard was gespannen en het zat haar waarschijnlijk niet lekker dat ze met hem had afgesproken. Agenten hadden nooit contact met de criminelen die ze arresteerden. Dat kwam gewoon niet voor. De meeste criminelen, zelfs die bij wie echt een steekje los zat, waren zo verstandig de mensen die hen hadden gearresteerd niet op te zoeken en de paar die het wel deden eindigden meestal opnieuw in de cel of in een kist. Tijdens het enige telefoongesprek dat ze hadden gehad had Pollard geprobeerd hem ervan te overtuigen dat het scenario van de moorden dat de politie had gegeven en hun conclusies met betrekking tot Warren Juarez niet onredelijk waren, maar ze was slechts oppervlakkig bekend met de zaak. Ze had zijn stortvloed van vragen niet kunnen beantwoorden en ze had het bewijsmateriaal dat hij had verzameld niet gezien. Na enig aarzelen had ze beloofd dat ze alle beschikbare informatie zou bekijken en zijn verhaal persoonlijk zou aanhoren. Holman wist dat ze niet met hem had afgesproken omdat ze dacht dat de politie het misschien bij het verkeerde eind had. Ze had dat gedaan om een rouwende vader te helpen met het verlies van zijn zoon. Waarschijnlijk vond ze dat hij een persoonlijke ontmoeting had verdiend door de manier waarop hij was gearresteerd, maar daar zou het bij blijven. Holman wist dat hij slechts één kans had en daarom had hij het beste voor het laatst bewaard, het lokkertje waarvan hij hoopte dat ze het niet zou kunnen weerstaan.

Hij opende de envelop waarin hij zijn groeiende verzameling knipsels en stukken bewaarde en schudde de dikke stapel papier eruit.

'Hebt u nog kans gezien u erin te verdiepen?' vroeg hij.

'Ja. Ik heb alles gelezen wat in de *Times* heeft gestaan. Mag ik openhartig zijn?'

'Dat wil ik juist, uw mening horen.'

Ze leunde naar achteren en vlocht haar vingers in elkaar op haar schoot. Haar lichaamstaal maakte duidelijk dat ze dit zo snel mogelijk achter de rug wilde hebben. Holman wilde dat ze haar zonnebril afzette.

'Goed. Laten we beginnen met Juarez. U hebt me verteld over uw gesprek met Maria Juarez en toen zei u dat u niet geloofde dat Juarez zichzelf na de moorden van het leven had beroofd. Is dat correct?'

'Ja, dat klopt. Hij heeft een vrouw en een kind, waarom zou hij zich op die manier om zeep brengen?'

'Als ik een gokje zou moeten wagen, en meer is het niet, zou ik zeggen dat Juarez snoof, op speed leefde en waarschijnlijk crack rookte. Dat soort kerels gebruikt altijd ik-weet-niet-wat voor ze de trekker overhalen. De drugs zouden paranoia en mogelijk zelfs een psychotische aanval kunnen hebben opgewekt, wat de zelfmoord zou verklaren.'

Holman had dit al overwogen.

'Zou dat uit het autopsieverslag blijken?'

'Ja...'

'Zou u het autopsieverslag kunnen opvragen?'

Holman zag dat haar mond verstrakte. Hij waarschuwde zichzelf dat hij haar niet meer in de rede moest vallen.

'Nee, ik kan het autopsieverslag niet opvragen. Ik geef u alleen een mogelijke verklaring, gebaseerd op mijn ervaring. De zelfmoord stelde u voor een raadsel, dus leg ik uit hoe het kon gebeuren.'

'Even voor de duidelijkheid: ik heb de politie gevraagd of ik met de lijkschouwer of zo kon praten, maar dat ging niet, zeiden ze.'

Haar mond bleef hard, maar nu spanden haar in elkaar gevlochten vingers zich.

'De politie moet rekening houden met juridische kwesties, zoals het recht op privacy. Als zij inzage zouden geven in hun dossiers, zouden ze aangeklaagd kunnen worden.'

Holman besloot een ander onderwerp aan te snijden en bladerde door zijn papieren tot hij vond wat hij zocht. Hij draaide het naar haar toe zodat zij het kon zien.

'De krant heeft deze schets van de plaats delict afgedrukt. Ziet u hoe ze de auto's en de lichamen erin hebben getekend? Ik ben erheen gegaan om het eens met eigen ogen te zien –'

'Bent u naar de rivierbedding gegaan?'

'Toen ik nog auto's stal – dat was voor ik met banken begon – bracht ik veel tijd door op die vlaktes. Want dat is het, vlak. De bedding aan beide zijden van het kanaal is een kaal stuk beton, net een parkeerterrein. De enige manier om beneden te komen is via de afrit voor de onderhoudsploegen.'

Pollard boog zich naar voren om op de kaart te kunnen zien wat hij bedoelde.

'Ja, en?'

'De afrit loopt hier omlaag naar de rivierbedding, vol in het zicht van de plek waar de politieagenten geparkeerd stonden. Ziet u wel? De schutter moest via deze afrit naar beneden, maar als hij van die afrit kwam, konden ze hem zien.'

'Het was één uur 's nachts. Het was donker. Bovendien is het waarschijnlijk niet op schaal getekend.'

Holman haalde een andere kaart tevoorschijn, een kaart die hij zelf had gemaakt.

'Nee, dat klopt. Daarom heb ik er zelf eentje getekend. Onder de brug is de afrit beter te zien dan je zou denken als je naar de tekening in de krant kijkt. En dan nog iets: hier boven aan de afrit staat een hek, ziet u wel? Daar moet je overheen klimmen of je moet het slot kapot knippen. En dat maakt allebei een hoop herrie.'

Holman keek hoe Pollard de twee tekeningen vergeleek. Ze leek na te denken en nadenken was goed. Nadenken betekende dat haar belangstelling was gewekt. Maar na enige tijd leunde ze weer naar achteren en haalde haar schouders op.

'Die agenten hebben het hek open laten staan toen ze naar beneden reden.'

'Ik heb aan de politie gevraagd hoe ze het hek hadden aangetroffen, maar dat wilden ze niet zeggen. Als je het hek open laat staan, loop je het risico dat een bewaker dat ziet tijdens zijn ronde en dan ben je zuur. Wij deden het hek altijd dicht en trokken de ketting er weer doorheen. Ik durf te wedden dat Richie en zijn maten dat ook hebben gedaan.'

Pollard ging verzitten.

'In de tijd dat je auto's stal.'

Holman effende het pad voor zijn lokkertje en hij vond dat hij het niet slecht deed. Ze volgde zijn gedachtegang, ook al wist ze niet welke kant het op ging. Dat gaf hem moed.

'Als het hek dicht was, moest de schutter het openmaken of eroverheen klimmen en dat maakt lawaai. Ik weet dat die gasten zaten te drinken, maar ze hadden één sixpack, meer niet. Vier volwassen mannen en één sixpack – hoe dronken konden ze zijn? Als Juarez stoned was, zoals u opperde, hoe stil kon hij dan zijn? Die agenten zouden iets gehoord moeten hebben.'

'Wat wilt u nou zeggen? Dat Juarez het niet heeft gedaan?'

'Ik wil zeggen dat de politiemensen iets gehoord moeten hebben en dat dat hen niet alarmeerde. Ik denk dat ze de schutter kenden.'

Pollard sloeg haar armen over elkaar, het ultieme signaal dat ze zich voor hem afsloot. Holman wist dat hij haar kwijtraakte, maar hij had zijn lokkertje nog achter de hand. Het zou erom spannen.

'Hebt u wel eens van de bankovervallers Marchenko en Parsons gehoord?' vroeg hij.

Holman zag haar verstijven en wist dat haar belangstelling eindelijk was gewekt. Nu zat ze niet alleen maar aardig te zijn of de tijd te doden tot ze ervandoor kon gaan. Ze zette haar zonnebril af. Hij zag dat de huid rond haar ogen dun was geworden. Ze was erg veranderd sinds de laatste keer dat hij haar had gezien, maar er was buiten haar uiterlijk nog iets veranderd, alleen kon hij niet zeggen wat.

'Ik heb van ze gehoord. En?' antwoordde ze.

Holman legde de kaart waarop Richie de bankovervallen van Marchenko en Parsons had aangegeven voor haar neer.

'Deze is van mijn zoon. Zijn vrouw, Liz, vond het goed dat ik er een kopietje van maakte.'

'Het is een kaart van hun overvallen.'

'De nacht dat hij stierf, kreeg Richie een telefoontje van Fowler. Daarna ging hij weg. Hij ging naar Fowler om over Marchenko en Parsons te praten.'

'Marchenko en Parsons zijn dood. Die zaak is zeker drie maanden geleden al gesloten.'

Holman haalde kopieën van de artikelen en rapporten die hij op Richies bureau had gevonden van de stapel en legde ze voor haar neer.

'Richie heeft tegen zijn vrouw gezegd dat ze aan die zaak werkten. Zijn bureau thuis lag vol met dit soort dingen. Ik heb de politie gevraagd waar Richie mee bezig was. Ik heb geprobeerd de rechercheurs te spreken te krijgen die aan de zaak Marchenko en Parsons hebben gewerkt, maar niemand wilde met me praten. Ze zeiden tegen me wat u ook zei, dat de zaak gesloten was. Maar Richie zei tegen zijn vrouw dat hij met Fowler over die zaak ging praten en nu is hij dood.'

Holman keek hoe Pollard de stukken vluchtig doornam. Hij zag dat haar mond bewoog, alsof ze op de binnenkant van haar lip kauwde. Ten slotte keek ze op. Hij vond dat ze te veel rimpeltjes rond haar ogen had, voor zo'n jonge vrouw.

'Ik weet niet precies wat u van me verwacht,' zei ze.

'Ik wil weten waarom Richie aan een gesloten zaak werkte. Ik wil weten wat Juarez met een paar bankovervallers te maken had. Ik wil weten waarom mijn zoon en zijn vrienden iemand zo dichtbij lieten komen dat hij ze kon vermoorden. Ik wil weten wie ze heeft vermoord.'

Pollard staarde hem aan en Holman staarde terug. Hij liet geen vijandigheid of woede in zijn ogen lezen. Dat stuk hield hij verborgen. Ze bevochtigde haar lippen.

'Ik kan wel een paar telefoontjes plegen, denk ik. Dat wil ik wel doen.'

Holman stopte al zijn papieren weer in de envelop en schreef het nummer van zijn nieuwe mobiele telefoon op de voorkant.

'Dit is alles wat ik in de bibliotheek over Marchenko en Parsons heb gevonden en wat er in de *Times* heeft gestaan over Richies dood. En een paar dingen uit zijn huis. Ik heb overal een kopie van gemaakt. Dat is het nummer van mijn nieuwe mobiele telefoon. Het is handig als u dat ook hebt.'

Ze keek naar de envelop zonder hem aan te raken. Holman begreep dat ze nog worstelde met het besluit dat ze had genomen.

'Ik verwacht niet van u dat u dit voor niets doet, agent Pollard. Ik zal u betalen. Ik heb niet veel, maar we zouden een betalingsregeling kunnen treffen.'

Ze bevochtigde haar lippen nogmaals. Holman verbaasde zich over haar aarzeling, maar toen schudde ze haar hoofd.

'Dat is niet nodig. Het kost me misschien een paar dagen, maar ik hoef alleen maar een paar telefoontjes te plegen.'

Holman knikte. Zijn hart bonsde, maar net als zijn angst en zijn woede hield hij ook zijn opwinding voor haar verborgen.

'Bedankt, agent Pollard. Bijzonder aardig van u.'

'U zou me eigenlijk geen agent Pollard moeten noemen. Ik werk niet meer bij de FBI.'

'Hoe moet ik u dan noemen?'

'Katherine.'

'Goed, Katherine. Ik heet Max.'

Holman stak zijn hand uit, maar Pollard nam hem niet aan. In plaats daarvan pakte ze de envelop.

'Dit wil niet zeggen dat ik je vriendin ben, Max. Het wil alleen maar zeggen dat ik vind dat je antwoorden verdient.'

Holman liet zijn hand zakken. Hij was gekwetst, maar wilde dat niet laten merken. Hij vroeg zich af waarom ze hieraan haar tijd wilde verdoen als ze zo over hem dacht, maar ook die gedachte hield hij voor zich.

'Uiteraard. Dat begrijp ik.'

'Het zal waarschijnlijk een paar dagen duren voor je van me hoort.'

'Dat begrijp ik.'

Holman keek hoe ze de Starbucks uit wandelde. Ze liep sneller naarmate ze dichter bij de deur kwam en beende toen met grote stappen weg over het trottoir. Hij zat nog naar haar te kijken toen hij zich herinnerde dat hij het idee had gehad dat er iets aan haar was veranderd. Nu wist hij opeens wat...

Pollard was bang. De jonge agent die hem tien jaar geleden had gearresteerd, kende geen angst, maar zo was ze niet meer. Toen hij erover nadacht, vroeg hij zich af hoe sterk hij zelf was veranderd en of hij nog mans genoeg was om dit tot een goed einde te brengen.

Holman stond op en stapte naar buiten, het felle zonlicht van Westwood in. Het was fijn om niet langer alleen te zijn, bedacht hij, en hij mocht Pollard graag, ook al was ze terughoudend. Hij hoopte dat ze er zonder kleerscheuren van af zou komen.

17

Pollard wist niet precies waarom ze beloofd had Holman te helpen, maar ze had in ieder geval geen haast naar Simi Valley terug te gaan. Het was in Westwood vijf graden koeler en haar moeder zou de jongens opvangen als ze thuiskwamen uit kamp. Het was net of ze een dagje vrij had van de rest van haar leven. Alsof ze een dagje proefverlof had.

Ze wandelde naar Stan's Donuts en bestelde één naturel, ronde-met-een-gat, door-en-door Amerikaanse geglazuurde donut – zonder strooisel, jam, kokos of chocola, niets wat de zachte smaak van gesmolten suiker en warm vet zou verstoren. Pollards achterwerk had evenveel behoefte aan een donut als een goudvis aan een bowlingbal, maar ze was sinds haar vertrek bij de FBI niet meer bij Stan's geweest. Toen Pollard nog in het gebouw in Westwood werkte, ging ze minstens twee keer per week met haar collega April Sanders naar Stan's. Even een donutje pakken, noemden ze dat.

De vrouw achter de toonbank bood haar een donut uit het schap aan, maar er kwam een nieuwe lading uit de frituur en Pollard besloot te wachten. Ze nam het dossier van Holman mee naar het terras om te lezen onder het wachten, maar moest de hele tijd aan Holman denken. Holman was vroeger al een grote vent geweest, maar de Holman die ze had gearresteerd was vijftien kilo lichter geweest en had een wilde bos haar, een diepbruine kleur en de slechte huid van een stevige crackgebruiker. Hij zag er niet meer uit als een crimineel. Hij zag er nu uit als een man van in de veertig die het niet meezat.

Pollard had het vermoeden dat de politie de vragen van Holman naar beste kunnen had beantwoord, maar dat hij de feiten niet wilde accepteren. Ze had in haar tijd bij de FBI met rouwende families te maken gehad en allemaal hadden die in dat verschrikkelijke oord van verlies uitsluitend vragen gevonden waarop geen goede antwoorden bestaan. De nuchtere waarheid bij elk crimineel onderzoek was dat niet alle vragen beantwoord konden worden. Men kon alleen hopen dat er genoeg antwoorden werden gevonden om het tot een rechtszaak te laten komen.

Pollard richtte haar aandacht eindelijk op Holmans envelop en las de artikelen door. Anton Marchenko en Jonathan Parsons, allebei tweeëndertig jaar oud, waren eenlingen zonder werk die elkaar in een sportschool in West Hollywood hadden leren kennen. Ze waren niet getrouwd en hadden geen van tweeën een vaste vriendin. Parsons was een Texaan die in zijn puberteit van huis was weggelopen en in Los Angeles was terechtgekomen. Marchenko liet een moeder achter, een weduwe uit de Oekraïne die, volgens de krant, de politie bij het onderzoek had geholpen, maar tegelijkertijd dreigde het gemeentebestuur voor de rechter te slepen. Ten tijde van hun dood woonden Marchenko en Parsons samen in een kleine huurflat in Beachwood Canyon in Hollywood waar de politie twaalf pistolen, een voorraad munitie van meer dan zesduizend patronen, een uitgebreide verzameling video's over oosterse vechtkunst en negenhonderdduizend dollar in contanten vond.

Pollard was al niet meer in dienst van de FBI toen Marchenko en Parsons zich door dertien banken heen baanden, maar ze had de berichtgeving over hun overvallen gevolgd en fleurde helemaal op nu ze zich in hen verdiepte.

Van het lezen van de verhalen over hun bankovervallen werd ze weer scherp en energiek zoals ze in haar tijd bij de FBI was geweest. Voor het eerst in jaren had Pollard het gevoel dat ze leefde. Ze moest opeens aan Marty denken. Haar leven na zijn overlijden was een onophoudelijke strijd geweest tussen alsmaar oplopende rekeningen en haar verlangen haar zoontjes in haar eentje groot te brengen. Na het verlies van hun vader had Pollard gezworen dat ze niet ook hun moeder zouden verliezen zodat ze aangewezen zouden zijn op buitenschoolse opvang en kinderjuffen. Het was een belofte die haar een gevoel van machteloosheid en onzekerheid had gegeven, vooral toen de jongens ouder werden en de kosten stegen, maar door het lezen van de stukken over Marchenko en Parsons leefde ze helemaal op.

Marchenko en Parsons hadden in een periode van negen maanden dertien bankovervallen gepleegd, allemaal op dezelfde manier: ze stormden een bank binnen als een invasieleger, dwongen iedereen op de grond te gaan liggen en keerden de geldlades van de bankloketten om. Terwijl een van hen de bankbedienden onder handen nam, dwong de ander de filiaaldirecteur de kluis open te maken.

In de artikelen die Holman had gekopieerd, stonden wazige opnamen van beveiligingscamera's van in het zwart geklede personen die met wapens stonden te zwaaien, maar het signalement dat getuigen van de twee mannen hadden gegeven was vaag en hun identiteit werd pas na hun dood vastgesteld. Het duurde tot de achtste bankoverval voor een getuige een beschrijving van de vluchtauto gaf: een lichtblauwe auto van een buitenlands merk. Daarna werd de auto niet meer genoemd tot de tiende overval, toen een van de getuigen verklaarde dat het om een lichtblauwe Toyota Corolla ging. Pollard glimlachte toen ze dat zag, omdat ze wist dat de mensen van de afdeling Bankovervallen elkaar een high five zouden hebben gegeven om het te vieren. Professionals zouden voor elke overval een andere auto hebben genomen; dat ze dezelfde auto gebruikten, gaf aan dat deze kerels mazzelende amateurs waren. Als je eenmaal wist dat ze alles op goed geluk deden, wist je ook dat hun geluk op een dag zou eindigen.

'De donuts zijn klaar. Mevrouw? Uw donuts zijn klaar.'

Pollard keek op.

'Hè?'

'Uw warme donuts zijn klaar.'

Pollard was zo verdiept geweest in de artikelen dat ze niet op de tijd had gelet. Ze ging naar binnen, haalde haar donut en een kop zwarte koffie en liep terug naar haar tafeltje om verder te lezen.

Het geluk van Marchenko en Parsons was bij hun dertiende bankoverval afgelopen.

Op het moment dat ze de California Central Bank in Culver City binnen gingen om hun dertiende gewapende overval te plegen, wisten ze niet dat een opsporingsteam van rechercheurs van de afdeling Overvallen van de LAPD, agenten van de FBI en politieagenten een strook van drie kilometer, van het centrum van L.A. tot de oostkant van Santa Monica, in de gaten hield. Toen Marchenko en Parsons de bank binnenkwamen, drukten alle vijf de loketbedienden op het stille alarm. Hoewel het krantenartikel verder geen details bevatte, wist Pollard wat er vanaf dat moment was gebeurd: het door de bank ingehuurde beveiligingsbedrijf stelde de LAPD op de hoogte, die op zijn beurt het opsporingsteam waarschuwde. Het team trok samen rond de bank en nam positie in op het parkeerterrein. Marchenko kwam als eerste de bank uit. In dergelijke gevallen handelde de overvaller meestal op een van de volgende drie manieren: hij gaf zich over, hij probeerde te ontsnappen, of hij trok zich terug in de bank, waarna onderhandelingen volgden. Marchenko koos voor iets anders: hij opende het vuur. Het opsporingsteam, uitgerust met 5,56mm-geweren, beantwoordde het vuur en doodde Marchenko en Parsons ter plekke.

Pollard las het laatste artikel uit en ontdekte dat haar donut koud was geworden. Ze nam een hap. Hij was verrukkelijk, ook al was hij koud, maar ze at zonder veel aandacht.

Pollard nam de artikelen over de moord op de vier agenten vluchtig door en zag toen dat er enkele voorbladen van politierapporten over Marchenko en Parsons tussen de papieren zaten. Dat vond Pollard merkwaardig. Dergelijke rapporten werden geschreven door de recherche, maar Richard Holman werkte bij de uniformdienst. Rechercheurs van de LAPD riepen soms de hulp van agenten in bij opsporingen en buurtonderzoeken na een overval, maar voor dat werk was inzage in de rapporten en getuigenverklaringen niet noodzakelijk en agenten bleven na de eerste twee dagen na een overval zelden bij het onderzoek betrokken. Marchenko en Parsons waren al drie maanden dood en de buit was teruggevonden. Ze vroeg zich af waarom de LAPD drie maanden na het gebeuren nog bezig was met het onderzoek en waarom er agenten aan meewerkten, maar ze had het idee dat ze het antwoord daarop vrij makkelijk te weten zou kunnen komen. Pollard had in haar tijd bij de FBI verschillende rechercheurs van de afdeling Overvallen leren kennen. Ze besloot bij hen te informeren.

Pollard moest even goed nadenken voor haar de namen van de rechercheurs te binnen wilden schieten. Toen belde ze het informatiebureau van de LAPD om uit te zoeken waar ze momenteel werkzaam waren. De eerste twee rechercheurs naar wie ze vroeg waren met pensioen, maar de derde, Billy Fitch, werkte op de hoofdafdeling Gewapende Overvallen, de elite-eenheid die in Parker Center was gestationeerd.

Toen ze Fitch aan de telefoon kreeg vroeg hij: 'Met wie?'

Fitch was haar vergeten.

'Katherine Pollard. Ik zat bij de afdeling Bankovervallen van de FBI. We hebben een paar jaar geleden samen aan enkele zaken gewerkt.'

Ze somde de namen op van verschillende veelplegers die ze onder handen hadden genomen: de Honkbalbandiet, de Dolly Partonbandiet, de Munchkinbandieten. Veelplegers kregen een naam wanneer hun identiteit nog niet bekend was, omdat je makkelijker over hen kon praten als ze een naam hadden. De Honkbalbandiet had altijd een pet van de Dodgers op, de Dolly Partonbandiet, een van de twee vrouwelijke bankovervallers die Pollard had meegemaakt, was een ex-stripper met enorm grote borsten, en de Munchkinbandieten waren een groep overvallers die uit lilliputters bestond.

Fitch zei: 'O, ja, ik weet wie je bent. Ik hoorde dat je ontslag had genomen.'

'Dat klopt. Zeg, ik wil je iets vragen over Marchenko en Parsons. Heb je even?'

'Die zijn dood.'

'Dat weet ik. Doen jullie nog steeds onderzoek naar die zaak?'

Fitch aarzelde en Pollard wist dat dat een slecht teken was. Hoewel de afdeling Bankovervallen van de FBI en de LAPD goed met elkaar samenwerkten, gold de ongeschreven regel dat je geen informatie verstrekte aan privépersonen.

'Werk je weer bij de FBI?' vroeg hij.

'Nee. Ik vraag het op persoonlijke titel.'

'Wat wil dat zeggen, op persoonlijke titel? Voor wie werk je dan?'

'Voor niemand. Ik vraag het voor een vriend van me. Ik wil weten of de vier agenten die vorige week zijn neergeschoten aan Marchenko en Parsons werkten.'

Door de toon die hij aansloeg kon Pollard de wrevel op zijn gezicht bijna zien.

'O, nu snap ik het. Holmans vader. Die vent is echt een enorm lastpak.'

'Hij heeft zijn zoon verloren.'

'Zeg, hoe komt het dat hij jou erbij gehaald heeft?'

'Ik heb hem opgepakt.'

Fitch begon te lachen, maar hield er even later plotseling weer mee op alsof hij een schakelaar had omgezet.

'Ik weet niet waar Holman het over heeft en ik kan je vragen niet beantwoorden. Je bent een privépersoon.'

'Holmans zoon heeft tegen zijn vrouw gezegd dat hij ergens aan werkte.'

'Marchenko en Parsons zijn dood. Je hoeft me niet meer te bellen, exagent Pollard.'

De verbinding werd verbroken.

Pollard keek verdwaasd naar haar stille telefoon en haar koude donut en nam in gedachten het gesprek nog eens door. Fitch had een aantal keer gezegd dat Marchenko en Parsons dood waren, maar hij had niet ontkend dat er een onderzoek liep. Ze vroeg zich af waarom en dacht dat ze wist hoe ze daarachter kon komen. Ze klapte haar mobiele telefoon weer open en belde April Sanders.

'Speciaal agent Sanders.'

'Raad eens waar ik ben.'

'O, jeetje, ben je het echt?'

'Ben je op kantoor?'

'Ja, maar niet zo lang meer. Ben je hier?'

'Ik zit bij Stan's met twaalf donuts waar jouw naam op staat. Stuur eens iemand naar beneden.'

Het gebouw van de FBI in Westwood was de thuisbasis van de elfhonderd FBI-agenten die in Los Angeles en de omliggende districten werkzaam waren. Het was een vrijstaande toren van staal en glas te midden van uitgestrekte parkeerterreinen op een van de duurste stukken grond in Amerika. De agenten zeiden vaak schertsend dat de Verenigde Staten hun staatsschuld konden aflossen als ze het kantoor van de FBI tot koopflats zouden laten ombouwen.

Pollard parkeerde op het parkeerterrein voor bezoekers, passeerde de metaaldetector in de hal en wachtte op haar begeleider. Het was niet langer voldoende dat er iemand naar beneden belde dat je werd verwacht. Pollard kon niet zomaar in een lift stappen en op de knop drukken voor een van de acht verdiepingen waarop de FBI was gehuisvest. Bezoekers en agenten moesten een beveiligingspasje door een kaartlezer halen en een geldig penningnummer invoeren voordat de lift in beweging kwam.

Enkele tellen later ging een van de liften open en stapte er een medewerker uit. Hij herkende Pollard aan de doos van Stan's en hield de deur open.

'Mevrouw Pollard?'

'Dat ben ik.'

'U gaat naar Banken, toch?'

'Ja, dat klopt.'

Officieel stond de afdeling bekend als de afdeling Bankovervallen van het divisiekantoor Los Angeles van de FBI, maar de agenten die er werkten noemden haar kortweg Banken. Pollards begeleider nam haar mee naar de dertiende verdieping en leidde haar door een deur met een cijferslot. Pollard was in acht jaar die deur niet door geweest. Ze had het gevoel dat ze nooit was weggeweest.

De afdeling Bankovervallen zat in een grote moderne kantoorruimte die met zeegroene scheidingswanden in werkplekken was verdeeld. Het leek een opgeruimd en schoon doorsneekantoor en had net zo goed van een verzekeringsmaatschappij of een bedrijf uit de *Fortune 500* kunnen zijn, ware het niet dat er politiefoto's van de tien meest gezochte bankovervallers van L.A. aan de muur hingen. Pollard glimlachte toen ze de politiefoto's zag. Iemand had boven drie verdachten Post-it-briefjes geplakt met de namen van de Three Stooges: Larry, Moe en Curly.

In Los Angeles en de omliggende zeven districten werden elk jaar gemiddeld meer dan zeshonderd bankovervallen gepleegd, wat neerkwam op drie bankovervallen per werkdag, vijf dagen per week, tweeënvijftig weken per jaar (bankovervallers namen op zaterdag en zondag gas terug als de meeste banken gesloten waren). Er werden zo veel banken beroofd, dat het merendeel van de tien speciaal agenten die bij Banken werkten altijd op pad was. En vandaag was geen uitzondering. Pollard zag slechts drie mensen toen ze binnenkwam. Een kale negroïde agent met een lichte huid, Bill Cecil, was in gesprek met een jonge collega die Pollard niet kende. Cecil glimlachte toen hij haar zag terwijl April Sanders op een drafje kwam aanlopen.

Sanders, die er paniekerig uitzag, legde haar hand voor haar mond voor het geval er liplezers toekeken. Sanders was paranoïde tot in haar tenen. Ze was ervan overtuigd dat haar telefoongesprekken werden afgeluisterd, haar e-mails werden gelezen en het damestoilet was voorzien van afluisterapparatuur. Ze was er ook van overtuigd dat het herentoilet van afluisterapparatuur was voorzien, maar daar maakte ze zich niet druk om.

'Ik had je moeten waarschuwen. Leeds is er,' fluisterde ze.

Christopher Leeds was het hoofd van de afdeling Bankovervallen. Hij leidde de afdeling al bijna twintig jaar op briljante wijze.

'Je hoeft niet te fluisteren. Ik heb geen problemen met Leeds.'

'Ssst!'

'Er luistert niemand mee, April.'

Ze keken allebei om zich heen en zagen dat Cecil en zijn gesprekspartner met een hand achter hun oor stonden te luisteren. Pollard lachte.

'Schei daarmee uit, Big Bill.'

Big Bill Cecil stond langzaam op. Cecil was geen lange man. Hij werd Big Bill genoemd omdat hij breed was. Hij werkte al langer op de afdeling Bankovervallen dan wie dan ook behalve Leeds.

'Goed je te zien, dame. Hoe maken de kinderen het?'

Cecil had haar altijd 'dame' genoemd. Toen Pollard bij de afdeling kwam werken waar Leeds op zijn briljante maar tirannieke wijze de scepter zwaaide, had Cecil haar onder zijn hoede genomen, goede raad gegeven en getroost en haar geleerd hoe ze onder de veeleisende leiding van Leeds overeind kon blijven. Cecil was een van de aardigste mannen die ze ooit had ontmoet.

'Ze maken het goed, Bill, dank je. Je begint te dik te worden.'

Cecil gluurde naar de doos met donuts.

'En zo word ik nog een tikje dikker. Er is er toch wel eentje voor mij bij, hoop ik?'

Pollard hield Cecil en zijn gespreksgenoot, die zichzelf voorstelde als Kevin Delaney, de doos voor.

Ze stonden nog met elkaar te kletsen toen Leeds de hoek om kwam. Delaney keerde ogenblikkelijk terug naar zijn bureau en Sanders liep naar haar werkplek. Cecil, die tegen zijn pensioen aan zat, schonk zijn chef zijn gulle glimlach.

'Hé, Chris. Kijk eens wie er is.'

Leeds was een lange, humorloze man die bekendstond om zijn onberispelijke kleding en de briljante manier waarop hij het gedrag van veelplegers in kaart wist te brengen. Criminelen die een aantal overvallen achter elkaar pleegden, werden op vrijwel dezelfde manier opgespoord als seriemoordenaars. Er werd een daderprofiel van hen opgesteld om hun gedragspatronen te bepalen en zodra die patronen duidelijk waren, werden er voorspellingen gedaan over wanneer en waar ze opnieuw zouden toeslaan. Leeds was befaamd om zijn daderprofielen. De afdeling Banken was zijn grote liefde en de agenten die er werkten, waren zijn zorgvuldig uitgekozen kinderen. Iedereen was er voor hij er was, niemand ging naar huis voor hij naar huis ging. En Leeds ging zelden naar huis. De hoeveelheid werk was enorm, maar de afdeling Bankovervallen van de FBI in Los Angeles was top en dat wist Leeds. Het was een eer er te werken. Toen Pollard ontslag nam, had Leeds dat opgevat als een persoonlijke afwijzing. De dag dat ze haar bureau leegruimde, had hij geweigerd tegen haar te praten.

Nu bekeek hij haar alsof hij haar niet kon plaatsen, maar vervolgens knikte hij.

'Hallo, Katherine.'

'Hoi, Chris. Ik kwam even gedag zeggen. Hoe is het?'

'Druk.'

Hij wierp een blik op Sanders.

'Jij moet naar Dugan in Montclair. Hij heeft hulp nodig met de een-op-eentjes. Je had tien minuten geleden al weg moeten zijn.'

Een-op-eentjes waren de persoonlijke gesprekken met mogelijke getuigen. Winkeliers, arbeiders en voorbijgangers werden ondervraagd in de hoop dat iemand een beschrijving van de verdachten of hun auto zou kunnen geven.

Sanders gluurde over de scheidingswand heen.

'Komt voor elkaar, chef.'

Hij wendde zich naar Cecil en tikte op zijn horloge.

'Bespreking. Kom mee.'

Cecil en Delaney haastten zich naar de deur, maar Leeds draaide zich om naar Pollard.

'Nog bedankt voor de kaart. Erg aardig van je,' zei hij.

'Ik vond het vreselijk toen ik het hoorde.'

Leeds vrouw was drie jaar geleden overleden, bijna op de dag af twee maanden na Marty. Toen Pollard het hoorde, had ze hem een kaartje geschreven. Leeds had nooit gereageerd.

'Fijn je weer eens te zien, Katherine. Ik hoop dat je nog steeds achter je beslissing staat.'

Leeds wachtte haar reactie niet af. Hij liep achter Cecil en Delaney aan de deur uit als een doodgraver op weg naar de kerk.

Pollard nam de donuts mee naar Sanders' bureau.

'Jeetje, sommige dingen veranderen ook nooit.'

Sanders reikte naar de doos.

'Ik wilde dat ik dat van mijn kont kon zeggen.'

Ze lachten en hadden even plezier, maar algauw werd Sanders ernstig.

'Je hebt gehoord wat hij zei. Het spijt me, Kath, ik moet er echt van door.'

'Ja, ik snap het. Maar ik ben hier niet alleen om donuts te brengen. Ik heb informatie nodig.'

Sanders keek argwanend en liet haar stem opnieuw zakken.

'Laten we een donut nemen. Met eten in onze mond wordt onze stem vervormd.'

'Goed idee.'

Ze visten allebei een donut uit de doos.

'Doen jullie nog iets met de zaak Marchenko en Parsons?' vroeg Pollard.

Sanders sprak met volle mond.

'Die zijn dood, joh. Die kerels zijn koud gemaakt. Waarom wil je informatie over Marchenko en Parsons?'

Pollard wist dat Sanders dat zou vragen en had erover nagedacht hoe ze zou moeten reageren. Sanders werkte al op de afdeling toen ze het spoor van Holman volgden en hem arresteerden. Hoewel ze respect hadden voor Holman door de manier waarop hij werd opgepakt, hadden veel agenten de pest in vanwege de publiciteit die hij kreeg toen de *Times* hem de Heldhaftige Bandiet had gedoopt. Op de afdeling werd Holman de Strandschooier genoemd, vanwege zijn bruinverbrande gezicht, zijn overhemden van Tommy Bahama en zijn zonnebril. Bankrovers waren niet heldhaftig.

'Ik heb een baantje genomen. Het kost veel geld, twee kinderen grootbrengen,' zei ze.

Pollard wilde niet liegen, maar ze wist niet wat ze anders moest zeggen. En het was ook niet helemaal gelogen. Het was bijna de waarheid.

Sanders slikte de laatste hap van haar eerste donut door en begon aan een tweede.

'En waar werk je dan?'

'Het is een freelance baantje, bankbeveiliging, dat soort dingen.'

Sanders knikte. Ex-agenten werkten vaak voor beveiligingsbedrijven of kleine bankketens.

Pollard zei: 'Hoe dan ook, ik heb gehoord dat de LAPD nog steeds aan die zaak werkt. Weet jij daar iets van?'

'Nee. Waarom doen ze dat?'

'Ik hoopte eigenlijk dat jij me dat kon vertellen.'

'Wij doen geen onderzoek, zij doen geen onderzoek. Die zaak is gesloten.'

'Weet je dat zeker?'

'Waarom zouden we nog onderzoek doen? We hebben ze gepakt. Marchenko en Parsons hadden geen medeplichtigen binnen of buiten de banken. We hebben het allemaal uitgezocht, joh, écht uitgezocht, bedoel ik, dus dat staat buiten kijf. We hebben geen aanwijzingen gevonden dat er een andere partij bij betrokken was, niet voor, noch na het gebeuren, dus was er geen reden om het onderzoek voort te zetten. De LAPD weet dat.'

Pollard dacht terug aan haar gesprek met Holman.

'Hadden Marchenko en Parsons banden met de Frogtownbende?'

'Nee. Is nooit naar voren gekomen.'

'Een van de andere bendes?'

Sanders klemde haar donut tussen haar duim en wijsvinger en telde de opmerkingen die ze wilde maken af op haar andere vingers.

'We hebben Marchenko's moeder, hun huisbaas, hun postbode, een of andere lul bij de videotheek waar ze vaak kwamen en hun buren ondervraagd. Die kerels hadden geen vrienden of compagnons. Ze vertelden tegen niemand – werkelijk niemand – waar ze mee bezig waren, dus ze hadden echt geen medeplichtigen. En afgezien van een nogal goedkope verzameling gouden kettingen en een Rolex van tweeduizend dollar, deden ze niets met het geld. Geen blitse auto's, geen ringen met diamanten. Ze woonden in een krot.'

'Ze moeten toch iets hebben uitgegeven. Jullie hebben maar negenhonderdduizend teruggevonden.'

Negenhonderdduizend was veel geld, maar Marchenko en Parsons hadden twaalf kluizen leeggehaald. Pollard had eens zitten rekenen toen ze bij Stan's de artikelen las. Kassalades leverden hoogstens een paar duizend op, maar een kluis kon zomaar twee- of driehonderdduizend opbrengen en soms meer. Als Marchenko en Parsons bij elk van de twaalf kluizen driehonderdduizend hadden gescoord, was dat bij elkaar drie komma zes miljoen en ontbrak er dus nog twee komma zeven miljoen. Pollard had dat niet vreemd gevonden, want ze had een keer een dief gearresteerd die twintigduizend per avond uitgaf aan strippers en lapdancers, en ook een bende uit South Central die na hun overvallen naar Las Vegas was gevlogen voor orgies van tweehonderdduizend dollar aan afgehuurde vliegtuigen, crack en Texas Hold'em. Pollard nam aan dat Marchenko en Parsons het ontbrekende geld erdoorheen hadden gejaagd.

Sanders nam de laatste hap van haar donut.

'Nee, ze hebben het er niet doorheen gejaagd. Ze hebben het verstopt. Die negen ton die we vonden, was ook nogal bizar. Parsons had er een bedje van gemaakt. Hij vond het lekker om erop te slapen en zich af te trekken.'

'Hoe groot was de buit?'

'Zestien komma twee miljoen, minus die negen ton.'

Pollard floot.

'Allemachtig, dat is veel. Wat hebben ze ermee gedaan?'

Sanders gluurde naar de overgebleven donuts, maar deed uiteindelijk de doos dicht.

'We hebben geen bewijs gevonden voor aankopen, stortingen, overboekingen van grote bedragen, schenkingen – helemaal niets: geen bonnetjes, geen opvallend uitgavenpatroon. We hebben hun telefoontjes van een heel jaar bekeken en iedereen nagetrokken die ze hadden gebeld – niets. We hebben die oude dame onder handen genomen, Marchenko's Oekraïense moeder, man, wat een vuil kreng is dat. Leeds was ervan overtuigd dat ze wist wat die twee uitspookten, maar, weet je, uiteindelijk hebben we moeten vaststellen dat ze er niets mee te maken had. Ze kon zich niet eens medicijnen veroorloven. We weten niet wat ze met het geld hebben gedaan. Het ligt waarschijnlijk ergens in een loods.'

'Dus toen zijn jullie ermee opgehouden?'

'Ja, we hadden gedaan wat we konden.'

De afdeling had als taak bankovervallers te arresteren. Zodra de daders van een bepaald misdrijf waren gepakt, probeerde het team het ontbrekende geld op te sporen, maar uiteindelijk richtten ze hun aandacht weer op de overige vijftig of zestig misdadigers die nog altijd banken beroofden. Het opsporen van het ontbrekende geld werd vervolgens aan de verzekeraars van de banken overgelaten, tenzij er nieuw bewijs boven tafel kwam dat er nog een medeplichtige vrij rondliep.

'Misschien doet de LAPD nog wel onderzoek,' zei Pollard.

'Nee, we werkten heel nauw samen met Gewapende Overvallen, dus we liepen tegelijk tegen die muur. Die zaak is gesloten. Misschien hebben de banken de koppen bij elkaar gestoken en een recherchebedrijf ingehuurd, maar dat weet ik niet. Ik zou het kunnen uitzoeken, als je wilt.'

'Ja, dat zou fijn zijn.'

Pollard overwoog de mogelijkheden. Als Sanders zei dat de zaak gesloten was, dan was hij gesloten, maar Holmans zoon had tegen zijn vrouw gezegd dat hij ermee bezig was. Pollard vroeg zich af of de LAPD misschien nieuwe aanwijzingen had gekregen over de plaats waar het ontbrekende geld zich bevond.

'Zeg, kun jij aan een kopie van het dossier van de LAPD over deze zaak komen?'

'Dat weet ik niet. Misschien.'

'Ik zou hun lijst met getuigen wel eens willen zien. Ik zou die van jullie ook willen zien. Misschien moet ik met die mensen gaan praten.'

Sanders aarzelde en stond toen opeens op om te controleren of de afdeling leeg was. Ze keek op haar horloge.

'Leeds doet me wat. Ik moet echt weg.'

'En die lijst?'

'Als je maar zorgt dat Leeds er niet achter komt, want dan kan ik het wel schudden.'

'Je weet wel beter.'

'Ik zal hem naar je moeten faxen.'

Pollard liep samen met Sanders het gebouw uit en wandelde naar haar auto. Het was kwart voor twee. Haar moeder zou tegen de jongens lopen zeuren dat ze hun kamer moesten opruimen en de dag was nog jong. Pollard had een manier bedacht om achter de informatie te komen die ze wilde hebben, maar daarvoor had ze Holmans hulp nodig. Ze pakte de envelop met zijn nummer en belde hem op.

18

Nadat Holman afscheid had genomen van agent Pollard, ging hij terug naar zijn Highlander en belde Perry om hem te vertellen wat er met de Mercury zou gebeuren.

'Een paar jongens brengen je auto terug. Ze zetten hem in het steegje.'

'Wacht eens even. Laat jij een of andere klootzak in mijn auto rijden? Hoe haal je het in je hoofd?'

'Ik heb een andere auto, Perry. Hoe moet ik anders die kar van je terugbrengen?'

'Als die klootzak maar uitkijkt dat hij geen bekeuring krijgt. Anders mag jij hem betalen.'

'Ik heb inmiddels ook een mobiele telefoon. Ik zal je het nummer even geven.'

'Hoezo? Voor als ik je moet bellen om te vertellen dat die vrienden van je mijn auto hebben gejat?'

Holman gaf hem het nummer en verbrak de verbinding. Hij werd doodmoe van Perry.

Holman wandelde door Westwood op zoek naar een plek om te lunchen. De meeste restaurants waar hij voorbijkwam zagen er te chic uit. Holman was sinds zijn ontmoeting met agent Pollard onzeker over zijn verschijning. Ook al had hij zijn kleren gestreken, hij wist dat ze er goedkoop uitzagen. Het waren gevangeniskleren, gekocht bij tweedehandszaken met gevangenisgeld, tien jaar achter qua stijl. Holman bleef voor een Gap Store staan en keek naar de jongelui die met grote Gap-tassen in- en uitliepen. Hij zou een nieuwe spijkerbroek en een paar overhemden voor zichzelf kunnen kopen, maar hij wilde Chees geld liever niet aan kleren uitgeven, dus praatte hij het zichzelf uit zijn hoofd. Een eindje verder kocht hij voor negen dollar een Ray-Ban Wayfarer bij een straathandelaar. Hij vond dat de bril hem goed stond, maar besefte pas toen hij twee straten verder was dat hij in de tijd dat hij banken beroofde zo'n zelfde soort zonnebril had gedragen.

Holman ontdekte een Burger King tegenover de hoofdingang van de universiteit. Hij ging aan een tafeltje zitten met een Whopper met friet en de handleiding van zijn nieuwe mobiele telefoon. Hij stelde zijn voicemail in en zat net de lijst nummers die hij in zijn portefeuille bewaarde in het geheugen van de telefoon in te voeren toen de telefoon een klingelend geluid maakte. Holman dacht eerst dat de telefoon klingelde omdat hij op een verkeerd knopje had gedrukt, maar begreep toen dat hij werd gebeld. Het duurde even voor hij zich herinnerde dat hij op het groene knopje moest drukken om op te nemen.

'Hallo?' zei hij.

'Holman, met Katherine Pollard. Ik moet je iets vragen.'

Holman vroeg zich af of er iets aan de hand was. Ze hadden elkaar een uur geleden nog gezien.

'Goed. Natuurlijk.'

'Heb je de weduwe van Fowler ontmoet of gesproken?'

'Ja, ik heb haar ontmoet bij de herdenkingsplechtigheid.'

'Mooi. We gaan bij haar langs.'

'Nu?'

'Ja. Ik heb er nu tijd voor, dus is het handig het nu te doen. Kunnen we afspreken in Westwood? Er zit een boekwinkel waar ze fantasyboeken verkopen op Broxton, iets voorbij Weyburn, met een parkeergarage ernaast. Parkeer in de garage, dan zie ik je voor de boekwinkel. We gaan met mijn auto.'

'Best, maar waarom gaan we bij haar langs? Weet je iets?'

'Ik heb twee mensen gevraagd of de LAPD nog onderzoek deed en ze zeiden allebei van niet, maar het kan zijn dat ze ergens mee bezig waren. Misschien kan zij ons meer vertellen.'

'Waarom zou Fowlers vrouw dat weten?'

'Jouw zoon heeft het toch ook tegen zijn vrouw verteld?'

De eenvoud van die gedachte maakte indruk op Holman.

'Moeten we haar niet bellen? Stel dat ze niet thuis is...'

'Je moet nooit bellen, Holman. Als je belt, zeggen ze altijd nee. We wagen het erop. Hoelang doe je erover om weer in Westwood te komen?'

'Ik ben er al.'

'Dan zie ik je over vijf minuten.'

Holman hing op en had spijt dat hij bij de Gap geen nieuwe kleren had gekocht.

Toen Holman de parkeergarage uit kwam, stond Pollard voor de boekwinkel te wachten in een blauwe Subaru met dichte ramen en draaiende motor. De auto was een paar jaar oud en moest nodig gewassen worden. Holman stapte in en trok het portier dicht.

'Dat heb je snel gedaan,' zei hij.

Ze reed met hoge snelheid weg.

'Ja, bedankt. Nu even luisteren. We moeten drie dingen van die vrouw weten: werkte haar man mee aan een of ander onderzoek naar Marchenko en Parsons? Heeft hij haar verteld waarom hij die nacht met je zoon en de anderen afsprak en wat ze gingen doen? Heeft hij tijdens een van deze gesprekken of op een ander moment laten vallen dat Marchenko en Parsons banden hadden met Frogtown of een andere bende? Begrepen? Dan hebben we de informatie die jij wilt hebben.'

Holman keek haar met open mond aan.

'Ging het ook zo toen je nog bij de Feeb werkte?'

'Jij kunt geen Feeb zeggen, Holman. Ik mag het de Feeb noemen, maar uit jouw mond accepteer ik zo'n oneerbiedige benaming niet.'

Holman wendde zijn hoofd af en keek naar buiten. Hij voelde zich net een klein kind dat een tik op de vingers kreeg voor eten met zijn mond open.

'Niet mokken. Ga nou niet zitten mokken, Holman. Ik doe het allemaal zo snel omdat we veel te doen hebben en ik heb weinig tijd. Jij bent naar mij toe gekomen, weet je nog wel?'

'Ja, sorry.'

'Goed. Ze woont in Canoga Park. Doen we ongeveer twintig minuten over als we de spits voor blijven.'

Holman was geïrriteerd, maar hij was blij dat ze de touwtjes in handen had genomen en actie ondernam. Hij vatte het op als teken van haar ervaring en vakkundigheid.

'Waarom denk jij trouwens dat er iets gaande is, terwijl je vrienden zeiden dat de zaak gesloten is?'

Als een gevechtspiloot op patrouille keek Pollard snel om zich heen en schoot toen vol gas de 405 op in noordelijke richting. Holman greep zich vast en vroeg zich af of ze altijd zo reed.

'Ze hebben het geld nooit teruggevonden,' zei ze.

'In de krant stond dat ze bij Marchenko thuis negenhonderdduizend hebben aangetroffen.'

'Schijntje. Die gasten hebben bij hun overvallen meer dan zestien miljoen buitgemaakt. Het is weg.'

Holman keek haar met open mond aan.

'Dat is veel geld.'

'Ja.'

'Wauw.'
'Ja.'
'Wat is ermee gebeurd?'
'Dat weet niemand.'
Ze reden Westwood uit over de 405, die omhoogklom naar de Sepulveda Pass. Holman draaide zich om op zijn stoel om uit te kijken over de stad. De stad strekte zich voor hem uit zo ver als het oog reikte.
'Al dat geld... en dat ligt daar gewoon ergens?' vroeg hij.
'Je moet tegen die vrouw niet over dat geld beginnen, hoor, Holman. Als zij erover begint, prima, daar kunnen we wat mee, maar het is de bedoeling dat we erachter komen wat zij weet. We willen haar niet op ideeën brengen. Dat heet contaminatie van de getuige.'
Holman zat nog aan de zestien miljoen dollar te denken. Het grootste bedrag dat hij bij een bankoverval had binnengehaald, was eenendertighonderdzevenentwintig dollar. Alles bij elkaar had hij bij zijn negen bankovervallen achttienduizend negenhonderdtweeënveertig dollar buitgemaakt.
'Denk je dat ze op zoek waren naar het geld?'
'De LAPD hoeft niet op zoek te gaan naar het geld. Dat is hun taak niet. Maar als ze een spoor hadden naar iemand die willens en wetens gestolen geld had aangenomen, het voor Marchenko en Parsons in bewaring had of in bezit was van het gestolen geld, dan zou het inderdaad hun taak zijn een onderzoek uit te voeren.'
Ze koersten op hoge snelheid in noordelijke richting de bergen uit en de Ventura Interchange over. De San Fernando Valley, een grote vlakke vallei vol gebouwen en mensen, ontrolde zich voor hun ogen naar het oosten en het westen en in noordelijke richting naar de Santa Susana Mountains. Holman dacht voortdurend aan het geld. Hij kon die zestien miljoen niet uit zijn hoofd zetten. Het zou overal kunnen zijn.
'Ze waren op zoek naar het geld. Zo veel geld kun je niet zomaar laten liggen,' zei Holman.
Pollard lachte.
'Je zou versteld staan hoeveel geld we kwijtraken, Holman. Niet bij kerels zoals jij die we levend te pakken krijgen – je pakt een vent op, hij doet er afstand van als hij nog wat over heeft omdat hij daarmee een lagere straf hoopt te krijgen – maar bankovervallers zoals Marchenko en Parsons die gedood worden? Eén komma twee hier, vijfhonderdduizend daar, gewoon weg en niemand die het ooit nog vindt. Althans niemand die dat meldt.'

Holman keek even haar kant op. Ze zat te lachen.

'Waanzinnig. Daar heb ik nooit bij stilgestaan.'

'De banken willen dat soort verliezen niet in de krant hebben. Dat zou alleen maar meer van die klootzakken op ideeën brengen. Hoe dan ook, een vriendin van me vraagt het dossier van de LAPD op. Zodra we dat hebben, weten we hoe en wat, of aan wie we het moeten vragen, dus breek je hoofd er maar niet over. Wij gaan ondertussen eens kijken wat we van die vrouw te weten kunnen komen. Het zou best kunnen dat Fowler haar alles heeft verteld.'

Holman knikte, maar gaf geen antwoord. Hij staarde naar de voorbijglijdende vallei: een vacht van huizen en gebouwen die de aarde bedekte en zich uitstrekte tot aan de bergen met hun diepe canyons en schaduwen in de verte. Sommige mensen zouden alles doen voor zestien miljoen. Vier agenten vermoorden was niets.

De Fowlers hadden een kleine woning in een wijk met allemaal eendere huizen die met hun gestucte muren, composietdaken en piepkleine tuintjes typerend waren voor de vele nieuwbouwprojecten van na de Tweede Wereldoorlog. De meeste tuintjes werden opgesierd door zeer oude sinaasappelbomen, zo oud dat hun stammen zwart en knoestig waren. Holman vermoedde dat de wijk vroeger een sinaasappelboomgaard was geweest. De bomen waren ouder dan de huizen.

De vrouw die opendeed was Jacki Fowler, maar het was een ordinaire versie van de vrouw die Holman bij de herdenkingsplechtigheid had ontmoet. Zonder make-up was haar brede gezicht slap en vlekkerig. Ze keek hem zonder hem te herkennen aan met een harde blik die Holman de kriebels gaf. Hij wilde dat ze eerst gebeld hadden.

'Ik ben Max Holman, mevrouw Fowler, de vader van Richard Holman. We hebben elkaar ontmoet bij de herdenkingsplechtigheid.'

Pollard stak haar een klein boeket margrieten toe. Ze was toen ze Canoga Park binnen reden een Vons Market in gerend om de bloemen te kopen.

'Ik ben Katherine Pollard, mevrouw Fowler. Ik vind het zo vreselijk van uw man.'

Jacki Fowler pakte de bloemen een beetje beduusd aan en keek naar Holman.

'O, ja, dat is waar. U hebt uw zoon verloren.'

'Vindt u het erg als we even binnenkomen, mevrouw Fowler?' vroeg Pollard. 'We willen graag onze deelneming betuigen en Max zou graag met u over zijn zoon praten als u tijd hebt.'

Holman had bewondering voor Pollard. In de tijd die ze nodig hadden om van de auto naar de deur te lopen, was de snel pratende, doldrieste chauffeur veranderd in een zelfverzekerde vrouw met een zachte stem en vriendelijke ogen. Holman was blij dat ze bij hem was. Hij zou niet hebben geweten wat hij zeggen moest.

Mevrouw Fowler nam hen mee naar een schone, netjes onderhouden woonkamer. Holman zag een open fles rode wijn op een tafeltje naast de bank staan, maar geen glas. Hij keek even naar Pollard voor aanwijzingen, maar Pollard was nog met mevrouw Fowler bezig.

'U zult het wel heel moeilijk hebben. Gaat het een beetje? Kunnen wij iets voor u doen?'

'Ik heb vier zonen, weet u. De oudste, die heeft er de mond van vol dat hij bij de politie gaat. Ik zei al tegen hem: "Ben je gek geworden?"'

'Zeg maar dat hij advocaat moet worden. Advocaten verdienen het meest.'

'Hebt u kinderen?'

'Twee jongens.'

'Dan weet u het wel. Het klinkt vreselijk, maar weet u wat ik altijd zei? Als hij dan toch dood moet, laat hem dan alsjeblieft in de prak gereden worden door een dronken filmster die bulkt van het geld. Zo'n schoft kan ik tenminste een proces aandoen. Maar nee, hij moet zo nodig vermoord worden door een of andere stompzinnige *chicano* die geen cent te makken heeft.'

Ze keek even naar Holman.

'Dat zouden we nog moeten uitzoeken, u, ik en andere families. Ze zeggen dat je van een kale kip niet kunt plukken, maar wie weet? Wilt u een glas wijn? Ik wilde net inschenken, mijn eerste van vandaag.'

'Nee, dank u wel, maar ga gerust uw gang.'

'Ik wil wel een glas,' zei Pollard.

Mevrouw Fowler vroeg hen te gaan zitten en liep door naar de eetkamer. Op de tafel stond nog een ontkurkte fles wijn. Ze schonk twee glazen in, kwam terug en gaf een van de glazen aan Pollard. Holman begreep dat het verre van haar eerste was, die dag.

Toen ze ging zitten, vroeg Jacki Fowler: 'Hebt u Mike gekend? Bent u daarom hier?'

'Nee, mevrouw. Ik kende mijn zoon ook niet zo goed. Dat is eigenlijk de reden dat ik hier ben, voor mijn zoon. Mijn schoondochter, Richies vrouw, vertelde me dat uw man Richies opleidingsinstructeur was. Ze zullen wel goed bevriend zijn geweest.'

'Dat zou ik niet weten. We leefden ieder ons eigen leven. Bent u ook bij de politie?'

'Nee, mevrouw.'

'Bent u die man die in de gevangenis heeft gezeten? Bij de herdenkingsplechtigheid zei iemand dat er een ex-gedetineerde was.'

Holman voelde dat hij bloosde en wierp een blik op Pollard, maar Pollard keek niet naar hem.

'Ja, mevrouw. Dat ben ik. De vader van brigadier Holman.'

'Jeetje, dat zal wat geweest zijn. Waarvoor bent u veroordeeld?'

'Ik heb een bank beroofd.'

'Ik ben vroeger politieagent geweest, mevrouw Fowler,' zei Pollard. 'Ik weet niet hoe het met u is, maar Max is met een heleboel vragen blijven zitten na de moorden, waarom zijn zoon midden in de nacht van huis ging bijvoorbeeld. Heeft uw man u daar iets over verteld?'

Mevrouw Fowler nipte van haar wijn en maakte vervolgens een afwijzend gebaar met het glas.

'Mike ging zo vaak midden in de nacht de deur uit. Hij was bijna nooit thuis.'

Pollard keek even naar Holman en knikte dat het zijn beurt was om iets te zeggen.

'Waarom vertel je Jacki niet wat je schoondochter zei, Max? Over dat telefoontje dat hij die avond kreeg?'

'Mijn schoondochter vertelde me dat uw man belde. Richie was thuis, maar hij werd gebeld door uw man. Toen heeft hij met hem en de andere jongens afgesproken en is de deur uit gegaan.'

Ze maakte een snuivend geluid.

'Nou, Mike heeft mij in elk geval niet gebeld. Hij moest die nacht werken, want hij had nachtdienst. Hij zag altijd wel wanneer hij thuiskwam. Zo ging dat hier. Hij nam nooit de moeite even te bellen.'

'Ik kreeg het idee dat ze ergens mee bezig waren.'

Ze snoof opnieuw en nam nog een paar slokken wijn.

'Ze waren aan het drinken. Mike was een zuiplap. Kent u die andere twee, Mellon en Ash? Mike was ook hun opleidingsinstructeur geweest.'

Nu keek Pollard Holman met grote ogen aan en Holman haalde zijn schouders op.

'Dat wist ik niet.'

'Waarom laat je haar de telefoonrekening niet zien,' stelde Pollard voor.

Holman streek de kopie van Richies telefoonrekening plat.

'Wat is dat?' vroeg mevrouw Fowler.

'De telefoonrekening van mijn zoon van de laatste paar maanden. Ziet u die kleine rode stippen?'

'Dat is Mikes nummer.'

'Inderdaad, mevrouw. Ash is de gele stippen en Mellon de groene. Richie belde uw man bijna dagelijks twee of drie keer per dag. Hij belde Ash en Mellon vrijwel nooit, maar hij sprak Mike heel vaak.'

Ze bestudeerde de rekening alsof ze de kleine lettertjes van een contract voor het leven las en hees zich toen overeind van de bank.

'Wacht even. Ik wil u iets laten zien. Wilt u echt geen glaasje wijn?'

'Nee, dank u wel, mevrouw Fowler, ik drink al tien jaar niet meer. Ik was in de tijd dat ik banken beroofde ook nog alcoholist.'

Ze maakte opnieuw een snuivend geluid en liep weg alsof deze bekentenis nauwelijks meer indruk op haar maakte dan de wetenschap dat hij in de gevangenis had gezeten.

'Je doet het goed, hoor,' zei Pollard.

'Ik wist niet dat hij ook de opleidingsinstructeur van die anderen was.'

'Maakt niet uit. Je doet het prima.'

Mevrouw Fowler kwam aanlopen met een stapel papier en keerde terug naar haar plekje op de bank.

'Is het niet raar dat u de telefoonrekening van uw zoon hebt uitgeplozen? Dat heb ik ook gedaan. Niet die van uw zoon, bedoel ik, maar van Mike.'

Pollard zette haar wijn neer. Holman zag dat het glas onaangeroerd was.

'Had Mike iets gezegd waardoor u achterdochtig was geworden?' vroeg Pollard.

'Ik werd juist achterdochtig omdat hij niets zei. Hij werd telkens gebeld, niet op het vaste nummer, maar op zijn mobiel. Hij had die rottelefoon altijd bij zich. Er werd gebeld en dan vertrok hij weer...'

'Wat zei hij dan?'

'Dat hij wegging. Dat is alles wat hij zei: ik ga nog even weg. Wat moest ik daarvan denken? Wat zou u ervan denken?'

Pollard boog zich kalmpjes naar voren.

'Dat hij een verhouding had.'

'Dat hij een of andere slet neukte, dat dacht ik, onparlementair gezegd, en daarom besloot ik eens te kijken wie hij belde en wie hem belde. Kijk, hier, op de rekening van zijn mobiele telefoon...'

Ze had eindelijk gevonden wat ze zocht en boog zich naar voren om Holman de bladzijden te laten zien. Pollard kwam naast Holman zitten om mee te kijken. Holman herkende het nummer van Richies vaste telefoon en van zijn mobiel.

'Ik kende geen van die nummers, dus weet u wat ik heb gedaan?' vroeg mevrouw Fowler.

'U hebt ze gebeld?' vroeg Pollard.

'Inderdaad. Ik dacht dat hij met vrouwen telefoneerde, maar hij belde uw zoon en Ash en Mellon. Ik wilde dat ik eraan gedacht had stippen te gebruiken. Ik vroeg hem wat hij met die kerels deed. Rampetampen? Daar bedoelde ik niets mee, meneer Holman, ik was gewoon kwaad. Weet u wat hij zei? Dat ik me met mijn eigen zaken moest bemoeien.'

Holman negeerde haar opmerking. Richie had Fowler elke dag gebeld, maar Fowler had Richie, Ash en Mellon ook regelmatig gebeld. Het was wel duidelijk dat ze elkaar niet alleen belden om af te spreken voor een biertje. Er was meer aan de hand.

Mevrouw Fowler was weer even boos als op het moment zelf en foeterde door.

'Ik wist bij god niet waar ze mee bezig waren. Dat maakte me toch zo kwaad, maar ik heb er weinig van gezegd tot ik zijn rotzooi moest opruimen, toen had ik er genoeg van. Hij kwam midden in de nacht thuis en liet door het hele huis een modderspoor na. Hij had niet eens het fatsoen om zijn troep op te ruimen. Zo weinig rekening hield hij het mij.'

Holman had geen idee waar ze het over had, dus vroeg hij verder, hoewel hij niet wist of het iets met Richie te maken had.

Mevrouw Fowler stond weer op, maar ditmaal kostte het haar meer moeite.

'Kom mee. Dan laat ik het zien.'

Ze liepen achter haar aan door de keuken naar een klein overdekt terras in de achtertuin. Aan de rand van het terras stond een stoffige Weberbarbecue met op de grond ernaast een paar zware werkschoenen onder een dikke laag modder en onkruid.

'Hier... met die dingen banjerde hij midden in de nacht door het huis. Toen ik de rotzooi zag, zei ik: "Ben je gek geworden?" Ik heb ze naar buiten gegooid en tegen hem gezegd dat hij ze zelf schoon mocht maken. U had de troep moeten zien.'

Pollard bukte zich om de werkschoenen eens goed te bekijken.

'Wanneer was dat?'

Ze zweeg even en fronste haar voorhoofd.

'Dat moet donderdag zijn geweest, twee donderdagen geleden.'

Vijf dagen voor ze werden vermoord. Holman vroeg zich af of Richie, Mellon en Ash die nacht ook op pad waren geweest. Hij nam zich voor het aan Liz te vragen.

Pollard las zijn gedachten en stond op.

'Was dat op een avond dat hij met de anderen op stap ging?'

'Dat heb ik niet gevraagd en ik weet het ook niet. Ik heb tegen hem gezegd dat hij maar moest maken dat hij wegkwam, als hij het zo erg vond om thuis te zijn. Ik was zijn onbeschofte gedrag zat. Ik had genoeg van dat lompe gedoe van hem, zo mijn huis binnenlopen zonder zijn troep op te ruimen. We kregen vreselijke ruzie en ik heb geen spijt van wat ik heb gezegd, zelfs niet nu hij dood is.'

'Heeft Mike ooit de namen Marchenko en Parsons laten vallen?' vroeg Pollard.

Holman was verrast.

'Nee. Zijn ze van de politie?'

Pollard nam haar even aandachtig op en glimlachte vriendelijk.

'Gewoon mensen die Mike heeft gekend. Ik dacht dat hij het misschien wel eens over ze had gehad.'

'Michael vertelde me nooit iets. Het was net of ik niet bestond.'

Pollard keek over haar schouder naar Holman en knikte naar het huis. De vriendelijke glimlach op haar gezicht was flets van droefheid.

'We moeten gaan, Max.'

Toen ze bij de voordeur kwamen, pakte Jacki Fowler Holmans hand en hield hem zo lang vast dat hij het vervelend vond.

'Er zijn verschillende soorten gevangenissen, weet u,' zei ze.

Holman zei: 'Ja, mevrouw, dat weet ik. Ik ken ze van heel dichtbij.'

19

Holman was boos en van streek toen ze weggingen. Hij had een treurende weduwe willen vinden met duidelijke antwoorden die de dood van zijn zoon verklaarden, maar nu had hij een beeld in zijn hoofd van Mike Fowler die met zijn hand voor zijn mond heimelijk telefoontjes aan het plegen was. Hij zag Fowler heel vroeg de deur uit gaan, zodat de buren hem niet zouden zien, en zag hem in het holst van de nacht terugkeren. *Wat heb je gedaan, lieverd? Niets. Waar ben je geweest? Nergens.* Holman had bijna zijn hele leven misdaden gepleegd. Wat er in het huis van de Fowlers gebeurde riekte naar een misdrijf.

Pollard joeg haar Subaru over de oprit van de snelweg het drukker wordende verkeer in. De terugreis zou een ramp worden, maar toen Holman naar haar keek, gloeide ze alsof er binnen in haar een licht was ontstoken.

'Wat denk je?' vroeg Holman.

'Ga met je schoondochter praten. Vraag of Richard de donderdag voor ze werden neergeschoten op stap is geweest en of ze misschien weet waar ze heen gingen en wat ze gingen doen. Vraag ook naar die banden met Frogtown. Niet vergeten.'

Holman wilde de hele zaak eigenlijk laten rusten.

'Dat bedoelde ik niet. Je zei dat het niet de taak van de politie was naar weggeraakt geld op zoek te gaan.'

Ze schoot tussen twee opleggers door en dook naar de linkerbaan.

'Dat mogen ze zelf uitmaken, maar een buit terugvinden heeft niet de hoogste prioriteit. Niemand heeft er tijd voor, Holman. We hebben onze handen al vol aan het voorkomen van nieuwe misdaden.'

'Maar als iemand hem vindt, krijgt hij dan een beloning? Een legale beloning?'

'De banken loven er wel een beloning voor uit, ja, maar politiemensen komen daar niet voor in aanmerking.'

'Maar als ze het in hun eigen tijd deden –'

Ze viel hem in de rede.

'Loop nou niet op de zaken vooruit, Holman. Baseer je op wat je weet. Op dit moment weten we alleen dat Fowler op donderdagnacht met modder aan zijn schoenen door het huis liep en dat het hem geen barst kon schelen wat zijn vrouw daarvan vond. Dat is alles wat we weten.'

'Maar ik heb naar de data van de telefoontjes gekeken toen ze ons de telefoonrekening liet zien. Al dat gebel begon op de achtste dag na de dood van Marchenko en Parsons, net zoals op Richies rekening. Fowler belde Richie en Mellon en Ash, allemaal direct na elkaar. Alsof hij tegen ze zei: kom op, jongens, dan gaan we dat geld zoeken.'

Ze ging beslist en vinnig rechtop zitten.

'Nou moet je eens even goed luisteren, Holman. We hebben zegge en schrijve één gesprek gehad met een vrouw die een slecht huwelijk had. We weten niet waar ze mee bezig waren en waarom.'

'Het heeft er alle schijn van dat ze iets in hun schild voerden. Dit is niet wat ik in gedachten had.'

'Kom nou toch.'

Holman keek even haar kant op en zag dat ze fronste. Ze zwenkte van de linkerbaan af om twee vrouwen in een personenauto rechts in te halen en sneed hen toen ze voor hen de linkerbaan weer op dook. Holman had nog nooit zo hard gereden, behalve als hij high was.

'Er is geen enkele reden om anders over je zoon te gaan denken. Daarvoor weten we veel te weinig, dus hou ermee op. Je hebt een depressieve vrouw gehoord met een man die zich achterbaks gedroeg en je weet dat het geld weg is. Daaruit heb je een overhaaste conclusie getrokken. Misschien gingen ze alleen maar lekker een beetje met elkaar chillen. Misschien was die fascinatie met Marchenko en Parsons niet meer dan een hobby.'

Holman geloofde het niet en was geïrriteerd omdat ze hem probeerde op te vrolijken.

'Dat is onzin.'

'Heb je wel eens gehoord van de Black Dahlia? Die onopgeloste moordzaak?'

'Wat heeft die er nu mee te maken?'

'Die zaak is voor veel rechercheurs een hobby geworden. Er zijn zo veel smerissen van de LAPD in die zaak geïnteresseerd, dat ze een club hebben opgericht om hun theorieën met elkaar te bespreken.'

'Ik vind het nog steeds onzin.'

'Goed, laat maar dan. Maar dat ze een beetje stiekem deden, wil niet zeggen dat ze met iets illegaals bezig waren. Ik kan wel een paar logische verklaringen bedenken voor wat ze deden en hoe dat verband hield met Marchenko en Parsons en Juarez.'

Holman keek haar ongelovig aan.
'O ja?'
'Heb je de in memoriams van Fowler, Ash en Mellon gelezen?'
'Nee, alleen van Richie.'
'Als je dat van Fowler had gelezen, zou je weten dat hij twee jaar bij de CRASH-eenheid heeft gezeten, je weet wel, de Community Reaction Against Street Hoodlums, de eenheid van de LAPD die de straatbendes moet bestrijden. Ik ga een vriend van me bellen die de leiding had over CRASH. Ik zal hem vragen welke contacten er zijn geweest tussen Fowler en Frogtown.'
'Fowler heeft de broer van Juarez gedood. Juarez en zijn broer waren allebei lid van de Frogtownbende.'
'Dat klopt, maar misschien is er nog iets anders. Weet je nog dat we het over een mogelijk verband tussen een insider en Marchenko en Parsons hadden?'
'Ja.'
'Het meeste geld ligt in de kluis, maar de hoeveelheid in de kluis varieert in de loop van de week. Mensen komen naar de bank, verzilveren hun looncheque en nemen het geld mee, nietwaar?'
'Dat weet ik. Ik heb vroeger banken beroofd, weet je nog?'
'Dus zo'n een of twee keer per week krijgen banken een nieuwe lading geld, anders hebben ze niet genoeg voor wat hun klanten willen opnemen. Je zei dat het volgens jou onmogelijk was dat een paar overvallers als Marchenko en Parsons een medeplichtige binnen de bank hadden, maar je hebt alleen maar iemand nodig die weet wanneer de verschillende filialen hun geld ontvangen: een secretaresse, een assistent van iemand, een meisje van Frogtown, zeg maar, met een vriendje dat het aan Marchenko en Parsons doorgeeft om een deel van de buit op te strijken.'
'Maar ze overvielen verschillende banken.'
'Het hoeft maar één keer zo te gaan, dan is er al sprake van een insider en springen de FBI en de politie erbovenop. Het is een theorie, Holman, ik trek nog geen conclusies. De LAPD ontdekt dat er een verband met Frogtown is en geeft de politiemensen die ervaring met Frogtown hebben, in dit geval Fowler, opdracht om sporen te zoeken en aanwijzingen na te trekken. Dat zou kunnen verklaren hoe het feit dat je zoon het huis uit gaat om met Fowler over Marchenko en Parsons te praten naar Warren Juarez leidde.'
Holman kreeg weer een sprankje hoop.
'Denk je?'
'Nee, dat denk ik niet, maar ik wil dat je inziet hoe weinig we weten. Als

jij naar je schoondochter gaat om met haar over donderdagnacht te praten, neem dan de rapporten die je zoon had mee, de spullen van de recherche die bij hem liggen. Je hebt me de voorbladen gegeven, maar ik wil zien wat er in die rapporten zelf staat. Dan kunnen we zien waar hij in was geïnteresseerd.'

'Best.'

'Morgen weten we meer als ik met een paar mensen heb gepraat en die rapporten heb gelezen. Waarschijnlijk moet ik nog een paar telefoontjes plegen en dan kan ik de zaak afronden.'

Dat verbaasde Holman.

'Denk je dat het daarmee is bekeken?'

'Nee, maar het leek me wel aardig om te zeggen.'

Holman staarde haar met open mond aan en barstte toen in lachen uit.

Ze reden via de Sepulveda Pass omlaag de donker wordende stad in. Holman keek hoe Pollard haar auto door het verkeer manoeuvreerde.

'Waarom rij je zo hard?' vroeg hij.

'Er zitten thuis twee kinderen op me te wachten. Mijn moeder is bij ze, de arme zielen.'

'En je man?'

'Zullen we ons privéleven erbuiten houden, Max?'

Holman keek weer naar buiten naar de passerende auto's.

'Nog één ding: je hebt gezegd dat je niet wilde dat ik je zou betalen, maar mijn aanbod staat nog steeds. Ik had niet verwacht dat je zo veel moeite zou doen.'

'Als ik je om geld vroeg, zou ik bang zijn dat je weer een bank moest gaan beroven.'

'Ik zou wel een andere manier bedenken. Ik zal nooit meer een bank beroven.'

Pollard keek hem even aan en Holman haalde zijn schouders op.

'Mag ik je iets vragen?' vroeg ze.

'Zolang het niet privé is.'

Nu moest Pollard lachen, maar ze werd al snel weer ernstig.

'Ik heb je voor tien jaar de bak in laten draaien. Waarom ben je niet pisnijdig op me?'

Daar moest Holman even over nadenken.

'Door jou kreeg ik een kans om te veranderen.'

Ze reden verder in stilte. De lichten begonnen net te twinkelen in het schemerduister.

20

Perry zat nog achter zijn bureau toen Holman het motel binnenstapte. Het verweerde gezicht van de oude man kreeg een zenuwachtige trek en Holman begreep dat er iets aan de hand was.

'Ik moet even met je praten,' zei Perry.

'Heb je je auto teruggekregen?'

Perry boog zich naar voren en friemelde nerveus met zijn vingers. Zijn ogen stonden waterig en schichtig.

'Hier is het geld dat ik je heb laten betalen, die zestig dollar, voor drie dagen de auto. Kijk, hier.'

Toen Holman bij het bureau kwam, zag hij dat er drie briefjes van twintig op hem lagen te wachten. Perry legde zijn hand op het bureau en schoof de drie briefjes naar hem toe.

'Wat moet dit voorstellen?' vroeg Holman.

'De zestig dollar die je voor mijn auto hebt betaald. Je mag ze terug hebben.'

Holman vroeg zich af wat er met Perry aan de hand was.

'Geef jij me dat geld terug?'

'Ja. Hier is het. Neem het alsjeblieft mee.'

Holman maakte nog geen aanstalten het geld te pakken. Hij keek Perry aandachtig aan. De man zag er bezorgd, maar ook boos uit.

'Waarom is dat?' vroeg Holman.

'Die latino's zeiden dat ik het moest teruggeven, dus zeg tegen ze dat ik dat heb gedaan.'

'Die kerels die je auto hebben teruggebracht?'

'Toen ze hier binnenkwamen om me de sleutels te geven, de vuile klootzakken. Het was een gunst, man, dat ik je die auto leende. Ik wilde je geen poot uitdraaien. Die schoften zeiden dat ik je je geld moest teruggeven, anders zouden ze me wel eens even onder handen nemen. Dus hier, pak aan.'

Holman keek naar het geld, maar raakte het niet aan.

'We hadden een afspraak, eerlijk is eerlijk. Hou het maar.'

'O, nee, neem het alsjeblieft mee. Op dit soort problemen zit ik niet te wachten.'

'Het is jouw geld, Perry. Ik regel het wel met die jongens.'

Hij zou de volgende ochtend met Chee moeten praten.

'Ik hou daar niet van, hoor. Dat twee van die kerels hier zo binnenkomen.'

'Ik had er niets mee te maken. Wij hadden een duidelijke afspraak. Ik zou nooit twee kerels op je afsturen voor zestig dollar.'

'Nou, ik hou er niet van, als je dat maar weet. Als je vond dat je afgezet werd, had je dat moeten zeggen.'

Holman wist dat het kwaad was geschied. Perry geloofde hem niet en zou waarschijnlijk altijd bang van hem blijven.

'Hou dat geld nou, Perry. Het spijt me dat dit is gebeurd.'

Holman liet de zestig dollar op Perry's bureau liggen en ging de trap op naar zijn kamer. De lompe oude airconditioner had het hok in een vrieskist veranderd. Hij keek naar de foto van de acht jaar oude, lachende Richie op het tafeltje. Hij had nog steeds een naar gevoel in zijn buik. Dat had Pollard met haar peptalk niet kunnen wegnemen.

Hij zette de airconditioner uit en ging weer naar beneden in de hoop dat Perry nog achter zijn bureau zat.

Perry was bezig de voordeur af te sluiten, maar hield daarmee op toen hij Holman zag.

'Die zestig liggen nog steeds op mijn bureau,' zei Perry.

'Stop ze dan in je zak, verdomme. Ik zou nooit een paar kerels op je afsturen. Mijn zoon was bij de politie. Wat zou hij wel niet van me denken als ik zoiets deed?'

'Ik denk dat hij het een behoorlijk smerige streek zou vinden.'

'Dat denk ik ook. Hou die zestig nou. Ze zijn van jou.'

Holman ging naar boven en stapte in bed. Hij zei tegen zichzelf dat Richie het vast en zeker een rotstreek zou vinden een oude man voor zestig dollar te laten aftuigen.

Maar wat een mens zei, hoefde nog niet waar te zijn. De slaap wilde maar niet komen.

DEEL DRIE

21

Pollard was 's ochtends niet op haar best. Elke ochtend werd ze doodmoe wakker en zag ze ertegen op aan de dag te beginnen. Dat was al maanden zo, misschien al jaren. Ze moest minstens twee koppen zwarte koffie drinken om op gang te komen.

Maar die ochtend werd Pollard meer dan een uur vóór de wekker wakker en ging ze direct achter het bureautje zitten dat ze altijd met Marty had gedeeld. Ze was de avond ervoor bijna tot twee uur opgebleven en had de nummers en beltijden van de telefoonrekeningen van Fowler en Richard Holman vergeleken en op internet informatie over Marchenko en Parsons bij elkaar gezocht. Ze had de spullen die Holman haar had gegeven nog eens doorgelezen en geordend, maar was gefrustreerd geraakt omdat ze de volledige rapporten van de LAPD niet had. Ze hoopte dat Holman ze snel van zijn schoondochter zou krijgen. Pollard had bewondering voor Holmans inzet. Ze was blij dat ze al die jaren geleden een goed woordje voor hem had gedaan bij de openbare aanklager. Leeds was een maand lang kwaad geweest en een paar van de cynischere agenten hadden gezegd dat ze niet goed snik was, maar Pollard was van mening geweest dat de man een kans verdiende en daar was ze nu nog sterker van overtuigd. Holman was een carrièrecrimineel geweest, maar uit de feiten bleek dat hij eigenlijk een fatsoenlijke vent was.

Pollard nam haar aantekeningen van de avond ervoor door en begon daarna een plan de campagne op te stellen. Daar was ze nog mee bezig toen haar oudste zoon, David, tegen haar arm duwde. David was zeven en zag eruit als een miniatuurversie van Marty.

'Mam! Zo komen we te laat op kamp!'

Pollard keek op haar horloge. Het was tien voor acht. De bus voor het kamp kwam om acht uur. Ze had niet eens koffie gezet en niet op de tijd gelet. Ze had meer dan een uur zitten werken.

'Is je broer al aangekleed?'

'Hij wil niet uit de badkamer komen.'

'Lyle! Zorg dat hij zich aankleedt, David.'

Ze trok een spijkerbroek en een T-shirt aan en maakte snel een paar boterhammen met mortadella.

'David, is Lyle al klaar?'

'Hij wil zich niet aankleden!'

Lyle, die zes jaar oud was, schreeuwde boven zijn broer uit.

'Ik haat kamp! Ze prikken ons met spelden!'

Toen ze de boterhammen in papieren lunchzakken stopte hoorde Pollard de fax overgaan. Ze rende terug naar het bureautje in haar slaapkamer en zag de eerste bladzijde verschijnen. Ze glimlachte toen ze een voorblad met het embleem van de FBI zag: April hield haar woord.

Pollard rende terug naar de keuken en deed in elke lunchzak een bakje met gesneden fruit, een zakje Cheeto's en een paar pakjes sap.

David kwam buiten adem uit de woonkamer gestampt.

'Mam! Ik hoor de bus! Straks gaan ze zonder ons weg!'

Het liep ook altijd weer uit op een drama.

Pollard stuurde David naar buiten om de bus tegen te houden en trok een T-shirt over Lyles hoofd. Ze had Lyle en de lunches de voordeur uit toen de bus ronkend tot stilstand kwam.

'Ik mis papa,' zei Lyle.

Pollard keek omlaag naar zijn gezicht, een en al droevige ogen en diepe frons, en ging op haar hurken zitten om op gelijke hoogte met hem te zijn. Ze raakte zijn wang aan en het viel haar op dat zijn huid nog net zo zacht was als vlak na zijn geboorte. Waar David op zijn vader leek, leek Lyle op haar.

'Dat weet ik, lieverd.'

'Ik heb gedroomd dat hij door een monster werd opgegeten.'

'Dat was vast heel eng. Waarom ben je niet bij mij komen liggen?'

'Jij ligt altijd zo te draaien.'

De buschauffeur drukte op de claxon. Hij moest zich ook aan de dienstregeling houden.

'Ik mis hem ook, mannetje. Wat gaan we daaraan doen?' zei Pollard.

Het was een script dat ze al eerder hadden doorlopen.

'Hem in ons hart bewaren?'

Pollard glimlachte en legde haar hand op de borst van haar jongste zoon.

'Ja. Hij zit hier, in je hart. Kom, dan breng ik je naar de bus.'

Toen ze met Lyle naar de bus liep deden de kiezels en het zand op het tuinpad pijn aan Pollards blote voeten. Ze gaf haar kinderen een kus, zwaaide hen uit en liep snel weer naar binnen. Ze ging direct weer aan het werk en las snel de fax door. April had zestien bladzijden gestuurd, waaronder een getuigenlijst, samenvattingen van verhoren en een resumé van de zaak. Op de getuigenlijst stonden de namen, adressen en telefoonnummers die Pollard moest hebben. Pollard wilde de nummers vergelijken met de gesprekken op de telefoonrekeningen van Richard Holman en Mike Fowler. Als Holman en Fowler zelf onderzoek naar Marchenko en Parsons deden, zouden ze getuigen hebben gebeld. In dat geval zou Pollard de getuige vragen waar het gesprek over was gegaan en dan zou ze een stap verder zijn.

Ze belde haar moeder en vroeg haar of ze op de jongens wilde passen wanneer ze thuiskwamen uit kamp.

'Waarom moet je ineens zo vaak naar de stad?' vroeg haar moeder. 'Heb je een baan?'

Ze had zich altijd gestoord aan de vragen van haar moeder. Zesendertig jaar oud en nog steeds werd ze door haar moeder aan een kruisverhoor onderworpen.

'Ik heb van alles te doen. Ik heb het druk.'

'Waarmee? Heb je een afspraakje?'

'Kun je hier dan om één uur zijn? Vang jij dan de jongens op?'

'Ik hoop dat je een afspraakje hebt. Je moet aan die jongens denken.'

'Dag, mam.'

'Kijk uit met het dessert, Katherine. Je bent niet zo slank meer als vroeger.'

Pollard hing op en liep terug naar haar bureau. Ze had nog steeds geen koffie gezet, maar ze nam niet de tijd het alsnog te doen. Ze had geen koffie nodig.

Ze ging zitten en ging aan het werk. Ze bladerde alle stukken door die ze had gelezen en de avond ervoor had herlezen. Ze bestudeerde de kaart van de plaats delict die Holman had getekend en vergeleek hem met de tekening die in de *Times* was gepubliceerd. Bij de FBI had ze geleerd dat alle onderzoeken beginnen op de plaats delict, dus ze besefte dat ze er zelf heen moest. Ze moest het met eigen ogen zien. Alleen in haar kleine huis in de Simi Valley begon Pollard plots te glimlachen.

Ze had het gevoel dat ze weer meedeed.

Ze was weer op jacht.

22

Toen Holman die ochtend beneden kwam zat Perry niet achter zijn bureau. Holman was er blij om. Hij wilde de rapporten bij Liz ophalen voor ze naar college ging en had geen zin weer in een woordenwisseling met Perry verstrikt te raken. Maar toen Holman de deur uit liep om naar zijn auto te gaan, stond Perry de stoep schoon te spuiten.

'Er is gisteren voor je gebeld. Dat was ik nog vergeten te vertellen. Zal wel door mijn hoofd geschoten zijn omdat ik me die zware jongens van het lijf moest houden,' zei Perry.

'Wie was het, Perry?'

'Tony Gilbert van die drukkerij. Hij zei dat hij je baas was en dat je hem moest bellen.'

'Oké, bedankt. Wanneer belde hij?'

'Ergens in de loop van de dag, denk ik. Nog een geluk dat hij niet belde toen die vuile smeerlappen me een pak op mijn lazer kwamen geven, anders zou ik zijn telefoontje hebben gemist.'

'Toe nou, Perry, ik heb die gasten geen opdracht gegeven dat te doen. Ze moesten alleen de auto terugbrengen en jou de sleuteltjes geven. Meer niet. Ik heb al sorry gezegd.'

'Gilbert klonk nogal kwaad, als je het mij vraagt. Ik zou hem maar bellen. En als je toch werk hebt, zou je misschien kunnen overwegen wat geld uit te geven voor een antwoordapparaat. Mijn geheugen is niet meer wat het was.'

Holman wilde iets zeggen, maar bedacht zich en liep langs de zijgevel van het motel naar zijn auto. Hij wilde zijn dag ook niet met Gilbert beginnen, maar hij was al een week niet op zijn werk geweest en wilde zijn baan niet verliezen. Holman stapte in zijn Highlander, maakte aanstalten om te bellen en het deed hem plezier dat het hem lukte het nummer van Gilbert uit het geheugen van zijn telefoon tevoorschijn te halen zonder de handleiding te hoeven raadplegen. Het was voor hem opnieuw een stap vooruit naar een normaal leven.

Zodra Gilbert aan de lijn kwam, wist Holman dat zijn geduld begon op te raken.

'Kom je nog werken of niet?' vroeg hij. 'Ik moet het weten.'

'Ik kom terug. Ik heb alleen veel omhanden gehad.'

'Ik wil niet vervelend zijn, Max, gezien je zoon en zo, maar waar ben je in godsnaam mee bezig? De politie is hier geweest.'

Holman was zo verbaasd, dat hij geen antwoord gaf.

'Max?'

'Ja, ik ben er nog. Wat wilde de politie?'

'Je bent net vrij, man. Ga je nu tien jaar weggooien?'

'Ik gooi niets weg. Wat kwam de politie doen?'

'Ze wilden weten of je op je werk was geweest en met wat voor soort mensen je omging, dat soort dingen. Ze vroegen of je had gebruikt.'

'Ik heb niet gebruikt. Waar heb je het over?'

'Nou, dat vroegen ze, en ook of ik wist hoe jij in je onderhoud voorzag als je niet werkte. Wat verwacht je nu dat ik denk? Moet je horen, vriend, ik probeer hier een bedrijf draaiende te houden en jij verdwijnt gewoon. Ik heb tegen ze gezegd dat ik je een paar dagen vrij had gegeven vanwege je zoon, maar nu begin ik mijn twijfels te krijgen. Je bent al een week weg.'

'Wie waren het, die naar me kwamen vragen?'

'Een paar rechercheurs.'

'Kwamen ze van Gail?'

'Ze waren niet van het Bureau of Prisons. Deze waren van de politie. Zeg, kom je nou weer werken of niet?'

'Ik heb nog een paar dagen nodig –'

'Krijg toch wat, joh.'

Gilbert hing op.

Holman klapte zijn telefoon dicht met een doffe pijn in zijn maag. Hij had wel verwacht dat Gilbert hem de mantel zou uitvegen omdat hij zo lang niet op zijn werk was verschenen, maar de politie had hij niet verwacht. Hij kwam tot de conclusie dat de rechercheurs nader onderzoek deden naar aanleiding van zijn bezoek aan Maria Juarez, maar hij was ook bang dat iemand hem in verband had gebracht met Chee. Hij wilde Chee erbuiten houden, vooral omdat hij niet zeker wist of Chee helemaal brandschoon was.

Holman overwoog Gail Manelli te bellen, maar hij was bang dat hij Liz zou mislopen, dus borg hij zijn telefoon op en ging op weg naar Westwood. Toen hij het parkeerterrein af reed, zag hij dat Perry nog steeds op de stoep stond en hem in de gaten hield. Perry wachtte tot Holman voorbij was en maakte toen een wegwerpgebaar. Holman zag het in zijn spiegeltje.

Toen hij in de buurt van Westwood was, belde Holman Liz om haar te laten weten dat hij eraan kwam.

Toen ze opnam, zei hij: 'Hoi, Liz, met Max. Ik wil even bij je langskomen. Een paar minuten maar. Zal ik koffie voor je meenemen?'

'Ik wilde net de deur uit gaan.'

'Het is nogal belangrijk. Het gaat over Richie.'

Ze zweeg even en toen ze weer begon te praten, klonk haar stem koel.

'Waarom doe je dit?'

'Wat? Ik wil alleen even –'

'Ik wil je niet meer zien. Val me alsjeblieft niet meer lastig.'

Ze hing op.

Daar zat Holman dan, midden in het verkeer met een telefoon waarvan de verbinding net was verbroken. Hij belde terug, maar deze keer kreeg hij haar antwoordapparaat.

'Liz? Misschien had ik eerder moeten bellen, goed? Ik bedoelde het niet verkeerd. Liz? Hoor je me?'

Als ze al luisterde, dan nam ze niet op en Max verbrak de verbinding. Hij was nog maar vijf straten van Veteran Avenue verwijderd en reed daarom door naar Liz' appartement. Hij gunde zich geen tijd een parkeerplaatsje te zoeken, maar zette zijn auto op een plek bij een brandkraan waar je niet mocht parkeren. Als hij een bekeuring kreeg, zou hij die Chee gewoon van zijn eigen geld terugbetalen.

Omdat er 's ochtends een grote stroom studenten naar college ging, hoefde Holman niet lang te wachten voor hij het gebouw in kon. Hij rende met twee treden tegelijk de trap op, maar toen hij bij haar appartement kwam minderde hij vaart om op adem te komen en klopte daarna aan.

'Liz? Vertel me alsjeblieft wat er aan de hand is.'

Hij klopte nogmaals zacht aan.

'Liz? Het is belangrijk. Alsjeblieft, het is voor Richie.'

Holman wachtte.

'Liz? Mag ik alsjeblieft binnenkomen?'

Uiteindelijk deed ze open. Haar gezicht stond strak en verbeten. Ze was al gekleed om de deur uit te gaan en had een harde, gespannen blik in haar ogen.

Holman verroerde zich niet. Hij stond met zijn handen slap langs zijn zij, verbijsterd door haar vijandigheid.

'Heb ik iets gedaan?' vroeg hij.

'Waar jij mee bezig bent, daar wil ik niets mee te maken hebben.'

Holman dwong zichzelf kalm te blijven.

'Waar denk je dat ik mee bezig ben? Ik doe helemaal niets, Liz. Ik wil alleen weten wat er met mijn zoon is gebeurd.'

'De politie is hier geweest. Ze hebben Richards bureau leeggeruimd. Ze hebben al zijn spullen meegenomen en ze vroegen naar jou. Ze wilden weten waar je mee bezig was.'

'Wie? Levy?'

'Nee, niet Levy, rechercheur Random. Hij wilde weten wat je allemaal had gevraagd en zei dat ik voorzichtig moest zijn met je. Ze zeiden dat ik je niet moest binnenlaten.'

Holman wist niet goed hoe hij hierop moest reageren. Hij deed een stap achteruit en woog zijn woorden.

'Ik ben bij je in huis geweest, Liz. Denk je nu echt dat ik jou kwaad zou willen doen? Je bent de vrouw van mijn zoon.'

Haar blik werd zacht en ze schudde haar hoofd.

'Wat zochten ze hier?' vroeg ze.

'Was Random niet alleen? Was er iemand bij?'

'Ik ben zijn naam vergeten. Rood haar.'

Vukovich.

'Wat zochten ze hier?' vroeg ze.

'Dat weet ik niet. Wat zeiden ze zelf?'

'Niks. Ja, dat ze een onderzoek naar jou hadden ingesteld. Ze wilden weten –'

De deur van het appartement ernaast ging open en er kwamen twee mannen naar buiten. Ze waren jong en ze droegen allebei een bril, en een boekentas over hun schouder. Holman en Liz zwegen toen ze voorbijkwamen.

Toen de twee mannen weg waren, zei Liz: 'Je kunt beter binnenkomen. Dit is ook zo stom.'

Holman stapte naar binnen en wachtte terwijl zij de deur dichtdeed.

'Is alles goed met je?' vroeg Holman.

'Ze vroegen of je iets had gezegd waaruit ik kon opmaken dat je je bezighield met criminele activiteiten. Ik wist bij god niet waar ze het over hadden. Wat zou je dan tegen me zeggen: "Hé, weet je nog een paar goeie banken om te beroven?"'

Holman overwoog of hij haar over zijn gesprek met Tony Gilbert zou vertellen, maar zag ervan af.

'Je zei dat ze spullen uit zijn bureau hadden meegenomen? Mag ik even kijken?'

Ze nam hem mee naar hun gezamenlijke studeerkamer en Holman inspecteerde Richies bureau. De krantenknipsels hingen nog aan het prikbord, maar Holman zag dat de spullen op Richies bureau waren verplaatst. Holman had zelf alles bekeken en wist hoe hij het had achtergelaten. De rapporten en stukken van de LAPD waren weg.

'Ik weet niet wat ze hebben meegenomen,' zei ze.

'Een paar rapporten, zo te zien. Hebben ze gezegd waarom?'

'Ze zeiden alleen dat het belangrijk was. Ze wilden weten of jij in deze kamer was geweest. Ik heb ze de waarheid verteld.'

Holman wilde dat ze dat niet had gedaan, maar knikte.

'Is Richie de donderdag voor ze werden vermoord met Fowler op stap geweest? 's Nachts moet dat geweest zijn, laat,' zei hij.

Er verschenen rimpels op haar voorhoofd. Ze probeerde het zich te herinneren.

'Ik weet het niet zeker... donderdag? Volgens mij had Richie toen dienst.'

'Kwam hij vuil thuis? Fowler was die nacht op stap geweest en kwam met zijn schoenen onder de modder thuis. Het moet laat geweest zijn.'

Ze dacht nog even na en schudde langzaam haar hoofd.

'Nee, ik... Wacht eens even, ja, het was vrijdagochtend dat ik de auto nodig had. Er lag gras en modder op de vloer onder het stuur en bij de pedalen. Richie had donderdagnacht dienst. Hij zei dat hij iemand achterna had gezeten.'

Opeens kreeg ze weer die harde blik in haar ogen.

'Wat hebben ze gedaan?'

'Dat weet ik niet. Heeft Richie je dat niet verteld?'

'Hij had dienst.'

'Heeft Richie ooit gezegd dat Marchenko en Parsons banden hadden met een Latijns-Amerikaanse bende?'

'Ik geloof het niet. Ik kan het me niet herinneren.'

'Frogtown? Juarez was lid van de Frogtownbende.'

'Wat had Juarez met Marchenko en Parsons te maken?'

'Dat weet ik niet, maar ik probeer erachter te komen.'

'Wacht eens even. Ik dacht dat Juarez ze had vermoord vanwege Mike – omdat Mike zijn broer heeft gedood.'

'Dat beweert de politie.'

Ze sloeg haar armen over elkaar en Holman vond dat ze zorgelijk keek.

'En jij gelooft dat niet?' vroeg ze.

'Ik moet je nog iets vragen. Heeft hij toen hij jou over Marchenko en Parsons vertelde wel eens gezegd waar hij precies mee bezig was?'

'Alleen... dat hij aan die zaak werkte.'

'Welke zaak? Ze waren dood.'

Er verscheen een ontredderde en hulpeloze blik in haar ogen en Holman zag aan haar dat ze het zich niet kon herinneren. Uiteindelijk schudde ze haar hoofd en drukte haar armen nog stijver tegen zich aan.

'Een of ander onderzoek. Ik weet het niet.'

'Waren ze misschien op zoek naar een medeplichtige?'

'Dat weet ik niet.'

'Heeft hij het over het verdwenen geld gehad?'

'Welk geld?'

Holman nam haar aandachtig op. Eigenlijk wilde hij het haar wel uitleggen in de hoop dat het een herinnering bij haar zou oproepen waar hij iets aan had, maar hij wist dat hij klaar was. Hij wilde haar er niet mee lastigvallen. Hij wilde niet dat zij over het geld ging nadenken en zich zou afvragen of haar man als politieman aan een onderzoek werkte of voor zichzelf op zoek was naar het ontbrekende geld.

'Laat maar. Moet je luisteren, ik weet niet waar Random het over had, al dat gedoe over een onderzoek naar mij. Ik heb niets onwettigs gedaan en dat ben ik ook niet van plan, begrepen? Dat zou ik jou en Richie nooit aandoen. Dat zou ik niet kunnen.'

Ze keek een moment naar hem op en knikte toen.

'Ik weet het. Ik weet waar je mee bezig bent.'

'Dan weet je heel wat meer dan ik.'

Ze ging op haar tenen staan om hem een kus op zijn wang te geven.

'Je probeert voor je kleine jongen te zorgen.'

Richies vrouw omhelsde hem lang en stevig. Holman was er blij om, maar hij vervloekte zichzelf ook, want hij was te laat.

23

Woedend stak Holman de straat over en liep terug naar zijn auto. Hij was pisnijdig omdat Random Liz over hem had uitgehoord en had geïnsinueerd dat hij zich met criminele activiteiten bezighield. Holman nam ook aan dat hij het aan Random te danken had dat hij nu problemen had met Tony Gilbert, maar hij was vooral kwaad omdat Random Liz had gewaarschuwd hem niet te vertrouwen. Random had de enige band die hij nog met Richie had in gevaar gebracht, en Holman wist niet waarom. Hij dacht niet dat Random het alleen maar deed om hem te pesten, dus moest hij er wel van uitgaan dat Random hem ergens van verdacht. Hij had zin naar Parker Center te rijden en die klootzak eens goed de waarheid te zeggen, maar tegen de tijd dat hij bij de Highlander kwam, wist hij al dat dat een slecht plan was. Hij moest eerst precies weten wat Random dacht voordat hij hem erop aansprak.

Na dit waardeloze begin van zijn ochtend verwachtte Holman ook een bekeuring onder de ruitenwisser van de Highlander, maar de voorruit was leeg. Hij hoopte dat hij, nu hij aan een lullige parkeerboete was ontsnapt, niet door zijn geluk voor de dag heen was.

Holman stapte in de auto, startte de motor en dacht een paar minuten na over de rest van zijn dag. Hij had veel te doen en mocht zich niet door een klootzak als Random van de wijs laten brengen. Hij wilde Pollard bellen, maar het was nog aan de vroege kant en hij wist niet hoe laat ze wakker werd.

Ze had laten doorschemeren dat ze kinderen had, dus waren de ochtenden waarschijnlijk zwaar met kinderen die moesten opstaan en te eten krijgen, in de kleren en op tijd de deur uit moesten. Al die dingen die Holman bij Richie niet had meegemaakt. Het was een gedachte die onvermijdelijk een gevoel van spijt tot gevolg had en waarvan Holman altijd erg neerslachtig werd. Hij besloot Chee te bellen over Perry. Chee dacht waarschijnlijk dat hij Holman een plezier deed, maar op dat soort hulp zat Holman niet te wachten. Nu kreeg hij ook nog Perry's boosheid over zich heen.

Holman zocht het nummer van Chee op in het geheugen en zat te luisteren hoe de telefoon van Chee overging toen er achter hem met hoge snelheid een grijze auto aankwam die hem klemzette tegen de stoeprand. Toen Chee opnam zag Holman de portieren opengaan.

'Hallo?'

'Wacht even...'

'Holman?'

Random en zijn chauffeur stapten uit de grijze auto en op hetzelfde moment zag Holman vanuit zijn ooghoeken iets op de stoep bewegen. Vukovich en een andere man stapten het trottoir af, een vóór de Highlander en een erachter. Ze hielden allebei een pistool naar beneden gericht langs hun been. De blikkerige stem van Chee snaterde uit de telefoon.

'Ben jij dat, Holman?'

'Niet ophangen. Er komt politie aan...'

Holman liet de telefoon op de stoel glijden en legde beide handen goed zichtbaar op het stuur. De stem van Chee klonk als een elektronisch piepje.

'Holman?'

Random trok het portier open en deed daarna een stap opzij. Zijn chauffeur was kleiner dan Holman, maar formaat kleerkast. Hij trok Holman achter het stuur vandaan en duwde hem met zijn gezicht omlaag tegen de Highlander.

'Geen beweging.'

Holman verzette zich niet. De kleine man fouilleerde hem, terwijl Random de auto in dook. Random draaide het contactsleuteltje om en kwam achteruit de auto uit met Holmans telefoon. Hij hield hem tegen zijn oor, luisterde even, klapte de telefoon dicht en gooide hem terug in de auto.

'Mooie telefoon,' zei Random.

'Wat moet dit voorstellen? Wat is dit?'

'Mooie auto ook. Hoe ben je aan die auto gekomen? Heb je hem gestolen?'

'Ik heb hem gehuurd.'

De kleine man duwde Holman nog harder tegen de auto aan.

'Laat je hoofd daar liggen.'

'Het is heet.'

'Dat is dan pech hebben.'

Random zei: 'Vuke, trek die auto eens na. Je kunt zonder rijbewijs en creditcard geen auto huren. Volgens mij heeft hij hem gestolen.'

'Ik heb een rijbewijs, joh. Dat is gisteren gekomen. Het huurcontract ligt in het dashboardkastje,' zei Holman.

Vukovich trok het portier aan de passagierszijde open om in het dashboardkastje te kijken, terwijl de kleine man Holmans portefeuille uit zijn zak haalde.

'Wat is dit voor onzin? Waar zijn jullie nou mee bezig?' vroeg Holman.

Random draaide Holman om zodat ze met het gezicht naar elkaar toe stonden, terwijl de kleine man de portefeuille meenam naar zijn auto en met een computer aan de slag ging. Drie studenten bleven staan, maar Random maakte zich daar kennelijk niet druk om. Zijn ogen waren als donkere knoesten strak op Holman gericht.

'Denk je niet dat Jacki Fowler genoeg verdriet heeft?'

'Waar heb je het over? Dat ik bij haar ben geweest? En wat dan nog?'

'Moet je nagaan, een weduwe met vier kinderen en een dode echtgenoot en jij moet haar zo nodig lastigvallen. Waarom moet je zo'n vrouw nou van streek maken, Holman? Wat schiet je ermee op?'

'Ik probeer erachter te komen wat er met mijn zoon is gebeurd.'

'Ik heb je verteld wat er is gebeurd toen ik je zei dat je mij m'n werk moest laten doen.'

'Volgens mij doe jij je werk niet. Ik weet niet wat jij aan het doen bent. Waarom ben je naar mijn baas gegaan? Wat is dat voor onzin, hem vragen of hij denkt dat ik drugs gebruik?'

'Je bent verslaafd.'

'Was. Wás.'

'Verslaafden willen altijd meer. En volgens mij is dat de reden dat je die gezinnen onder druk zet. Je probeert te scoren. Zelfs bij je eigen schoondochter.'

'Wás! Vuile klerelijer.'

Holman deed zijn uiterste best zijn zelfbeheersing te bewaren.

'Dat is de vrouw van mijn zoon, vuile klootzak. En nu zal ik jou eens iets zeggen. Jij moet bij haar uit de buurt blijven. Laat haar met rust.'

Random deed een stap dichterbij en Holman wist dat hij werd uitgedaagd. Random wilde dat hij door het lint ging. Random wilde hem oppakken.

'Je denkt toch niet dat ik me door jou de wet laat voorschrijven, hè? Je betekende niets voor je zoon, dus stel je maar niet zo aan. Tot vorige week kende je dat meisje niet eens en nu doe je alsof ze familie van je is. Kom nou toch.'

Holman voelde het bloed in zijn slapen kloppen. Zijn gezichtsveld werd grijs langs de randen toen het kloppen aanzwol. Random zweefde als een doelwit voor zijn ogen, maar Holman hield zichzelf in bedwang. Waarom wilde Random hem oppakken? Waarom wilde Random hem uit de weg hebben?

'Wat stond er in die rapporten die je hebt meegenomen?' vroeg Holman.

Randoms kaak verstrakte, maar hij gaf geen antwoord. Holman begreep dat de rapporten belangrijk waren.

'Mijn schoondochter zegt dat je iets uit haar huis hebt meegenomen dat aan mijn zoon toebehoorde. Had je een huiszoekingsbevel, Random? Stond erop wat je daar moest gaan zoeken, of heb je gewoon maar gepakt wat je hebben wilde? Dat lijkt verdomd veel op diefstal, als je geen huiszoekingsbevel had.'

Random stond nog strak voor zich uit te kijken toen Vukovich met het huurcontract de auto uit kwam. Hij hield het omhoog om het aan Random te laten zien.

'Hij heeft hier een huurcontract op zijn naam. Ziet er echt uit.'

'Het is echt, rechercheur, net als jullie huiszoekingsbevel. Bel ze op, dan zul je het horen,' zei Holman.

Random bekeek het contract.

'Quality Motors uit Los Angeles. Heb jij wel eens van Quality Motors gehoord?'

Vukovich haalde zijn schouders op en Random riep: 'Teddy, heb je dat kenteken al gecontroleerd?'

De kleine man heette Teddy. Teddy kwam aanlopen en overhandigde Holmans rijbewijs en portefeuille aan Random.

'Auto staat geregistreerd op Quality Motors, geen bekeuringen, geen achterstallige betalingen en geen dagvaardingen. Zijn rijbewijs klopt ook.'

Random gluurde naar het rijbewijs en daarna naar Holman.

'Waar heb je dit vandaan?'

'Van de dienst voor het wegverkeer. Waar heb jij je huiszoekingsbevel gehaald?'

Random stopte het rijbewijs terug in Holmans portefeuille, maar hield het bij zich, net als het huurcontract. Random gaf het op. Nu wist Holman zeker dat de rapporten belangrijk waren. Random zette niet door omdat hij niet wilde dat Holman herrie zou gaan schoppen over de rapporten.

'Ik wil even zeker weten dat je begrijpt hoe de zaken ervoor staan, Holman. Ik heb het je één keer vriendelijk gevraagd. Nu zeg ik het je een tweede keer. Ik ben niet van plan jou je gang te laten gaan en het die gezinnen nog moeilijker te laten maken. Blijf bij ze uit de buurt.'

'Ik hoor bij een van die gezinnen.'

Er speelde iets van een glimlach om Randoms lippen. Hij kwam dichterbij en fluisterde.

'Welk gezin? Frogtown?'

'Juarez hoorde bij Frogtown. Ik weet niet waar je het over hebt.'

'Heb je meer op met de White Fence dan?'

Holman hield zijn gezicht in de plooi.

'Hoe gaat het met je vriend Gary Moreno? L'Chee?'

'Die heb ik in jaren niet gezien. Misschien ga ik eens bij hem langs.'

Random gooide Holmans portefeuille en het huurcontract in de Highlander.

'Je probeert me te belazeren, Holman, en daar ga ik een stokje voor steken. Ik ga er een stokje voor steken omwille van de vier mannen die zijn gestorven. En ik ga er een stokje voor steken omwille van hun gezinnen waar jij, zoals we allemaal weten, niet bij hoort.'

'Mag ik nu weg?'

'Jij zegt dat je antwoorden wilt hebben, maar je hebt het voor mij moeilijker gemaakt die antwoorden te vinden en dat vat ik persoonlijk op.'

'Ik dacht dat je de antwoorden al wist.'

'De meeste antwoorden, Holman. De meeste. Maar nu is er door jouw toedoen een belangrijke deur vlak voor mijn gezicht dichtgeslagen en ik weet niet of ik hem nog open zal kunnen krijgen.'

'Waar heb je het over?'

'Maria Juarez is verdwenen. Ze is er vandoor, man. Ze had ons kunnen vertellen hoe Warren het voor elkaar heeft gekregen, maar nu is ze weg en dat is jouw schuld. Dus als je nog een keer zin krijgt je schoondochter tegen me op te zetten, de drang krijgt bij die families twijfel te zaaien over waar wij mee bezig zijn en hun verdriet op te rakelen, leg ze dan uit dat de zaak vertraging heeft opgelopen omdat jij zo nodig een klootzak moest zijn. Zo duidelijk?'

Holman gaf geen antwoord.

'Stel mijn geduld niet op de proef, mannetje. Dit is geen spelletje.'

Random ging terug naar zijn auto. Vukovich en de andere man verdwenen. De grijze auto reed weg. De drie studenten op het trottoir waren doorgelopen. Holman stapte weer in de Highlander en pakte zijn telefoon. Hij drukte hem tegen zijn oor, maar de lijn was dood. Hij stapte weer uit, liep naar de andere kant van de auto en keek onder de stoel. Hij controleerde de vloer en het dashboardkastje en het vak in het portier en daarna controleerde hij ook de vloer achterin en de achterbank, want hij was bang dat ze iets in zijn auto hadden gestopt.

Holman geloofde niets van Randoms zogenaamde bezorgdheid over die gezinnen en hij geloofde ook niet dat Random dacht dat hij probeerde te scoren. Holman had tegenover heel wat agenten gestaan die hem stuk voor stuk onder druk hadden gezet en hij voelde dat er meer speelde. Random wilde hem uit de weg hebben, maar Holman wist niet waarom.

24

Pollard was op weg naar het centrum om de plaats delict te bekijken. Ze was de Hollywood Freeway op gegaan en daalde af naar de onderbuik van de stad toen April Sanders belde.

'Hé, heb je de faxen ontvangen?' vroeg Sanders.

'Ik was van plan je te bellen om je te bedanken, meid. Je hebt jezelf overtroffen.'

'Ik hoop dat je daar nog zo over denkt als ik je de rest vertel. Bij de LAPD kreeg ik nul op het rekest. Ik kan niet aan hun dossier komen.'

'Dat meen je niet! Ze moeten toch ergens iets hebben?'

Pollard was verbaasd. De afdeling bankovervallen van de FBI en die van de LAPD werkten zo vaak samen aan dezelfde zaken, dat ze vrijelijk informatie met elkaar uitwisselden.

April zei: 'Ik weet niet waarom ze het niet willen geven. Ik heb het aan die zeikerd gevraagd, je weet wel, George Hines.'

'Nee.'

'Die is waarschijnlijk van na jouw tijd. Hoe dan ook, ik zei: "Wat krijgen we nou? Ik dacht dat we maatjes waren, wat is er met onze samenwerking?"'

'En wat zei hij?'

'Hij zei dat de zaak niet meer bij hen lag.'

'Hoe kan dat nou? Het is nota bene de afdeling Overvallen.'

'Zei ik ook. Toen ze het dossier hadden afgesloten, heeft iemand hogerop de hele zaak naar zich toegetrokken. Dus ik zeg: "Wíé van hogerop, de hoofdcommissaris? God?" Zegt hij dat het hun zaak niet meer is en dat dat alles is wat hij me kan vertellen.'

'Hoe kan het nou geen zaak voor Overvallen zijn? Het was een overval.'

'Als die gasten wisten wat ze deden, zouden ze wel bij ons werken en niet daar. Ik weet ook niet wat ik zeggen moet.'

Pollard reed een paar seconden zwijgend door en dacht na.

'Maar hij zei dat de zaak afgesloten was?'

'Ja, dat zei hij. Shit, moet ervan door. Leeds –'

Pollard hoorde een klik en de verbinding werd verbroken. Als de LAPD de zaak over Marchenko en Parsons had afgerond, werd de kans dat Richard Holman met Fowler en de anderen in een clandestien zaakje verwikkeld was alleen maar groter. Dat was slecht nieuws voor Holman, maar Pollard had hem al slecht nieuws te melden: op de getuigenlijst van April stonden de namen en telefoonnummers van tweeëndertig mensen die in de zaak-Marchenko en Parsons door de FBI waren ondervraagd. Marchenko's moeder, Leyla, was een van hen. Pollard was nagegaan of de tweeëndertig telefoonnummers voorkwamen op de telefoonrekeningen van Richard Holman en Mike Fowler en had er één gevonden. Fowler had twee keer Marchenko's moeder gebeld. Het was uiterst onwaarschijnlijk dat een leidinggevende van de uniformdienst een legitieme reden had om contact op te nemen met een getuige en daarom was Pollard er nu van overtuigd dat Fowler bezig was met een of ander privéonderzoek. Het contact tussen Fowler en Richard wees erop dat Holmans zoon vrijwel zeker bij een ongepaste of illegale activiteit betrokken was. Pollard zag ertegen op het tegen Holman te vertellen. Ze vond zijn behoefte in zijn zoon te geloven aandoenlijk.

Pollard ging bij Alameda de Hollywood Freeway af en reed vervolgens door Alameda Street parallel aan de rivier in zuidelijke richting. Toen ze bij Fourth Street kwam, nam ze de Fourth Street Bridge om over te steken naar de oostkant van de rivier. Op de oostoever wemelde het van de pakhuizen en rangeerterreinen en van de zware trucks met opleggers die verkeersopstoppingen veroorzaakten. Pollard was maar twee keer eerder bij de rivier geweest: de eerste keer als lid van een speciale eenheid die de invoer van Iraanse drugs moest bestrijden en de tweede keer als lid van een speciale eenheid die op jacht was naar een pedofiel die kinderen uit Mexico en Thailand haalde. Pollard was tijdens de drugszaak ter plaatse gekomen toen het lichaam al gevonden was, maar dat geluk had ze niet gehad in de pedofiliezaak. Ze had de lichamen van drie jonge kinderen, een jongen en twee meisjes, aangetroffen in de laadruimte van een vrachtwagen en had daarna weken niet geslapen. Pollard was zich er terdege van bewust dat ze nu opnieuw door de dood naar de rivier de Los Angeles werd getrokken. De rivier bezorgde haar kippenvel en een naar gevoel in haar buik. Ditmaal misschien nog wel erger dan anders omdat ze wist dat ze wel eens de wet zou kunnen overtreden.

Pollard was een agent. Ook al had ze acht jaar geleden ontslag genomen bij de FBI, toch had ze nog steeds het gevoel dat ze bij de gemeenschap van wetshandhavers hoorde. Ze was getrouwd met een agent, bijna al haar vrienden waren agenten en zoals vrijwel iedere agent die ze kende, wilde ze geen problemen met andere agenten. De rivier was verboden terrein. Over het hek klimmen was strafbaar, maar Pollard moest weten of Holmans beschrijving van de plaats delict klopte. Ze moest het met eigen ogen zien.

Pollard reed over Mission Road en volgde de afrastering langs vrachtwagens en arbeiders tot ze het hek had gevonden. Ze parkeerde naast de afrastering, deed haar auto op slot en liep naar het hek. Er waaide een droge wind uit het oosten die naar kerosine rook. Pollard droeg een spijkerbroek en Nikes en had een paar werkhandschoenen bij zich voor het geval ze moest klimmen. Het hek was op slot en er zat ook nog een ketting omheen, zoals ze had verwacht. Ze verwachtte ook dat er vaker bij de hekken zou worden gepatrouilleerd dan gewoonlijk, maar tot nu toe had ze niemand gezien. Pollard had gehoopt dat ze de plaats delict van bovenaf goed genoeg zou kunnen zien, maar zodra ze bij het hek kwam, wist ze dat ze zou moeten klimmen. De rivierbedding was een weidse betonvlakte met een goot in het midden en verharde oevers aan weerszijden, voorzien van een afrastering en prikkeldraad. Bij het hek kon ze de Fourth Street Bridge zien, maar niet goed genoeg om zich een voorstelling van de plaats delict te maken. Auto's reden in beide richtingen over de brug, en op de trottoirs liepen voetgangers. De felle ochtendzon wierp een scherpe schaduw onder de brug, dwars over de rivier. Pollard vond alles hier lelijk, net een industrieterrein: het afschuwelijke betonnen kanaal zonder een spoor van leven, het modderige stroompje water dat eruitzag als rioolwater, het onkruid dat vergeefs uit de scheuren in het beton groeide. Het was geen plaats om te sterven en al helemaal geen plaats om als ex-FBI-agent opgepakt te worden voor een overtreding.

Pollard stond haar handschoenen aan te trekken toen een witte pickup bij een van de laadperrons wegreed en claxonneerde. Pollard dacht dat het een bewakingspatrouille was, maar toen hij dichterbij kwam, zag ze dat het een auto van een van de transportfirma's was. De bestuurder remde af en stopte bij het hek. Het was een man van middelbare leeftijd met kort grijs haar en een vlezige nek.

'Het is maar dat je het weet, maar je mag hier niet komen, hoor.'

'Ja, dat weet ik. Ik ben van de FBI.'

'Ik denk, ik zeg het maar even. Er zijn er daar beneden een paar vermoord.'

'Daarom ben ik hier ook. Bedankt.'

'Er wordt hier gepatrouilleerd.'

'Ja, bedankt.'

Pollard wilde dat hij doorreed en haar met rust liet, maar hij maakte geen aanstalten.

'Heb je een identiteitsbewijs of zo?'

Pollard stopte haar handschoenen weg en liep naar de auto. Ze keek hem aan zoals ze vroeger criminelen aankeek vlak voor ze hun de handboeien omdeed.

'Bent u bevoegd daarnaar te vragen?'

'Nou, ik werk daar aan de overkant en ze hebben ons gevraagd een oogje in het zeil te houden. Ik bedoel er niets mee.'

Pollard haalde haar portefeuille tevoorschijn, maar deed hem niet open. Ze had haar penning en identiteitskaart van de FBI, die door agenten hun geloofsbrieven werden genoemd, bij haar ontslag ingeleverd, maar haar portefeuille had ze van Marty gekregen. Hij had hem bij de cadeauwinkel van de FBI in Quantico gekocht omdat hij was versierd met het embleem van de FBI. Pollard hield haar blik strak op de bestuurder gericht en tikte op haar portefeuille. Ze maakte geen aanstalten hem open te doen, maar zorgde ervoor dat hij het rood-wit-blauwe embleem zag.

'Er is ons verteld dat iemand hier toeristen mee naartoe neemt om de plaats delict te bezichtigen. Toeristen, nota bene. Weet u daar iets van?'

'Daar heb ik nooit iets over gehoord.'

Pollard nam hem op alsof ze hem verdacht van het misdrijf.

'Naar verluidt was het iemand met een witte pick-up.'

De vlezige nek trilde en de man schudde zijn hoofd.

'Er rijden hier zo veel witte pick-ups rond. Ik weet er niets van.'

Pollard keek hem aan alsof ze een cruciale beslissing nam en stak toen haar portefeuille terug in de zak van haar spijkerbroek.

'Als u een oogje in het zeil wilt houden, hou dan in de gaten of u die witte auto ziet.'

'Dat zal ik doen.'

'Nog één ding. Bent u hier 's avonds ook of alleen overdag?'

'Alleen overdag.'

'Oké, laat dan maar. Het is heel goed van u dat u een beetje oplet. Als u nu wilt doorrijden, dan kan ik verder met mijn werk.'

Pollard wachtte tot hij was weggereden en liep terug naar het hek. Ze klom er zonder veel moeite overheen en wandelde over de afrit voor dienstverkeer naar beneden. Toen ze de rivierbedding in ging was het net of ze in een loopgraaf afdaalde. Aan weerskanten rezen betonnen muren op die de stad aan het zicht onttrokken, en algauw kon ze alleen nog de daken van een paar wolkenkrabbers in het centrum zien.

Het gladde, brede kanaal strekte zich uit in beide richtingen en het was windstil. De naar kerosine ruikende wind kon haar hier beneden niet bereiken. Pollard kon de Sixth en Seventh Street Bridge zien in het zuiden en de First Street Bridge voorbij de Fourth Street Bridge in het noorden. De muren van het kanaal gingen langs dit gedeelte van de rivier zes meter recht omhoog en bovenop was de afrastering. Ze deden Pollard aan een zwaar beveiligde gevangenis denken en ze dienden hetzelfde doel. De muren moesten de rivier tijdens het regenseizoen in toom houden. Als het regende spoelde het anders zo zielige stroompje water al snel over de rand van de goot en klom als een razend beest tegen de muren omhoog waarbij het alles op zijn pad verslond. Pollard wist dat de muren zodra ze van de veilige afrit af liep ook haar gevangenis werden. Als er toevallig een grote stroom water door het kanaal zou spoelen, zou ze niet meer weg kunnen komen. En als er een politieauto langs zou komen, zou ze zich nergens meer kunnen verstoppen.

Pollard wandelde naar de brug en stapte uit de zon de schaduw in. Daar was het koeler. Pollard had de tekening van de plaats delict uit de *Times* en Holmans schets meegenomen, maar ze had ze niet nodig om te zien waar de lichamen hadden gelegen. Op het beton onder de brug zag ze vier glimmende onregelmatige vlekken, die allemaal lichter en schoner waren dan het plaveisel eromheen. Dat was normaal. Nadat de lichamen waren weggehaald en de plaats delict door de politie was vrijgegeven, had een reinigingsploeg het terrein gedesinfecteerd. Pollard had ze een keer aan het werk gezien. Om al het menselijk materiaal te verwijderen maakten ze gebruik van absorberende korrels die het bloed opnamen en die zogen ze op in speciale containers. Verontreinigde stukken grond werden besproeid met ontsmettingsmiddel en daarna met stoom onder hoge druk gereinigd. Nu, meer dan een week later, glom ieder stukje grond waar een van de mannen was gestorven als een schim. Pollard vroeg zich af of Holman had geweten wat het waren. Ze stapte niet op de schone plekken, ze ontweek ze zorgvuldig.

Pollard stond tussen de vier lichte vlekken en keek naar de afrit voor dienstverkeer. Hij lag ongeveer vijfenzeventig meter bij haar vandaan en liep recht op haar af. Pollard had goed zicht op de hele afrit, maar het was nu dag en ze wist dat er geen auto's in de buurt stonden. In het donker zag je vaak minder.

Er was nergens aan te zien waar de auto's hadden gestaan en daarom vouwde Pollard de kaart open die de *Times* had gepubliceerd. De drie auto's waren onder de brug getekend. Ze stonden min of meer in een driehoek tussen de pilaren aan de oostzijde van de rivier en de bovenste auto in de driehoek stak onder de noordkant van de brug uit. De auto linksonder stond helemaal onder de brug en de derde auto, die gedraaid erachter en een beetje naar het oosten stond, vormde de rechterhoek. De lichamen op de tekening waren in verhouding met de auto's en de pilaren getekend en waren voorzien van een naam.

Mellon en Ash hadden zich allebei aan de achterkant van de patrouillewagen van Ash bevonden. Dat was de auto boven aan de driehoek. Een sixpack Tecate waaraan vier flesjes ontbraken was op de achterklep van deze auto aangetroffen. Fowlers auto stond links onderaan, helemaal onder de brug en het dichtst bij de rivier. Zijn lichaam was rechts bij de voorbumper getekend. Richard Holmans auto vormde de rechterbenedenhoek en zijn lichaam lag halverwege tussen zijn auto en Fowler. Pollard concludeerde dat Mellon en Ash als eerste waren gearriveerd en dat ze daarom aan de noordkant van de brug hadden geparkeerd om ruimte over te laten voor de anderen. Fowler was waarschijnlijk na hem gekomen en Holman als laatste.

Pollard vouwde de kaart op en stopte hem weg. Ze keek naar de vier schoongemaakte vlekken op het beton – niet langer tekeningen op een vel papier, maar de verblekende overblijfselen van vier levens – Mellon en Ash bij elkaar en Richard Holman het dichtst bij de pilaar. Pollard stond naast Fowler. Ze liep een stukje weg en probeerde zich een beeld te vormen van hun auto's en hoe ze stonden op het moment dat ze werden neergeschoten. Als de vier mannen in gesprek waren geweest, hadden Fowler en Holman met hun rug naar de afrit gestaan. Fowler had misschien op zijn rechter voorbumper geleund. Holman had misschien tegen zijn auto aan gehangen, maar daar kon Pollard niets over zeggen. Ze hadden in elk geval de afrit in de rug gehad en niet kunnen zien dat er iemand aankwam. De schutter was van achteren gekomen.

Pollard liep een stukje verder en bleef staan bij Mellon en Ash. Ze stelde zichzelf op op de plek waar ze hun auto hadden geparkeerd. Ze hadden met hun gezicht naar het zuiden in de richting van Fowler gestaan. Pollard stelde zich voor dat ze tegen hun auto leunde en een biertje dronk. Mellon en Ash konden de afrit goed zien.

Pollard liep door, achter de pilaren langs. Ze wilde zien of er verder naar het noorden een andere manier was om naar beneden te komen, maar de muren waren harde, loodrechte vlakken helemaal tot de Fourth Street Bridge en daar voorbij. Ze stond nog steeds naar het noorden te kijken toen ze het hek hoorde rammelen. Het klonk als een rinkelende ketting. Ze liep terug onder de brug en zag Holman naar beneden komen. Pollard was verbaasd. Ze had hem niet verteld dat ze naar de brug ging en had hem niet verwacht. Ze vroeg zich af wat hij hier deed toen ze zich opeens realiseerde dat ze het hek had gehoord. Vervolgens hoorde ze het schrapende geluid dat zijn schoenen op het zanderige beton maakten. Hij was een half voetbalveld bij haar vandaan, maar ze hoorde hem lopen. Ze begreep waarom. De steile hoge muren hielden het geluid tegen zoals ze het water tegenhielden en kanaliseerden het, net als de rivier.

Pollard bleef naar hem staan kijken, maar zei niets tot hij voor haar stond. Toen gaf ze hem haar deskundige mening.

'Je had gelijk, Holman. Ze zouden hem hebben horen aankomen, net zoals ik jou hoorde aankomen. Ze kenden de persoon die hen heeft vermoord.'

Holman keek achterom naar de afrit.

'Als je eenmaal hier beneden bent, kun je niet anders concluderen. En 's nachts is het zelfs nog stiller.'

Pollard sloeg met een naar gevoel haar armen over elkaar. Dat was het probleem: je kon niet anders concluderen, maar de politie deed dat wel.

25

Pollard probeerde te bepalen welke betekenis ze hieraan moest hechten toen Holman haar bij haar overpeinzingen stoorde. Hij maakte een nerveuze indruk.

'Zeg, we moeten hier niet te lang blijven. Straks bellen die lui bij de laadperrons de politie.'

'Hoe wist je dat ik hier was?'

'Dat wist ik niet. Ik stond op de brug toen je de afrit af liep. Ik zag je over het hek klimmen.'

'Je stond daar toevallig?'

'Ik ben hier al tien keer geweest sinds het is gebeurd. Kom, laten we weer naar boven gaan. Ik was van plan je te bellen...'

Pollard wilde niet terug naar het hek. Ze wilde uitzoeken waarom de politie zo'n duidelijke fout in het onderzoek over het hoofd had gezien en stond na te denken over iets wat Holman had gezegd.

'Wacht eens even, Holman. Ben je hier 's nachts geweest?'

Holman bleef aan de rand van de schaduw van de brug staan, doormidden gekliefd door het licht.

'Ja, een keer of drie.'

'Hoe is het licht dan?'

'De maan was driekwart vol en het was de nacht dat ze werden vermoord licht bewolkt. Ik heb het weerbericht van die dag opgezocht. Je had hier beneden een krant kunnen lezen.'

Hij draaide zich weer met zijn gezicht naar het hek.

'We kunnen beter gaan. Ze kunnen je arresteren als je hier beneden bent.'

'Jou ook.'

'Ik ben al eerder gearresteerd. Je zult het niet prettig vinden.'

'Als je liever boven bij het hek wilt wachten, Holman, ga dan. Ik probeer uit te zoeken wat er hier beneden is gebeurd.'

Holman ging niet weg, maar het was duidelijk dat hij het niet prettig vond te blijven. Pollard liep om de plaats delict heen en probeerde zich een voorstelling te maken van de auto's en van de agenten in de nacht dat ze werden vermoord. Ze verschoof ze alsof ze etalagepoppen waren en draaide zich dan peinzend om naar de afrit. Ze zette in gedachten de auto's anders neer, uit angst dat ze een voor de hand liggende verklaring over het hoofd zag.

'Wat wil je nou eigenlijk weten?' vroeg Holman.

'Ik wil weten of het mogelijk is dat ze hem niet gezien hebben.'

'Ze hebben hem gezien. Je zei net zelf dat ze hem hebben gezien.'

Pollard liep naar het kanaal en tuurde naar het water. Het kanaal was een rechthoekige goot van ongeveer zestig centimeter diep met een zielig stroompje water onderin. De schutter had zich daarin kunnen verstoppen, of misschien achter een van de pilaren, maar alleen als hij had geweten wanneer en waar hij de politiemannen kon verwachten en allebei de mogelijkheden waren absurd. Pollard wist dat het te vergezocht was. In een onderzoek gold als eerste regel dat de simpelste verklaring de waarschijnlijkste was. Het was even onwaarschijnlijk dat de schutter op de loer had gelegen als dat hij als een ninja van de brug af was gesprongen.

'Hoorde je nou wat ik zei?' vroeg Holman.

'Ik denk na.'

'Je moet even luisteren. Ik ben vanochtend bij Liz geweest om de rapporten te halen, maar de politie was me voor. Ze hebben Richies bureau leeggehaald. Ze hebben de rapporten meegenomen.'

Pollard draaide zich verbaasd van het kanaal weg.

'Hoe wisten ze dat zij de rapporten had?'

'Ik weet niet of ze speciaal voor de rapporten kwamen, maar ze wisten dat ze me had geholpen. Ze deden het voorkomen alsof ze in zijn spullen wilden kijken omdat ik daar was geweest, alsof ze wilden zien wat ik van plan was. Misschien hebben ze toen de rapporten gezien.'

'Wie?'

'Die rechercheur over wie ik je heb verteld, Random.'

'Random is de rechercheur Moordzaken die de leiding heeft over het team?'

'Ja, dat klopt. Toen ik wegging, werd ik door Random en drie andere mannen aangehouden. Ze vertelden me dat Maria Juarez de benen heeft genomen en dat ze mij daar verantwoordelijk voor houden, maar ik geloof niet dat dat de reden was dat ze me aanhielden. Ze wisten dat we bij Mike Fowlers vrouw waren geweest en dat vonden ze niet leuk. Ze noemden jouw naam niet, maar ze wisten het van mij.'

Het kon Pollard geen barst schelen wat ze wel en niet van haar wisten, maar ze vroeg zich af waarom een rechercheur Moordzaken rapporten over overvallen van Marchenko en Parsons had meegenomen – dezelfde rapporten waarvan April haar had verteld dat ze niet langer beschikbaar waren bij Overvallen omdat ze door iemand hogerop waren geconfisqueerd.

Pollard dacht dat ze het antwoord wel wist, maar vroeg het toch.

'Heb je kans gezien met de familie van Mellon en Ash te praten?'

'Ik heb ze gebeld toen ik bij Liz was geweest, maar ze wilden niet met me praten. Random had al met ze gesproken. Hij zei tegen me dat ik Liz niet meer moest lastigvallen en waarschuwde me dat ik bij haar uit de buurt moest blijven.'

Pollard liep nog één keer hoofdschuddend om de plaats delict heen, waarbij ze de schone plekken waar de lichamen waren neergevallen zorgvuldig ontweek. Ze was blij dat Holman er niet naar had gevraagd.

'Ik wil zien wat er in die rapporten staat,' zei ze.

'Ze hebben ze meegenomen.'

'Daarom juist. Wat zei ze over die donderdagnacht?'

Pollard kwam weer uit op haar beginpunt en het drong tot haar door dat Holman geen antwoord had gegeven.

'Je hebt haar toch wel naar die donderdag gevraagd?'

'De vloer van zijn auto was smerig, er lag aarde en gras, zei ze.'

'Dus Richard was met Fowler op stap.'

'Kennelijk. Denk je dat ze hier zijn geweest?'

Die gedachte was al bij Pollard opgekomen, maar ze had hem verworpen.

'Er is hier geen gras en verdomd weinig modder, Holman. Zelfs als ze in het water zijn gesprongen en er doorheen zijn gewaad, zouden ze niet zo veel modder en groen aan hun schoenen hebben gekregen als Fowler had.'

Pollard keek nogmaals naar de afrit en daarna naar Holman. Waar hij stond, werd hij precies door de schaduw van de brug in tweeën gekliefd, half in het licht, half in het donker.

'Holman, jij en ik zijn bepaald geen Sherlock Holmes. We staan hier op de plek waar het is gebeurd en het is duidelijk dat de schutter hier niet gekomen kan zijn zonder gezien te worden. Hij had zich niet hier beneden verstopt en hij lag niet op de loer, maar hij wandelde die afrit af, kwam hierheen en schoot ze neer. Dit is recherchewerk voor beginners. Fowler, je zoon, Mellon en Ash – ze lieten hem dichtbij komen.'

'Dat weet ik.'

'En dat is het hem nu juist. Jij en ik zijn niet de enigen die dat zien. De agenten die hier beneden zijn geweest, moeten dat ook hebben gezien. Die móéten weten dat Juarez die kerels niet in een hinderlaag kan hebben gelokt, maar in al hun verklaringen aan de pers beweren ze wel dat het zo is gegaan. Dus ze negeren een duidelijk feit. Of ze liegen erover, of er is een of andere verzachtende factor, maar ik zie zo gauw niet wat dat zou kunnen zijn.'

Holman stapte terug in de schaduw. Hij werd nu niet langer doormidden gesneden door het licht.

'Ik snap het.'

Pollard wist niet zeker of dat zo was. Als er geen verzachtende factor was, dan had de politie gelogen over wat hier beneden was gebeurd. Daar wilde Pollard niet van uitgaan tot ze de rapporten had gezien. Ze had nog hoop dat er iets in de stukken stond wat alles zou verklaren.

'Goed, hoe ver zijn we?' vatte ze samen. 'Ik heb de getuigenlijst van de zaak-Marchenko doorgenomen en gekeken of er getuigen tussen de telefoontjes zaten die je zoon en Fowler hebben gepleegd. Het slechte nieuws is dat Fowler Marchenko's moeder twee keer heeft gebeld.'

'Dat betekent dat ze onderzoek deden naar de bankovervallen.'

'Het betekent dat ze onderzoek deden naar de bankovervallen. Het vertelt ons niet of ze dat in hun functie als politieman deden of uitsluitend voor zichzelf. We moeten met die vrouw gaan praten en uitzoeken wat Fowler wilde.'

Holman leek erover na te denken en keek toen de andere kant op.

'Misschien morgen. Vandaag kan ik niet.'

Pollard keek op haar horloge. Een lichte ergernis bekroop haar. Zij was voor haar moeder door het stof gegaan om Holman te helpen en hij kon geen tijd vrijmaken.

'Ik heb niet alle tijd van de wereld, hoor, Holman. Ik heb het zo geregeld dat ik je vandaag kan helpen, dus het zou handig zijn het vandaag te doen.'

Holmans mond verstrakte en hij werd rood. Hij wilde iets zeggen, maar keek eerst naar de afrit voor hij zich weer naar haar omdraaide. Hij stond er bedremmeld bij.

'Je doet echt veel meer dan ik van je zou mogen verwachten. Ik ben zo blij...' zei hij.

'Laten we dan naar haar toe gaan.'

'Ik moet bij mijn baas langs. Ik ben al een week niet op mijn werk geweest en hij heeft me vandaag op mijn donder gegeven. Hij is echt goed voor me geweest, maar Random is met hem gaan praten. Ik mag deze baan niet verliezen, agent Pollard. Als ik die baan kwijtraak, geeft dat problemen met mijn proeftijd.'

Pollard zag dat Holman zich heel ongemakkelijk voelde en vond het verschrikkelijk dat ze hem onder druk had gezet. Ze vroeg zich ook opnieuw af waarom Random een arme man die net zijn zoon had verloren zo op de huid zat. Ze keek nogmaals op haar horloge en verklaarde zichzelf voor gek omdat ze zich zo door de klok liet regeren.

'Best, we kunnen ook morgen naar de moeder van Marchenko. Ik ken iemand die ons misschien kan helpen de rapporten in handen te krijgen. Daar kan ik vandaag dan wel achteraan gaan.'

Holman keek achterom naar de afrit.

'We moeten gaan. Ik wil je niet in problemen brengen.'

Geen van beiden zei iets toen ze terugliepen, maar hun voetstappen klonken luid in de stilte. Bij elke stap raakte Pollard er sterker van overtuigd dat er iets niet klopte met het onderzoek naar de moord op de vier agenten en ze wilde de waarheid weten.

Pollard dacht na over rechercheur Random. Hij maakte het Holman onmogelijk aan informatie te komen. Dat was geen slimme zet voor een politieman. Pollard had bij haar eigen onderzoeken met tientallen journalisten en overbezorgde familieleden te maken gehad en het domste wat je kon doen was hen buitensluiten, had ze geleerd – ze gingen alleen maar dieper graven. Pollard had het idee dat Random dat ook wist, maar iets zó graag geheim wilde houden dat hij bereid was het risico te nemen.

En het was een groot risico dat hij nam. Pollard wilde weten wat hij geheim wilde houden. Ze zou blijven graven tot ze het gevonden had.

26

Bij de rivier nam Pollard afscheid van Holman. Van daar hoefde ze niet ver meer. Ze reed de brug over naar de andere oever en volgde Alameda Street in noordelijke richting naar Chinatown, naar een hoog gebouw van glas waar het hoofdkantoor van de Pacific West Bank in was gevestigd. Pollard meende dat ze de rapporten die Random in het appartement van Richard Holman in beslag had genomen nog maar op één manier te zien kon krijgen. En dat was via de Pacific West Bank – als ze het slim speelde.

Pollard had het telefoonnummer niet meer, dus belde ze Inlichtingen waarna ze werd doorverbonden met een receptioniste van Pacific West.

'Is Peter Williams nog bij jullie in dienst?' vroeg Pollard.

Het was negen jaar geleden en ze hoopte dat hij nog wist wie ze was.

'Ja, mevrouw. Zal ik u doorverbinden?'

'Graag.'

Er kwam een andere stem aan de lijn.

'Met de secretaresse van de heer Williams.'

'Met Katherine Pollard, agent Pollard van de FBI. Ik wil graag meneer Williams spreken.'

'Moment, alstublieft. Ik zal even kijken of hij gestoord kan worden.'

De spectaculairste arrestatie van Pollard in haar tijd bij de afdeling Bankovervallen was die van de Front Line Bandits, een bende van vier Oekraïners, genaamd Craig en Jamison Bepko, hun neef Vartan Bepko en een handlanger, Vlad Stepankutza. Leeds had de Front Line Bandits hun bijnaam gegeven vanwege hun formaat: Vartan Bepko, de lichtste, was honderdtwintig kilo schoon aan de haak, Stepankutza liet de schaal doorslaan tot honderdzevenentwintig kilo, en de broers Craig en Jamison wogen respectievelijk honderddrieënveertig en honderdvierenveertig kilo. De Front Line Bandits overvielen zestien filialen van de Pacific West Bank in een periode van twee weken en dat had bijna tot gevolg gehad dat Pacific West zijn deuren moest sluiten.

Het viertal van de Front Line Bandits waren individueel werkende bandieten die als team opereerden. Ze stapten samen een bank binnen, gingen in de rij voor de balie staan en maakten andere klanten zo bang dat ze opzij gingen. Ze liepen en bloc op de beschikbare bankbedienden af, vormden een muur van vlees voor de balie en maakten hun eisen kenbaar. De Front Line Bandits fluisterden niet en gaven ook geen briefjes af zoals de meeste bandieten die alleen werkten; ze schreeuwden, vloekten en grepen regelmatig een bankbediende bij de arm of deelden klappen uit. Dat daardoor voor iedereen duidelijk werd dat de bank werd beroofd, kon hun kennelijk niet schelen. Ieder lid van de Front Line Bandits stal alleen het geld van de bankbediende tegenover hem. Ze vluchtten als groep, waarbij ze klanten en bankmedewerkers die hen in de weg liepen sloegen en schopten. Op de eerste dag dat ze actief waren beroofden de Front Line Bandits vier filialen van Pacific West. Drie dagen later beroofden ze nog eens drie filialen. Zo ging het twee weken lang, een dagelijks schrikbewind op het nieuws en een pr-nachtmerrie voor de Pacific West Bank, een kleine regionale bank met slechts tweeënveertig filialen.

Leeds gaf de zaak na de eerste reeks overvallen aan Pollard. Aan het einde van de tweede reeks had Pollard een aardig idee hoe ze de bandieten moest opsporen en de zaak kon afronden. Ten eerste overvielen ze alleen filialen van de Pacific West Bank. Dit wees op een relatie met Pacific West en hoogst waarschijnlijk een bepaalde wrok: ze stalen niet alleen geld, ze hadden het op Pacific West gemunt. Ten tweede was de bankbedienden van Pacific West geleerd explosieve pakjes verf die op stapeltjes bankbiljetten leken tussen het gewone geld te stoppen. De Front Line Bandits wisten deze pakjes verf ertussenuit te pikken en ontdeden zich ervan voor ze bij de balie wegliepen. Ten derde bleven de Front Line Bandits, zodra ze eenmaal voor de bankbedienden stonden en het geld eisten, nooit langer dan twee minuten in een bank. Pollard was ervan overtuigd dat een goed geïnformeerde medewerker van Pacific West deze kerels alles had geleerd over de pakjes verf en de tweeminutenregel. Met de factor wrok in gedachten begon Pollard een onderzoek naar ontevreden medewerkers binnen de bank. Op de ochtend van de dag dat de Front Line Bandits overval vijftien en zestien pleegden, ondervroegen Pollard en April Sanders een zekere Kanka Dubrov, een vrouwelijke assistent-manager van middelbare leeftijd die onlangs was ontslagen bij een filiaal van Pacific West in Glendale. Pollard en Sanders hadden geen martelingen of waarheidsserum nodig: zodra ze hun geloofsbrieven lieten zien en tegen mevrouw Dubrov zeiden dat ze haar een paar vragen wilden stellen over de overvallen van de laatste tijd, barstte ze in tranen uit. Vlad Stepankutza was haar zoon.

Toen Stepankutza en zijn maten later die dag thuiskwamen, werden ze opgewacht door Pollard, Sanders, drie rechercheurs van de LAPD en een

SWAT-eenheid die was ingezet om bij de arrestatie te assisteren. De algemeen directeur van Pacific West, Peter Williams, reikte de jaarlijkse Medaille van verdienste van de Pacific West Bank uit aan Pollard.

'Met Peter. Ben jij het, Katherine?'

Hij scheen het leuk te vinden dat ze belde.

'De enige echte. Ik wist niet of je nog wist wie ik was.'

'Ik herinner me die kolossale monsters waardoor ik de zaak bijna kon sluiten. Weet je hoe we jou zijn gaan noemen toen je die kerels te pakken had? Kath de Reuzenslachter.'

Geweldig, dacht Pollard.

'Zeg, Peter, ik wil je graag even spreken. Vijf minuutjes maar. Ik ben in Chinatown. Heb je tijd?'

'Nu direct?'

'Ja.'

'Mag ik vragen waar het om gaat?'

'Marchenko en Parsons. Ik wil je een paar dingen vragen, maar ik doe het liever niet over de telefoon. Het duurt niet lang.'

Williams leek even afgeleid. Pollard hoopte dat dat was omdat hij tijd vrijmaakte in zijn agenda.

'Tuurlijk, Katherine. Dat lukt wel. Hoe laat kun je hier zijn?'

'Over vijf minuten.'

Pollard zette haar auto op het parkeerterrein naast het gebouw en ging met de lift naar de bovenste verdieping. Ze was gespannen en humeurig omdat ze Williams in de waan had gelaten dat ze nog bij de FBI werkte. Pollard hield niet van liegen, maar ze durfde de waarheid niet te vertellen. Als Williams haar niet hielp, kon ze wel vergeten dat ze ooit de rapporten kon inzien die Random had verdonkeremaand.

Toen Pollard uit de lift stapte, zag ze dat Peter was gepromoveerd. Op een glanzend bordje stond hij vermeld als de voorzitter van de directie en CEO. Pollard beschouwde dat als een meevaller: als ze toch moest liegen, dan maar direct tegen de hoogste baas.

Peter Williams was een kleine, kalende man van achter in de vijftig. Hij was goed in vorm en had de bruine teint van een tennisser. Hij scheen echt blij te zijn haar te zien en nam haar mee naar zijn kamer om te pronken met het overweldigende uitzicht dat hij had over het hele Los Angeles Basin. Peter ging niet achter zijn bureau zitten. Hij leidde haar naar een muur met ingelijste foto's en plaquettes. Hij wees naar een van de foto's rechtsboven.

'Kijk. Daar hang jij.'

Het was een foto van Peter toen hij haar negen jaar geleden de jaarlijkse Medaille van verdienste van de Pacific West Bank gaf. Pollard vond dat ze er op de foto een stuk jonger uitzag. En slanker.

Peter verzocht haar plaats te nemen op de bank en ging zelf in een leren clubfauteuil zitten.

'Goed, agent. Wat kan ik na al die tijd doen voor Kath de Reuzenslachter?'

'Ik werk niet meer bij de FBI. Daarom heb ik je hulp nodig.'

Peter verstijfde en Pollard trok snel haar charmantste glimlach.

'Ik ben hier niet voor een lening. Daar gaat het niet om.'

Peter lachte.

'Leningen zijn geen probleem. Wat kan ik voor je doen?'

'Ik ben bij particuliere bedrijven aan het solliciteren als beveiligingsspecialist. Van alle bankovervallers uit het recente verleden staan Marchenko en Parsons het meest in de belangstelling, dus ik moet alles van die gasten weten.'

Peter knikte instemmend.

'Ze hebben ons twee keer overvallen.'

'Klopt. Hun vierde en zevende overval pleegden ze op filialen van jullie, twee van de dertien.'

'Vuile schoften.'

'Ik moet alle achtergronden en details weten, maar de LAPD wil de dossiers niet aan een particulier laten lezen.'

'Maar je hebt bij de FBI gewerkt.'

'Ik begrijp hun standpunt wel. Uiteindelijk is het hun verantwoordelijkheid. En de FBI is nog erger. Leeds heeft er de pest aan als een agent in de particuliere sector gaat werken. Hij beschouwt ons als verraders. Maar verrader of niet, ik moet twee kinderen grootbrengen en ik wil deze baan hebben, dus als je me kunt helpen, zou ik dat op prijs stellen.'

Pollard meende dat ze het slim aanpakte door subtiel te suggereren dat het welzijn van haar kinderen afhing van zijn medewerking. De meeste grote banken en bankketens hadden een eigen beveiligingsafdeling die nauw samenwerkte met de autoriteiten om bankovervallers op te sporen en te arresteren en om overvallen in de toekomst te voorkomen of te beletten. Daartoe wisselden banken en autoriteiten vanaf de eerste overval voortdurend vrijelijk informatie met elkaar uit. Wat men bij overval nummer twee, zes of negen te weten was gekomen, kon de politie misschien heel goed van pas komen om de bandieten bij overval zestien te arresteren. Pollard wist dat omdat ze hier vroeger zelf bij betrokken was geweest. De beveiligingsafdeling van Pacific West had waarschijnlijk van alle of in ieder geval van een aantal rapporten van de LAPD een kopie gekregen zodra ze waren geschreven. Ze hadden ze misschien niet allemaal, maar ze hadden er wellicht een paar, al was het maar in geredigeerde vorm.

Peter fronste. Ze zag aan zijn gezicht dat hij erover nadacht.

'Weet je, we hebben geheimhoudingsovereenkomsten met die bureaus.'

'Dat weet ik. Je hebt bij mij een paar van die formulieren getekend toen ik het profiel van de Front Line Bandits aan het opstellen was en ik jullie de verslagen van de verhoren gaf.'

'Ze zijn eigenlijk alleen voor intern gebruik en uitsluitend voor onszelf.'

'Als je wilt dat ik ze op jullie afdeling Beveiliging lees, prima. Ze hoeven het gebouw niet uit.'

Pollard hield zijn blik even vast en keek daarna naar de foto van Kath de Reuzenslachter. Ze keek er een paar seconden naar voor ze haar ogen weer op hem richtte.

'En als je wilt dat ik een geheimhoudingsovereenkomst teken, dan doe ik dat met alle plezier. Dat spreekt vanzelf.'

Ze keek hem afwachtend aan.

'Ik weet het niet hoor, Katherine.'

Pollard zag haar hele plan al de mist in gaan. Ineens was ze bang dat hij de LAPD om toestemming zou gaan vragen. Zijn beveiligingsafdeling had vrijwel dagelijks contact met rechercheurs van de afdeling Overvallen en met FBI-agenten. Als de smerissen van Overvallen erachter kwamen dat ze achter hun rug om werkte, terwijl zij al hadden geweigerd de gegevens te verstrekken, had ze een probleem.

Ze keek nogmaals aandachtig naar de foto en deed toen een laatste poging.

'Die schoften komen over twee jaar weer vrij.'

Peter maakte een weinig bemoedigend quasi-ongeïnteresseerd gebaar.

'Weet je wat? Laat je telefoonnummer achter bij mijn assistent. Ik zal erover nadenken en dan neem ik contact met je op.'

Peter stond op en Pollard deed hetzelfde. Ze kon niets meer bedenken om te zeggen. Hij liep met haar mee de kamer uit. Ze liet haar telefoonnummer achter, ging daarna alleen met de lift naar beneden en voelde zich net een huis-aan-huisverkoper die voor de zoveelste keer de deur in zijn gezicht had gekregen.

Pollard miste haar geloofsbrieven, de penning en identiteitskaart die zeiden dat ze een agent van de FBI was. De geloofsbrieven gaven haar het overwicht en het morele gezag om vragen te stellen en antwoorden te eisen. Ze had nooit enige schroom gehad ergens aan te kloppen of een bepaalde vraag te stellen en ze had vrijwel altijd antwoord gekregen. Ze voelde zich nog minder dan een huis-aan-huisverkoper. Ze voelde zich een schooier die suikerzakjes uit de snackbar pikte. Ze voelde zich een nul.

Ze reed terug naar Simi Valley om eten te maken voor haar kinderen.

27

Met een dof gevoel in zijn borst keek Holman Pollard na toen ze bij de rivier wegreed. Hij had haar niet alles verteld over hoe het zo was gekomen dat hij haar onder de brug had gezien. Hij was op weg geweest naar Chees garagebedrijf. En hij had ook gelogen toen hij haar vertelde dat hij een keer of tien bij de brug was geweest. Holman was er al twintig of dertig keer geweest. Elke dag stond hij wel een paar keer bij de brug en ook zo'n drie keer per nacht. Het was soms net of hij achter het stuur in slaap was gevallen en de auto uit zichzelf naar de brug was gereden. Hij klom niet altijd over het hek. Vaak reed hij over de brug zonder te stoppen, maar een enkele keer parkeerde hij en leunde hij zo ver mogelijk over de reling om die afschuwelijke schoongeboende vlekken uit alle mogelijke hoeken te bekijken. Holman had haar over die bezoekjes niet de waarheid verteld. Hij wist dat hij nooit met iemand over zijn afschuwelijke ogenblikken bij die lichte vlekken zou kunnen praten.

Holman dacht aan alles waar hij het met Pollard over had gehad en besloot toen niet naar Chee te gaan. Hij moest Chee nog spreken, maar hij wilde hem verder overal buiten houden.

Hij zette koers naar Culver City en belde Chee met zijn mobiele telefoon.

'Kerel! Hoestie? Bevalt die auto?'

'Ik wilde dat je je jongens niet op die oude man had afgestuurd. Zo krijg ik een slechte naam.'

'Ach, kom nou! Die klootzak rekende je twintig dollar per dag voor dat oude barrel waar elke smeris op afkomt, een man in jouw positie! Hij wist wat hij deed, kerel. Dat kon ik niet zomaar laten passeren.'

'Het is een oude man, Chee. We hadden een afspraak. Ik wist waar ik aan begon.'

'Wist je dat er nog bekeuringen openstonden voor dat stuk roest?'

'Nee, maar daar gaat het niet om –'

'Wat wil je dan dat ik doe, hem een bloemetje sturen? Met een briefje erbij, om mijn excuses te maken?'

'Nee, maar...'

Holman wist dat hij geen stap verder zou komen en had er al spijt van dat hij erover was begonnen. Hij had belangrijkere dingen te bespreken.

'Je hoeft van mij helemaal niets te doen. Ik wilde het alleen even zeggen. Ik weet dat je het goed bedoelde.'

'Op mij kun je rekenen, man, vergeet dat nooit.'

'Even iets anders. Ik heb gehoord dat Maria Juarez is verdwenen.'

'Is ze weggegaan bij haar neven?'

'Ja. De politie heeft een opsporingsbevel uitgevaardigd en nu beweren ze dat het mijn schuld is dat ze de benen heeft genomen. Kun je een beetje rondvragen, denk je?'

'Tuurlijk, man. Ik zal zien wat ik te weten kan komen. Moet ik je nog ergens anders mee helpen?'

Holman moest nog iets hebben, maar niet van Chee.

Hij zei: 'Even wat anders. Ik ben vandaag aangehouden door de politie vanwege die Juarez. Hebben ze met jou gepraat?'

'Waarom zou de politie met mij praten?'

Holman vertelde hem dat Random Chee bij name had genoemd. Chee was even stil. Daarna klonk zijn stem zacht.

'Dat bevalt me niks, man.'

'Nee, mij ook niet. Ik weet niet of ze me gevolgd zijn of de telefoon op mijn kamer afluisteren, maar bel me maar niet meer op die telefoon. Alleen op mijn mobiel.'

Holman legde de telefoon neer en reed in stilte door de stad. Hij deed er bijna een uur over om van de Fourth Street Bridge in de City of Industry te komen. Aan het einde van de dag, wanneer iedereen uit zijn werk kwam, werd het altijd druk. Hij was bang dat hij te laat zou zijn, maar hij was een paar minuten voor sluitingstijd bij de drukkerij.

Hij reed het parkeerterrein niet op en was niet van plan bij Tony Gilbert langs te gaan. Hij parkeerde aan de overkant van de straat en bleef in de auto zitten wachten tot het vijf uur was. De werkdag eindigde om vijf uur.

Holman keek naar het horloge van zijn vader met de stilstaande wijzers. Misschien droeg hij het daarom: tijd was van geen betekenis. Hij keek naar het dashboardklokje en zag de minuten wegtikken.

Om vijf uur precies kwamen mannen en vrouwen de drukkerij uit en liepen achter elkaar over het parkeerterrein naar hun auto's. Holman zag Tony Gilbert naar een Cadillac lopen en de twee meisjes van de receptie in een Jetta stappen. Drie minuten later zag hij Pitchess het gebouw uit komen en in een Dodge Charger stappen die bijna even slecht was als Perry's oude barrel.

Holman wachtte tot Pitchess het parkeerterrein af reed en voegde een paar auto's achter hem in. Hij volgde de Charger bijna anderhalve kilometer tot hij er zeker van was dat er niemand anders van de drukkerij in de buurt was. Hij haalde een paar auto's in totdat hij vlak achter Pitchess reed.

Holman drukte op zijn claxon en zag Pitchess' ogen naar het achteruitkijkspiegeltje schieten, maar Pitchess reed door.

Holman drukte nogmaals op zijn claxon en toen Pitchess keek, gebaarde Holman dat hij moest stoppen.

Pitchess begreep de boodschap en reed een parkeerterrein bij een Safeway op. Hij stopte vlak bij de ingang, maar stapte niet uit zijn auto. De hufter zal wel bang zijn, dacht Holman.

Holman parkeerde achter hem, stapte uit en liep naar hem toe. Toen Holman er aankwam ging Pitchess' raampje omlaag.

'Kun je een wapen voor me regelen?' vroeg Holman.

'Ik wist wel dat ik je nog eens zou zien.'

'Kun je een wapen voor me regelen of niet?'

'Heb je geld?'

'Ja.'

'Dan kan ik alles voor je regelen. Kom mee.'

Holman liep naar de andere kant van de auto en stapte in.

Toen Holman die avond thuiskwam was de plek waar Perry altijd zijn auto parkeerde leeg. De oude kar was weg.

Holman ontweek het water dat uit de raamairconditioners droop en ging zoals altijd door de voordeur het motel in. Het was bijna tien uur, maar Perry zat nog achter zijn bureau met zijn voeten op het blad een tijdschrift te lezen.

Holman besloot snel zonder iets te zeggen naar de trap te lopen, maar Perry legde zijn tijdschrift met een grote glimlach neer.

'Hé, die jongens zijn vandaag terug geweest. Je moet ze goed de oren hebben gewassen, Holman. Bedankt.'

'Mooi. Ik ben blij dat het heeft gewerkt.'

Holman wilde er nu niets over horen. Hij wilde naar boven en bleef doorlopen, maar Perry zwaaide zijn voeten van het bureau.

'Hé, wacht, blijf eens even staan. Wat zit er in die tas, je eten?'

Holman bleef staan, maar liet de papieren tas van Safeway naast zijn been bungelen alsof hij van geen belang was.

'Ja. En zo wordt het koud, Perry.'

Perry schoof het tijdschrift opzij en trok zo'n brede glimlach, dat zijn lippen van zijn tandvlees af krulden.

'Als je er een biertje bij wilt, ik heb er nog wel een paar. We kunnen best samen eten.'

Holman aarzelde. Hij wilde niet onbeleefd zijn, maar hij had ook geen zin in een gezellig onderonsje met Perry. Hij wilde de tas naar boven brengen.

'Het is gewoon een beetje bami. Ik heb het meeste al opgegeten.'

'Nou, dan kunnen we nog wel een biertje drinken.'

'Ik drink niet meer, weet je nog?'

'O, ja. Maar weet je, ik probeer je alleen te bedanken voor wat je hebt gedaan. Toen de jongens binnenkwamen, dacht ik: o nee, die gaan me een pak op mijn lazer geven.'

Nu werd Holman nieuwsgierig. En hoe sneller Perry zijn verhaal kwijt kon, des te sneller kon hij naar boven.

'Ik wist niet dat ze terug zouden komen.'

'Nou, je moet toch iets tegen ze hebben gezegd. Heb je gezien dat de oude Mercury weg is?'

'Ja.'

'Ze gaan hem voor me opknappen, bij wijze van verontschuldiging. Ze gaan hem helemaal uitdeuken, de roest aanpakken die de koplampen aanvreet en het kreng spuiten. Komt zo goed als nieuw terug, zeiden ze.'

'Dat is fijn, Perry.'

'Nou en of, Holman, ik ben er echt blij mee. Bedankt, man.'

'Geen probleem. Zeg, ik wil graag naar boven.'

'Goed, maat, ik wilde je het alleen even vertellen. Als je van gedachten verandert over dat biertje, kom je maar.'

'Doe ik, Perry. Bedankt.'

Holman ging de trap op naar zijn kamer, maar liet zijn deur openstaan. Hij zette de airconditioner uit om van het lawaai af te zijn en liep terug naar zijn deur. Hij hoorde Perry de voordeur op slot draaien en door de hal lopen om het licht uit te doen. Daarna stommelde hij door de gang naar zijn kamer. Toen Holman Perry's deur dicht hoorde gaan, trok hij zijn schoenen uit. Hij sloop naar de werkkast aan het einde van de gang waar Perry bezems, dweilen en schoonmaakmiddelen bewaarde. Holman had de kast al een paar keer geplunderd toen hij allesreiniger en een wc-borstel nodig had.

Afgezien van de schoonmaakmiddelen had Holman in een rechthoekige uitsparing in de muur tussen twee stijlen een hoofdkraan van de waterleiding zien zitten. Hij stopte de tas in het gat onder de kraan, want hij wilde het wapen niet op zijn kamer of in zijn auto bewaren. Hij zou niet raar opkijken als de politie zomaar ineens zijn kamer kwam doorzoeken. Als ze die ochtend toen ze zijn auto doorzochten iets hadden gevonden, had hij nu weer vast gezeten.

Holman deed de kast dicht en keerde terug naar zijn kamer. Hij was te moe om een douche te nemen. Hij waste zich zo goed en zo kwaad als het ging aan de wasbak, zette de airconditioner weer aan en kroop in bed.

Toen hij begon te twijfelen aan het verhaal van de politie over Richies dood, dacht hij eerst aan incompetentie. Nu meende hij dat hij met een complot en met moord te maken had. Als Richie en zijn vrienden de ontbrekende zestien miljoen hadden proberen te vinden, waren ze vast niet de enigen. En aangezien het ontbrekende geld geheim was, waren de enigen die er ook van wisten politiemensen.

Holman probeerde zich voor te stellen hoe zestien miljoen dollar in baar geld eruitzag, maar het lukte hem niet. Het grootste bedrag dat hij ooit in handen had gehad, was tweeënveertighonderd dollar. Hij vroeg zich af of hij het zou kunnen optillen. Hij vroeg zich af of hij het in zijn auto zou krijgen. Sommige mensen waren voor zo veel geld tot alles in staat. Hij vroeg zich af of Richie zo iemand was geweest, maar als hij daaraan dacht, kreeg hij pijn op zijn borst, dus dwong hij zichzelf aan iets anders te denken.

Holmans gedachten dwaalden af naar Katherine Pollard en wat ze onder de brug hadden besproken. Hij vond haar aardig en had spijt dat hij haar erbij betrokken had. Hij zou haar graag beter leren kennen, maar durfde er niet echt op te hopen dat dat zou gebeuren. En nu had hij een wapen. Hij hoopte dat hij het niet zou hoeven gebruiken, maar hij zou er niet voor terugdeinzen, ook niet als dat betekende dat hij weer naar de gevangenis moest. Hij zou het gebruiken zodra hij de moordenaar van zijn zoon had gevonden.

29

De volgende ochtend belde Pollard om Holman te vertellen dat ze een afspraak hadden bij Leyla Marchenko. Mevrouw Marchenko woonde niet ver van Chinatown, in Lincoln Heights. Pollard zou hem bij Union Station oppikken waarna ze er samen naartoe zouden rijden.

'O, ja, nog één ding, Holman. Die vrouw heeft een hekel aan de politie, dus ik heb gezegd dat we journalisten zijn.'

'Ik weet niets van journalisten.'

'Wat zou je moeten weten? Het gaat erom dat ze de pest heeft aan de politie. Dat is onze ingang. Ik heb tegen haar gezegd dat we bezig zijn met een artikel over de manier waarop de politie haar behandeld heeft toen ze bezig waren met het onderzoek naar haar zoon. Daarom wil ze wel met ons praten.'

'Nou, goed dan.'

'Zal ik het maar alleen doen? Je hoeft niet mee.'

'Nee, nee, ik wil mee.'

Holman vond het al erg genoeg dat ze voor niets werkte. Hij wilde niet dat ze het idee kreeg dat hij haar alles in haar eentje liet opknappen.

Holman nam snel een douche en wachtte tot hij hoorde dat Perry de stoep aan het schoonspuiten was voor hij terugging naar de kast. Hij had de hele nacht geen oog dichtgedaan omdat hij spijt had dat hij het wapen had aangeschaft. Nu wist Pitchess dat hij een wapen had en als Pitchess ergens voor werd gepakt, zou hij geen moment aarzelen om Holman erbij te lappen als hij daardoor zelf een lagere straf kon krijgen. Holman wist zeker dat Pitchess een keer zou worden gepakt, omdat kerels als Pitchess altijd werden gepakt. Het was alleen een kwestie van tijd.

Holman wilde zien hoe zijn geheime bergplaats er bij daglicht uitzag. De hoofdkraan en de blootliggende pijpen zaten onder het stof en de spinnenwebben, dus het was onwaarschijnlijk dat Perry of iemand anders zijn hand tussen de stijlen door zou steken en rond zou gaan voelen. Holman was gerustgesteld. Als Pitchess hem erbij lapte, zou hij alles ontkennen en zou de politie het wapen moeten vinden. Holman zette een bezem en een dweil voor de hoofdkraan en ging op weg naar zijn afspraak met Pollard.

Holman had Union Station altijd mooi gevonden, ook al lag het dicht bij de gevangenis. Hij hield van de Spaanse stijl waarin het was gebouwd, het stuc- en tegelwerk en de bogen die hem aan het Wilde Westen deden denken waarin de stad haar oorsprong had. Holman had als kind altijd graag naar westerns op tv gekeken. In zijn herinnering was dat het enige wat hij ooit met zijn vader had gedaan. Zijn vader had hem een paar keer meegenomen naar Olvera Street, voornamelijk omdat daar Mexicanen verkleed als cowboys uit het Wilde Westen rondliepen. Ze kochten dan *churro's* en staken daarna de straat over om naar de treinen bij Union Station te kijken. Het paste allemaal zo mooi bij elkaar – Olvera Street, de cowboys en Union Station dat eruitzag als een oude Spaanse missiepost – daar op de ontstaansplek van Los Angeles. Zijn moeder had hem er één keer mee naartoe genomen, alleen die ene keer. Ze nam hem mee naar de stationshal met het enorm hoge plafond en ze gingen op een van de lange houten banken zitten waar mensen zaten te wachten. Ze kocht een cola en een kauwgomlolly voor hem. Holman was een jaar of zes, zoiets, en na een paar minuten zei ze dat ze naar de wc moest en dat hij daar op haar moest wachten. Vijf uur later kwam zijn vader hem ophalen bij het stationspersoneel omdat ze niet was teruggekomen. Twee jaar later overleed ze. Toen vertelde de oude man hem dat ze hem had willen verlaten. Ze was op de trein gestapt, maar niet verder gekomen dan Oxnard. Toen durfde ze niet meer. Zo had zijn vader het gezegd: ze durfde niet meer. Toch hield Holman nog van Union Station. Het deed hem denken aan het Wilde Westen dat er altijd zo mooi had uitgezien wanneer hij er op tv naar keek met zijn vader.

Holman parkeerde naast de stationshal en ging voor de hoofdingang staan wachten. Pollard pikte hem vijf minuten later op en ze reden naar Lincoln Heights. Het was maar een paar minuten rijden.

Anton Marchenko's moeder woonde in een arme buurt tussen Main en Broadway, niet ver van Chinatown. De kleine huizen waren slecht onderhouden. De mensen hadden geen geld. Er woonden vaak twee of drie generaties in één huis en soms meer dan één gezin. Iedereen had grote moeite de eindjes aan elkaar te knopen. Holman was in een vergelijkbaar huis in een ander deel van de stad opgegroeid en vond het een naargeestige straat. In de tijd dat Holman inbraken pleegde, liet hij dit soort buurten links liggen, want hij wist uit ervaring dat ze er niets hadden wat de moeite van het stelen waard was.

'Moet je horen,' zei Pollard, 'ze zal gaan zitten schelden op de politie, dat ze haar zoon hebben vermoord, dus dat zullen we moeten aanhoren. Laat mij het gesprek op Fowler brengen.'

'Jij bent de baas.'

Pollard reikte naar de achterbank en pakte er een map vanaf. Ze legde hem op Holmans schoot.

'Stop deze onder je arm. Hier is het, hier rechts. Probeer je te gedragen als een journalist.'

Leyla Marchenko was klein en dik. Ze had een breed Slavisch gezicht met kleine ogen en dunne lippen. Ze deed open in een zware zwarte jurk en ze droeg donzige pantoffels aan haar voeten. Ze maakte een bijzonder argwanende indruk.

'Zijn jullie de mensen van de krant?'

'Dat klopt. Ik heb u aan de telefoon gehad,' zei Pollard.

'We zijn journalisten,' zei Holman.

Pollard schraapte haar keel om hem het zwijgen op te leggen, maar mevrouw Marchenko duwde de deur open en vroeg hen binnen te komen.

De woonkamer van mevrouw Marchenko was klein en er stond een allegaartje aan meubels, bij elkaar gesprokkeld op rommelmarkten en in tweedehandswinkels. Het huis had geen airconditioning. Drie elektrische tafelventilatoren stonden verspreid in de kamer en roerden de hete lucht om. Een vierde ventilator stond stil in de hoek: de gazen kap was kapot en hing aan de rotor. Afgezien van de ventilatoren deed de kamer Holman aan zijn oude huis denken en hij voelde zich niet op zijn gemak. De kleine, benauwde ruimte was net een cel. Hij had het liefst rechtsomkeert gemaakt.

Mevrouw Marchenko liet zich als een blok in een stoel vallen. Pollard nam plaats op de bank en Holman ging naast haar zitten. Pollard nam het woord.

'Goed, mevrouw Marchenko, zoals ik aan de telefoon al zei, we gaan een artikel publiceren over de slechte behandeling van de politie die u –'

Meer hoefde Pollard niet te zeggen. Mevrouw Marchenko werd knalrood en begon vol vuur te klagen.

'Ze waren gemeen en onbeschoft. Dat komt hier binnen en maakt er een rotzooi van, bij mij, een oude vrouw alleen. Ze hebben de lamp in mijn slaapkamer kapotgemaakt. Ze hebben mijn ventilator kapotgemaakt...'

Ze gebaarde naar de stille ventilator.

'Ze komen hier binnen en stampen het hele huis door en ik zit hier in mijn eentje en ik denk: straks verkrachten ze me nog. Ik geloof geen barst van wat ze zeggen, nog steeds niet. Anton heeft al die overvallen niet gepleegd zoals ze beweren, misschien die laatste, maar de andere niet. Ze geven hem de schuld, want dan kunnen ze zeggen dat ze al die misdrijven hebben opgelost. Ze hebben hem vermoord. Zo'n man op tv, die zegt dat Anton zich probeerde over te geven toen ze hem neerschoten. Hij zegt dat ze te veel geweld gebruiken. Ze vertellen de smerigste leugens om zichzelf in te dekken. Ik ga een aanklacht tegen de gemeente indienen. Ze zullen ervoor boeten.'

De ogen van de oude vrouw werden rood, evenals haar gezicht, en Holman keek snel naar de kapotte ventilator. Hij kon haar verdriet niet aanzien.

'Max?'

'Ja?'

'De map? Mag ik de map, alsjeblieft?'

Pollard zat met uitgestoken hand op de map te wachten. Holman overhandigde hem. Pollard haalde er een vel papier uit en gaf dat aan mevrouw Marchenko.

'Ik wil u een paar foto's laten zien. Herkent u een van deze mannen?'

'Wie zijn het?'

'Politiemensen. Is een van deze agenten bij u geweest?'

Pollard had de foto's van Richie, Fowler en de anderen uit de krant geknipt en op het vel papier geplakt. Holman vond het een goed idee en was zich ervan bewust dat hij er waarschijnlijk niet opgekomen zou zijn.

Mevrouw Marchenko tuurde naar de foto's en tikte toen op die van Fowler.

'Hij misschien. Niet in uniform. In gewone kleren.'

Holman keek even naar Pollard, maar Pollard hield haar gezicht in de plooi. Holman wist dat het een veelbetekenend moment was. Fowler was in burger geweest omdat hij zich wilde voordoen als rechercheur. Hij had het feit dat hij bij de uniformdienst werkte verborgen gehouden en had gedaan alsof hij iets anders was.

'En de anderen? Is een van hen hier geweest, samen met die eerste man of op een ander moment?' vroeg Pollard.

'Nee. Hij had iemand anders bij zich, maar deze niet.'

Nu keek Pollard even naar Holman en Holman haalde zijn schouders op. Hij vroeg zich af wie die vijfde man in hemelsnaam kon zijn en of de oude vrouw zich niet vergiste.

'Weet u zeker dat de andere man niet een van die mensen op de foto's is? Waarom kijkt u voor de zekerheid niet nog een keer?'

Mevrouw Marchenko kneep haar ogen samen tot boze spleetjes.

'Ik hoef niet nog een keer te kijken. Het was een andere man, niet een van deze.'

Pollard schraapte haar keel en kwam tussenbeide. Holman was maar wat blij.

'Weet u nog hoe hij heette?'

'Ik heb die schoften niet eens áángekeken. Ik zou het niet weten.'

'Wanneer waren ze hier, denkt u? Hoelang geleden ongeveer?'

'Niet zo lang. Een week of twee, denk ik. Waarom wilt u dat allemaal weten? Die kerels hebben mijn lamp niet kapotgemaakt. Dat was iemand anders.'

Pollard borg de foto's op.

'Laten we het er maar op houden dat ze mogelijk nog gemener zijn dan de anderen, maar we zullen ons met iedereen in het verhaal bezighouden.'

Holman was onder de indruk van het gemak waarmee Pollard loog. Het was hem al eerder opgevallen dat politiemensen de kunst van het liegen goed beheersten. Ze logen vaak beter dan criminelen.

'Wat wilden ze?' vroeg Pollard.

'Ze vroegen naar Allie.'

'En wie is Allie?'

'Antons vriendin.'

Holman was stomverbaasd en hij zag dat Pollard ook verbaasd was. De kranten hadden Marchenko en Parsons afgeschilderd als een stel einzelgängers zonder vrienden en hadden gezinspeeld op een homoseksuele relatie. Pollard keek even omlaag naar de map voor ze verderging.

'Had Anton een vriendin?'

Het gezicht van de oude vrouw verstrakte en ze boog zich naar voren.

'Ik zuig het niet uit mijn duim, hoor! Mijn Anton was geen mietje zoals die afschuwelijke mensen beweren. Heel veel jonge mannen hebben een kamergenoot om de kosten te delen. Heel veel!'

'Uiteraard, mevrouw Marchenko, een knappe jongeman zoals hij. Wat wilden de politiemensen over haar weten?'

'Van alles: zag Anton haar vaak, waar woont ze, dat soort dingen, maar ik ga die mensen die mijn zoon hebben vermoord niet helpen. Ik heb net gedaan of ik haar niet kende.'

'Dus u hebt hun niets over haar verteld?'

'Ik heb gezegd dat ik geen meisje ken dat Allie heet. Ik ga die moordenaars niet helpen.'

'We zouden haar graag spreken voor het artikel, mevrouw Marchenko. Kunt u me haar telefoonnummer geven?'

'Ik weet het nummer niet.'

'Dat maakt niet uit. We zoeken het wel op. Wat is haar achternaam?'

'Ik zuig het niet uit mijn duim, hoor. Hij belde haar als hij hier televisie kwam kijken. Ze was heel aardig, een aardig meisje. Ze lachte toen hij me de telefoon gaf.'

Mevrouw Marchenko was opnieuw rood aangelopen en Holman begreep hoe ontzettend belangrijk het voor haar was dat ze haar geloofden. Ze zat door de dood van haar zoon opgesloten in haar piepkleine huisje en niemand luisterde. Al drie maanden luisterde er niemand naar haar en ze was eenzaam. Holman kreeg het zo te kwaad, dat hij er als een haas vandoor wilde gaan, maar in plaats daarvan glimlachte hij en sprak op vriendelijke toon.

'We geloven u wel. We willen alleen met het meisje praten. Wanneer was dat, dat u haar sprak?'

'Vóór ze mijn Anton hebben vermoord. Lang geleden. Anton kwam vaak langs en dan keken we tv. Soms belde hij haar en dan gaf hij de telefoon aan mij: "Hier, mama, praat eens met mijn meisje."'

Pollard tuitte peinzend haar lippen en keek naar de telefoon die naast de bank stond.

'Als u ons uw oude telefoonrekeningen laat zien, kunnen we misschien nagaan welk nummer van Allie is. Dan kunnen we uitzoeken of rechercheur Fowler haar net zo slecht behandeld heeft als u.'

Mevrouw Marchenko fleurde op.

'Zou ik dan sterker staan als ik ze aanklaag?'

'Ja, mevrouw, dat denk ik wel.'

Mevrouw Marchenko duwde zich overeind uit haar stoel en waggelde de kamer uit.

Holman boog zich naar Pollard toe en liet zijn stem dalen.

'Wie is die vijfde man?'

'Dat weet ik niet.'

'In de kranten stond niets over een vriendin.'

'Nee. Ze stond ook niet op de getuigenlijst van de FBI.'

Mevrouw Marchenko stoorde hen toen ze terugkwam met een kartonnen doos.

'Rekeningen stop ik hierin als ik ze betaald heb. Het is van alles door elkaar.'

Holman leunde naar achteren en keek hoe ze de rekeningen doornamen. Mevrouw Marchenko maakte weinig gebruik van de telefoon en belde niet veel verschillende nummers: haar huisbaas, haar artsen, een paar andere vrouwen op leeftijd met wie ze bevriend was, haar jongere broer in Cleveland en haar zoon. Wanneer Pollard een nummer vond dat mevrouw Marchenko niet kon thuisbrengen, belde Pollard het nummer met haar mobiele telefoon, maar de eerste drie die ze belde waren twee reparateurs en een Domino's.

'Ik eet nooit pizza. Dat moet Anton zijn geweest.'

Het telefoontje naar de Domino's was vijf maanden geleden gepleegd. Het volgende nummer op de lijst was ook een nummer dat mevrouw Marchenko niet kon thuisbrengen, maar toen knikte ze.

'Dat moet Allie zijn. Nu herinner ik me die pizza weer. Ik zei nog tegen Anton dat er een vieze smaak aan zat. Toen die man hem bracht, gaf Anton mij de telefoon toen hij ging opendoen.'

Pollard lachte naar Holman.

'Nou, daar gaan we. Eens kijken wie er opneemt.'

Pollard belde het nummer en Holman zag haar glimlach verflauwen. Ze klapte haar telefoon dicht.

'Het is niet meer in gebruik.'

'Is dat erg?' vroeg mevrouw Marchenko.

'Misschien niet. Ik weet vrijwel zeker dat we dit nummer kunnen gebruiken om haar op te sporen.'

Pollard noteerde het nummer op haar blocnote en ook de tijd, datum en duur van het gesprek. Daarna nam ze de rest van de rekeningen door.

Ze vond het nummer nog maar één keer, bij een telefoontje dat drie weken vóór het eerste was gepleegd.

Pollard keek even naar Holman en glimlachte toen naar mevrouw Marchenko.

'Ik denk dat we genoeg beslag op uw tijd hebben gelegd. Mag ik u hartelijk bedanken?'

Het gezicht van mevrouw Marchenko betrok van teleurstelling.

'Wil je niet over de ventilator praten en de leugens die ze hebben verteld?'

Pollard stond op en Holman deed hetzelfde.

'Ik denk dat we zo genoeg hebben. We zullen zien wat Allie te vertellen heeft en daarna komen we bij u terug. Kom, Holman.'

Mevrouw Marchenko waggelde achter hen aan naar de deur.

'Ze hadden mijn jongen niet hoeven vermoorden. Ik geloof helemaal niets van wat ze zeggen. Wilt u dat in uw verhaal zetten?'

'Tot ziens en nogmaals bedankt.'

Pollard liep de deur uit naar de auto, maar Holman aarzelde. Hij vond het vervelend zomaar weg te gaan.

'Anton probeerde ermee op te houden. Zet in uw verhaal dat ze mijn zoon hebben vermoord,' zei mevrouw Marchenko.

Pollard gebaarde dat Holman moest komen, maar hij stond bij die oude vrouw met haar smekende ogen, die dacht dat ze haar gingen helpen. Nu gingen ze weg zonder iets voor haar te doen. Holman schaamde zich. Hij keek naar de kapotte ventilator.

'Kunt u hem niet repareren?'

'Hoe moet ik dat voor elkaar krijgen? Mijn Anton is dood. Hoe kan ik hem nou laten repareren voor ik de gemeente heb aangeklaagd en geld heb gekregen?'

Pollard claxonneerde. Holman keek even haar kant op en richtte zijn aandacht toen weer op mevrouw Marchenko.

'Laat mij maar even kijken.'

Holman ging het huis weer in en bekeek de ventilator. De gazen kap hoorde met een schroefje aan de achterkant van de motor vast te zitten, maar het schroefje was kapot. Het was waarschijnlijk afgebroken toen de politiemensen de ventilator omgooiden. De kop van de schroef was weg en de schroef zelf zat nog in het gat. Het zou opengeboord moeten worden en opnieuw van schroefdraad moeten worden voorzien. Ze kon beter een nieuwe ventilator kopen. Dat was goedkoper.

'Ik kan hem niet repareren, mevrouw Marchenko. Het spijt me.'

'Het is een schande, wat ze met mijn zoon hebben gedaan. Ik ga ze aanklagen.'

De claxon toeterde.

Holman liep terug naar de deur en zag Pollard gebaren, maar hij nam nog geen afscheid. Deze vrouw had een zoon die dertien banken had beroofd, drie mensen had gedood en vier anderen had verwond; haar kleine jongen had semi-automatische geweren zo aangepast dat ze schoten als machinegeweren, zich idioot aangekleed en een vuurgevecht met de politie geleverd, maar ze zou hem verdedigen tot haar laatste snik.

‘Was hij een goede zoon?’ vroeg Holman.
‘Hij kwam en dan keken we tv.’
‘Dat is het enige wat telt. Houdt u zich daar maar aan vast.’
Holman liet haar alleen en voegde zich bij Pollard.

30

Toen Holman het portier had dichtgetrokken, scheurde Pollard terug naar Union Station.

'Wat deed je nou? Waarom ging je weer naar binnen?'

'Kijken of ik haar ventilator kon repareren.'

'We hebben iets belangrijks en jij verspilt je tijd daaraan?'

'Die vrouw denkt dat we haar helpen. Ik vond het vervelend zomaar weg te gaan.'

Holman voelde zich zo rot, dat hij niet merkte dat Pollard stil viel. Toen hij uiteindelijk een blik opzij wierp, zag hij dat haar mond strak stond en er een diepe verticale rimpel in haar voorhoofd zat.

'Wat is er?' vroeg hij.

'Het is misschien niet tot je doorgedrongen, maar ik vond dat niet leuk. Ik lieg niet graag tegen een arm mensje dat haar zoon is verloren en ik doe me ook niet graag voor als iets wat ik niet ben. Dit soort dingen was makkelijker en simpeler toen ik nog bij de FBI werkte, maar daar werk ik niet meer, dus moeten we het op deze manier doen. Maar dan hoef jij niet zo te doen, hoor, zodat ik me nog rotter ga voelen dan ik me al voel.'

Holman keek haar aan. Hij had er 's nachts in bed spijt van gehad dat hij haar erbij betrokken had. Nu schaamde hij zich.

'Sorry, zo bedoelde ik het niet.'

'Laat maar. Ik weet wel dat je het niet zo bedoelde.'

Ze was nu duidelijk in een slecht humeur, maar Holman wist niet wat hij moest zeggen. Hoe meer hij nadacht over alles wat ze voor hem deed, hoe meer hij zich schaamde.

'Sorry.'

Haar mond verstrakte en hij besloot maar geen sorry meer te zeggen. Hij besloot van onderwerp te veranderen.

'Zeg, ik weet dat die Allie belangrijk is. Kun je haar vinden als dat nummer is afgesloten?'

'Dat vraag ik aan een vriendin van me bij de FBI. Ze kunnen een nummer opzoeken in een database waar ook de namen in staan van de mensen die dat nummer hebben gehad, ook al is het niet meer in gebruik.'

'Hoelang duurt dat?'

'Het gaat met computers. Milliseconden.'

'Waarom stond zij niet op de lijst met getuigen?'

'Omdat ze niet van haar bestaan wisten, Holman. Duh.'

'Sorry.'

'Daarom is het zo belangrijk. Ze wisten niet van haar bestaan, maar Fowler wel. Hij moet die informatie dus ergens anders vandaan hebben.'

'Fowler en die nieuwe vent.'

Pollard keek hem even aan.

'Ja, en die nieuwe vent. Ik wil dat meisje heel graag spreken, Holman. Ik wil weten wat ze hun heeft verteld.'

Holman verzonk in gepeins. Ze reden in westelijke richting door Main Street naar de rivier. Hij vroeg zich ook af wat ze hun zou kunnen hebben verteld.

'Misschien heeft ze met hen afgesproken onder de brug om het geld te verdelen.'

Pollard keek hem niet aan. Ze was even stil en haalde toen haar schouders op.

'We zullen zien. Ik zal zijn telefoonrekeningen nog een keer doornemen om te kijken óf en wanneer ze contact hebben gehad en ik zal kijken of we haar kunnen vinden. Ik bel je straks om je te vertellen wat ik te weten ben gekomen.'

Holman nam haar op en voelde zich nog schuldiger omdat ze haar middag hieraan zou besteden.

'Zeg, ik wil je nogmaals bedanken voor alles wat je doet. Ik wilde niet lullig doen daarstraks.'

'Graag gedaan. Het is al goed.'

'Ik weet dat je al nee hebt gezegd, maar ik zou je graag willen betalen. Op zijn minst geld voor de benzine, want ik mag nooit rijden van je.'

'Als we moeten tanken, laat ik jou afrekenen. Voel je je dan beter?'

'Ik zeg het niet om te zeuren. Ik voel me alleen schuldig omdat je er zo veel tijd insteekt.'

Pollard gaf geen antwoord.

'Vindt je man het niet erg dat het je zo veel tijd kost?'

'Zullen we het niet over mijn man hebben?'

Holman begreep dat hij een grens had overschreden en zweeg. Bij hun eerste ontmoeting in Starbucks was hem opgevallen dat ze geen ring droeg, maar ze had het over haar kinderen gehad, dus hij wist niet wat hij ervan moest denken. Nu had hij er spijt van dat hij erover was begonnen.

Ze reden verder zonder iets te zeggen. Toen ze de rivier overstaken, probeerde Holman de Fourth Street Bridge te zien, maar hij was te ver weg. Tot zijn verbazing begon Pollard opeens te praten.

'Ik heb geen man. Hij is overleden.'

'Sorry. Het ging me niks aan.'

'Het klinkt erger dan het was. We waren al uit elkaar. We waren aan het scheiden en dat wilden we allebei.'

Pollard haalde haar schouders op, maar keek hem nog steeds niet aan.

'En jij? Hoe is het tussen jou en je vrouw gegaan?'

'Richies moeder?'

'Ja.'

'We zijn nooit getrouwd.'

'Als ik het niet dacht.'

'Als ik het allemaal nog eens opnieuw zou kunnen doen, zou ik wel met haar trouwen, maar ja, zo was ik nu eenmaal. Ik heb mijn les pas geleerd toen ik in de gevangenis zat.'

'Sommige mensen leren het nooit, Holman. Jij tenminste wel. Misschien ben je wel verder dan de rest.'

Holman had zich langzaam voelen wegzakken in de onvermijdelijke somberheid, maar toen hij opzij keek zag hij dat Pollard lachte.

'Ongelooflijk dat je weer naar binnen ging om haar ventilator te repareren,' zei ze.

Holman haalde zijn schouders op.

'Dat was tof, Holman. Dat was echt heel tof van je.'

Holman zag Union Station opdoemen en realiseerde zich dat hij ook lachte.

31

Holman vertrok niet onmiddellijk van Union Station toen Pollard hem had afgezet. Hij wachtte tot ze weg was en stak toen over naar Olvera Street. Een Mexicaans dansgezelschap uitgedost met felgekleurde veren voerde Toltec-dansen uit op het ritme van een trommel. De ritmes waren snel en primitief en de dansers draaiden zo snel om elkaar heen dat ze leken te vliegen.

Holman bleef een tijdje staan kijken, kocht een *churro* en mengde zich onder de mensen. Toeristen uit de hele wereld verdrongen zich in de steegjes en winkels om sombrero's en Mexicaanse volkskunst te kopen. Holman liep een beetje rond. Hij ademde de lucht in en voelde de zon en genoot van de *churro*. Hij slenterde langs een rij winkels, bleef voor sommige etalages staan als hij daar zin in had en liep andere voorbij. Holman voelde een lichtheid die hij lang niet had gekend. Wanneer langgestraften vrijkwamen, hadden ze in het begin vaak last van een vorm van straatvrees, een angst voor open ruimtes. De psychosociaal medewerkers in de gevangenis hadden een speciale naam voor dit type straatvrees bij gedetineerden: de angst om te leven. Vrijheid bracht keuzes en keuzes konden doodeng zijn. Elke keuze was een potentiële mislukking. Elke keuze kon een stap terug naar de gevangenis zijn. Een simpele keuze, zoals een kamer uit gaan of iemand de weg vragen, kon een man volkomen verlammen, zodat hij niet in staat was tot handelen en zich heel klein voelde. Maar nu voelde Holman de lichtheid en wist hij dat hij bijna over de angst heen was. Hij werd weer vrij en dat was een heerlijk gevoel.

Opeens bedacht hij dat hij Pollard wel had kunnen vragen of ze met hem wilde lunchen. Aangezien ze geen geld wilde aannemen voor al haar werk, had hij moeten aanbieden haar op een broodje te trakteren. Hij stelde zich voor dat ze samen in Philippe's een French Dip zaten te eten, of taco's in een van de Mexicaanse restaurants. Maar toen besefte hij dat het een slecht idee was. Ze zou het verkeerd hebben opgevat en hem waarschijnlijk niet meer hebben willen zien. Holman zei tegen zichzelf dat hij met dat soort dingen voorzichtig moest zijn. Misschien was hij niet zo vrij als hij dacht.

Holman had geen trek meer, dus liep hij naar zijn auto. Hij was op weg naar huis toen zijn telefoon ging. Hij hoopte dat het Pollard was, maar in het venstertje van de nummerherkenning zag hij dat het Chee was. Holman klapte de telefoon open.

'Hé, man.'

'Waar ben je, Holman?'

Chees stem klonk zacht.

'Op weg naar huis. Ik kom net van Union Station.'

'Kom even bij me langs, man. Ik ben in de garage.'

Holman schrok van de toon waarop Chee sprak.

'Is er iets?'

'Nee, er is niets. Kom gewoon even langs, ja?'

Holman was ervan overtuigd dat er iets aan de hand was en hij vroeg zich af of het met Random te maken had.

'Alles goed met je?'

'Ik wacht op je.'

Chee hing op zonder op antwoord te wachten.

Holman ging de snelweg op in zuidelijke richting. Hij wilde Chee terugbellen, maar hij wist dat Chee het hem al verteld zou hebben als hij het over de telefoon wilde zeggen, en dat baarde hem nog meer zorgen.

Toen hij bij Chees garage kwam reed hij het parkeerterrein op en hij wilde daar net zijn auto neerzetten toen Chee naar buiten kwam. Zodra Holman hem zag, wist hij dat er iets mis was. Chees gezicht stond grimmig en hij wachtte niet tot Holman had geparkeerd. Hij gebaarde dat Holman moest stoppen en stapte in.

'Laten we een stukje rijden, man. Ga maar een blokje om.'

'Wat is er?'

'Rij nou maar. Even hier weg.'

Toen ze de weg op reden, draaide Chee zijn hoofd naar links en naar rechts alsof hij de auto's om hen heen controleerde. Hij zette de buitenspiegel aan zijn kant zo dat hij het verkeer achter hen kon zien.

'Jij hebt van de politie gehoord dat Maria Juarez de benen had genomen?' vroeg hij.

'Ja. Ze hebben een opsporingsbevel uitgevaardigd.'

'Dat is gelul, man. Ze hebben je maar wat wijsgemaakt.'

'Hoezo?'

'Ze is er niet vandoor gegaan, man. De politie heeft haar opgepakt.'

'Ze zeiden dat ze ertussenuit was geknepen. Dat ze een opsporingsbevel hadden uitgevaardigd.'

'Eergisteren?'

'Ja, dat moest haast wel. Ja, eergisteren.'

'Allemaal gelul, dat opsporingsbevel. Ze hebben haar midden in de nacht opgepakt. Een paar mensen daar in de buurt hebben het gezien, kerel. Ze hoorden lawaai en zagen hoe twee van die vuilakken haar in een auto duwden.'

'Een politieauto?'

'Een gewone auto.'

'Hoe wisten ze dat het politie was?'

'Het was die vent met dat rode haar, man, die vent die jou toen heeft opgepakt. Daar zagen ze het aan. Die mensen hebben mij toen ook gebeld om te vertellen dat jij was meegenomen, man! Ze zeiden dat het dezelfde klootzak was die jou in je kraag had gegrepen.'

Holman reed een tijdje zwijgend door. De man met het rode haar was Vukovich en Vukovich werkte voor Random.

'Hebben ze het kenteken gezien?'

'Nee, man, op dat uur van de nacht?'

'Wat voor auto?'

'Donkerblauwe of bruine Crown Victoria. Ken jij iemand die in een Crown Vic rijdt behalve de politie?'

Holman viel stil en Chee schudde zijn hoofd.

'Waar zijn die smerissen in godsnaam mee bezig, kerel? Wat heb je jezelf op de hals gehaald?'

Holman reed verder. Hij dacht na. Hij moest het Pollard vertellen.

32

Pollard noemde het 'kriebels in je bloed'. Ze sloeg op het dashboard, stak haar vuist triomfantelijk in de lucht en reed op hoge snelheid over Hollywood Freeway met dat opwindende tintelende gevoel in haar vingers en benen waarmee een doorbraak in een zaak altijd gepaard was gegaan: kriebels in je bloed. Nu was ze niet alleen meer de oude aantekeningen van iemand anders aan het natrekken: het vriendinnetje was nieuw. Pollard had een nieuw aanknopingspunt gevonden en had nu het gevoel dat het echt haar onderzoek was.

Toen ze bij Hollywood was en de Cahuenga Pass op reed belde ze April Sanders.

'Hé, meisje, kun je praten?'

April fluisterde zo zacht iets terug, dat Pollard haar nauwelijks kon verstaan.

'Kantoor. Heb je weer donuts?'

'Ik heb een telefoonnummer dat niet meer in gebruik is en ik zit in mijn auto. Kun jij de abonnementhouder voor me achterhalen?'

'Ja, ik denk het wel, wacht even.'

Pollard glimlachte. Ze wist dat Sanders nu over haar scheidingswandje heen gluurde om te zien of iemand haar in de gaten hield.

'Ja, oké. Wat is het nummer?'

Pollard las het nummer op.

'Wacht even. Ik krijg een Verizon-abonnement voor een zekere Alison Whitt, W-H-I-T-T, waarvan de facturen zo te zien naar een postbus in Hollywood gingen. Wil je die?'

'Ja. Doe maar.'

Het adres bleek een particuliere postbusservice op Sunset Boulevard te zijn.

'Wanneer is het opgezegd?'

'Vorige week... zes dagen geleden.'

Pollard dacht even na. Als Fowler haar nummer had achterhaald omstreeks de tijd dat hij bij Leyla Marchenko was geweest, had hij contact met haar op kunnen nemen. Misschien was een telefoontje van Fowler voor haar de reden geweest het nummer op te zeggen.

'April, kijk eens of ze een nieuw nummer heeft.'

'Ah... wacht even. Nee, niet. Geen Alison Whitt.'

Pollard vond het opmerkelijk dat er geen nieuw nummer van Whitt te vinden was, maar niet raar. Geheime nummers waren in de gewone database niet te zien, dus misschien had Whitt nu een geheim nummer. Het was ook mogelijk dat Whitt een abonnement onder een andere naam had genomen of een telefoon deelde waarvan de rekening naar iemand anders ging. Het nare was dat Pollard haar in die gevallen niet zou kunnen vinden.

'Zeg, nog één ding. Ik vind het vervelend om te vragen, maar zou je het meisje in het systeem kunnen natrekken?'

'Bij het NCIC?'

'Kijk maar. De dienst voor het wegverkeer is ook goed. Ik probeer haar te vinden.'

'Is dit iets waar ik van zou moeten weten?'

'Als het dat blijkt te zijn, hoor je het van me.'

Sanders was even stil en Pollard dacht dat ze misschien weer over haar scheidingswandje gluurde. Iets opzoeken in een database van de overheid kon niet vanaf haar werkplek. Sanders kwam weer aan de lijn.

'Dat gaat nu niet. Leeds is er, maar ik weet niet waar hij zit. Ik wil niet dat hij me gaat vragen waar ik mee bezig ben.'

'Bel me straks terug dan.'

'Over en uit.'

Pollard was tevreden met de voortgang die ze boekte. Dat het buiten gebruik stellen van het telefoonnummer van Alison en Fowlers ondervraging van mevrouw Marchenko zo vlak na elkaar hadden plaatsgevonden, was wel erg toevallig. Toeval bestond, maar Pollard had zoals alle agenten geleerd het verdacht te vinden. Ze legde haar telefoon neer. Ze had het liefst direct Fowlers telefoonrekeningen doorgenomen en iets van Sanders gehoord. Als Sanders niets kon vinden, kon Pollard altijd nog proberen een adres te achterhalen via de postbusservice. Het zou lastig zijn zonder haar geloofsbrieven informatie van dat bedrijf los te krijgen, maar het onderzoek zat in elk geval nog niet vast en die gedachte bracht de glimlach terug op haar gezicht.

Pollard wist dat ze misschien pas aan het einde van de dag iets van Sanders zou horen, dus liet ze haar auto wassen en ging naar Ralphs Market. Ze sloeg etenswaren en wc-papier in en kocht iets lekkers voor de jongens. Ze aten als wolven en het leek wel of ze elke dag meer aten. Onwillekeurig vroeg ze zich af of Holman vroeger ook snoep voor zijn zoontje had gekocht. Ze vermoedde dat hij dat niet had gedaan en dat stemde haar treurig. Holman leek best een goede vent nu ze hem had leren kennen, maar ze wist ook dat hij een groot deel van zijn leven misdaden had gepleegd. Iedere crimineel die ze ooit had gearresteerd, had een verhaal: schulden, drugsverslaving, mishandeling door de ouders, geen ouders, leerproblemen, armoede, noem maar op. Dat deed allemaal niet ter zake. Het enige wat ter zake deed, was of je wel of niet de wet overtrad. Op een misdaad volgde straf en Holman had zijn straf uitgezeten. Pollard vond het jammer dat hij met zijn zoon geen tweede kans had gekregen.

Toen ze de boodschappen eenmaal had opgeborgen, ruimde ze het huis op. Daarna ging ze in de woonkamer op de bank zitten met de telefoonrekeningen van Fowler. Ze nam de nummers die hij gebeld had door vanaf het moment waarop hij bij mevrouw Marchenko was geweest en vond het telefoonnummer van Alison Whitt maar een paar dagen daarna. Fowler had haar gebeld op dezelfde donderdag dat hij en de zoon van Holman nog laat op pad waren geweest en onder de modder thuis waren gekomen. Fowler had haar opgebeld, maar mevrouw Marchenko beweerde dat ze hem niets over Allie had verteld. Fowler moest het nummer dus van iemand anders hebben gekregen. Pollard nam de rest van Fowlers rekeningen door, maar behalve die donderdag had hij haar niet gebeld. Pollard keek vervolgens ook de rekeningen van Richard Holman na, maar daar kwam Alisons nummer niet op voor.

Pollard vroeg zich af hoe Fowler van het bestaan van Alison Whitt had gehoord. Ze bekeek de getuigenlijst van de FBI nog een keer. In de verslagen werd gerefereerd aan de huisbaas van Marchenko en aan zijn buren, maar iemand met de naam Alison Whitt stond er niet in. Als een van de buren had verteld dat Marchenko of Parsons een vriendinnetje had, zouden de rechercheurs het spoor hebben gevolgd en haar in de getuigenlijst hebben genoemd, maar precies het tegenovergestelde was gebeurd: de buren hadden allemaal verklaard dat de twee mannen geen van beiden thuis vrienden, een vriendinnetje of andere bezoekers ontvingen. Toch had Fowler van Whitt gehoord vóór hij naar mevrouw Marchenko toe was gegaan. Misschien was de vijfde man van haar bestaan op de hoogte geweest. Misschien stond het telefoonnummer van de vijfde man ergens op Fowlers rekeningen.

Pollard zat er nog over te piekeren toen de bel ging. Ze schoof de vellen papier bij elkaar, liep naar de deur en gluurde door het kijkgaatje. Haar moeder kon het nog niet zijn met de jongens. Daar was het te vroeg voor.

Leeds en Bill Cecil stonden voor de deur. Leeds keek boos naar iets in de straat. Hij zag er niet vrolijk uit. Hij wierp een blik op zijn horloge, wreef over zijn kin en belde nogmaals aan.

Hoewel Cecil vroeger, toen zij en Marty vaak mensen over de vloer hadden, verschillende keren bij haar thuis was geweest, gold dat niet voor Leeds. Ze had hem buiten werktijd niet meer gezien sinds ze ontslag had genomen bij de FBI.

Hij stak opnieuw zijn hand uit naar de bel toen Pollard de deur opendeed.

'Chris, Bill, dit is... Wat een verrassing.'

Leeds scheen niet bijzonder blij te zijn haar te zien. Zijn blauwe pak hing slobberig om zijn gebogen gestalte en hij torende boven haar uit als een stakerige vogelverschrikker die een hekel aan zijn werk had gekregen. Cecil stond met een effen gezicht een halve stap achter hem.

'Dat zou ik ook denken. Mogen we binnenkomen?' vroeg Leeds.

'Natuurlijk. Uiteraard.'

Ze deed een stap opzij om hen binnen te laten, maar ze wist niet goed hoe ze zich moest gedragen en wat ze moest zeggen. Leeds ging als eerste naar binnen. Toen Cecil voorbijliep, trok hij zijn wenkbrauwen op om haar te waarschuwen dat Leeds in een slecht humeur was. Pollard ging snel naar Leeds toe die in de woonkamer stond.

'Ik ben stomverbaasd. Waren jullie in de buurt?'

'Nee, ik ben speciaal hierheen gekomen om met je te praten. Leuk huis, Katherine. Ziet er goed uit. Zijn je kinderen thuis?'

'Nee. Ze zijn op kamp.'

'Wat jammer. Ik had ze graag eens ontmoet.'

Pollard kreeg het nare gevoel dat ze weer kind was en voor haar vader stond. Leeds keek om zich heen alsof hij haar huis inspecteerde, terwijl Cecil bij de deur bleef staan. Toen Leeds zijn ogen langzaam door de hele woonkamer had laten rondgaan, vestigde hij zijn blik op haar als een zinkend schip dat op de bodem tot rust kwam.

'Ben je gek geworden?' vroeg hij.

'Pardon?'

'Waarom laat je je in hemelsnaam in met een veroordeelde crimineel?'

Pollard voelde het bloed naar haar wangen schieten en ze kreeg een knoop in haar maag. Ze deed haar mond open om iets te zeggen, maar Leeds schudde zijn hoofd en legde haar het zwijgen op.

'Ik weet dat je Max Holman helpt.'

Ze had op het punt gestaan het te ontkennen, maar dan zou ze liegen.

'Dat wilde ik ook niet ontkennen. Hij heeft zijn zoon verloren, Chris. Hij vroeg me of ik er met de politie over wilde praten –'

'Ik weet het van zijn zoon. De man is een crimineel, Katherine. Je zou toch beter moeten weten.'

'Hoezo, beter? Ik snap niet waarom je hier bent, Chris.'

'Omdat je drie jaar in mijn team hebt gezeten. Ik heb je uitgekozen en ik was verdomde kwaad toen je wegging. Ik zou het mezelf nooit vergeven als ik je jezelf dit liet aandoen zonder er iets van te zeggen.'

'Mezelf wát liet aandoen, Chris? Ik help die man alleen duidelijkheid te krijgen over zijn zoon.'

Leeds schudde zijn hoofd alsof ze het domste groentje op aarde was en hij dwars door haar heen kon kijken, in de spelonken van haar diepste geheimen.

'Heb je ineens indiaans bloed gekregen?' vroeg hij.

Pollard voelde dat het bloed opnieuw naar haar wangen schoot. Het was een oude uitdrukking, die werd gebruikt voor politiemensen die corrupt waren geworden... of verliefd op een misdadiger.

'Nee!'

'Ik mag inderdaad hopen van niet.'

'Eigenlijk gaat het je helemaal niets aan –'

'Je privéleven gaat me inderdaad geen barst aan, ja, daar heb je gelijk in – maar ik maak me er wel druk om, dus voilà, daar ben ik dan. Heb je hem binnengelaten in je huis? Heb je je kinderen aan hem blootgesteld of hem geld gegeven?'

'Chris? Zal ik je eens iets zeggen? Jij moet –'

'Misschien moesten we maar eens opstappen, Chris,' zei Cecil.

'Als ik klaar ben.'

Leeds bleef waar hij was. Hij keek Pollard strak aan en Pollard herinnerde zich opeens de vellen papier op haar bank. Ze deed voorzichtig een paar passen naar de deur om zijn blik weg te lokken.

'Ik doe niets verkeerds. Ik heb geen enkele wet overtreden of iets gedaan waarvoor mijn kinderen zich zouden schamen.'

Leeds drukte zijn handen tegen elkaar alsof hij bad en liet zijn vingers omlaagzakken in haar richting.

'Weet je echt wat deze man wil?'

'Hij wil weten wie zijn zoon heeft vermoord.'

'Maar is dat echt wat hij wil? Ik heb de politie gesproken. Ik weet wat hij tegen ze heeft gezegd en hij zal jou vast hetzelfde hebben verteld, maar kun je daarvan opaan? Door jouw toedoen is hij tien jaar de bak in gedraaid. Waarom zou hij jou om hulp vragen?'

'Misschien omdat ik een lagere straf voor hem heb geregeld.'

'En misschien is hij naar jou toe gekomen omdat hij wist dat je een softie was. Misschien dacht hij dat hij je weer kon gebruiken.'

Pollard begon langzaamaan boos te worden. Leeds was woedend geweest toen de *Times* Holman de Heldhaftige Bandiet doopte en hij was witheet geweest toen ze een goed woordje voor Holman had gedaan bij de openbare aanklager.

'Hij heeft me niet gebruikt. We hebben er niet over gesproken en hij heeft me niet gevraagd tussenbeide te komen. Hij had die strafvermindering verdiend.'

'Hij houdt dingen voor je achter, Katherine. Je kunt hem niet vertrouwen.'

'Wat houdt hij voor me achter?'

'De politie denkt dat hij met een veroordeelde crimineel en actief bendelid omgaat, een zekere Gary Moreno, ook wel bekend als Little Chee, of L'Chee. Zegt die naam je iets?'

'Nee.'

Pollard begon bang te worden. Ze had het gevoel dat Leeds het gesprek een bepaalde kant op stuurde. Hij lette op haar reacties en probeerde haar te doorgronden, alsof hij vermoedde dat ze loog.

'Vraag het hem. Moreno en Holman zijn de hele carrière van Holman partners geweest. Dat is algemeen bekend. De politie denkt dat Moreno Holman geld, een auto en andere zaken heeft gegeven omdat hij die nodig had voor een of ander crimineel zaakje.'

Pollard probeerde rustig te blijven ademhalen. Holman was net uit de gevangenis en hij had een splinternieuwe auto en een mobiele telefoon. Holman had haar verteld dat een vriend hem de auto had geleend.

'Waarvoor dan?'

'Je weet wel waarvoor. Dat voel je toch aan je water... Om de door Marchenko en Parsons gestolen zestien miljoen dollar terug te vinden.'

Pollard deed haar best niets te laten merken. Ze wilde niets toegeven tot ze tijd had gehad om na te denken. Als Leeds gelijk had, moest ze misschien met een advocaat gaan praten.

'Ik geloof er niets van. Hij wist niet eens van het geld tot –'

Pollard besefte dat ze al te veel had gezegd toen Leeds een treurig maar veelbetekenend glimlachje trok.

'Jij het hem vertelde?'

Ze dwong zichzelf langzaam adem te halen, maar Leeds scheen haar angst te kunnen zien.

'Het is lastig nadenken wanneer je gevoelens meespelen, maar je moet hier nog eens goed over nadenken, Katherine.'

'Mijn gevoelens spelen niet mee.'

'Je voelde tien jaar geleden al iets voor die man en nu heb je hem weer in je leven toegelaten. Laat je niet van de wijs brengen door die man, Katherine. Je weet wel beter.'

'Ik zou het op prijs stellen als jullie nu weggingen.'

Pollard hield haar gezicht in de plooi terwijl ze Leeds aankeek. Toen ging de telefoon. Niet de vaste telefoon, maar haar mobiel. Het luide gepiep verbrak de stilte als een vreemde die de kamer binnenkwam.

'Neem eens op,' zei Leeds.

Pollard zette geen stap in de richting van de telefoon. Hij lag op de bank bij de map met de stukken van Holman en piepte.

'Ga alsjeblieft weg. Je hebt me veel stof tot nadenken gegeven.'

Cecil keek beschaamd en liep naar de deur. Hij deed hem open in een poging Leeds uit haar huis te krijgen.

'Kom mee, Chris. Je hebt gezegd wat je op je hart had.'

De telefoon ging over. Leeds keek ernaar alsof hij overwoog hem zelf op te nemen, maar liep toen naar Cecil toe. Hij keek nog één keer achterom.

'Agent Sanders zal je niet meer helpen.'

Leeds wandelde de deur uit, maar Cecil aarzelde met een treurig gezicht.

'Sorry hiervoor, dame. De man... ik weet het niet, hij is de laatste tijd zichzelf niet. Hij bedoelde het goed.'

'Tot ziens, Bill.'

Pollard keek hoe Cecil vertrok en liep vervolgens naar de deur om hem op slot te draaien.

Ze rende terug naar de telefoon.

Het was Holman.

33

Holman zette Chee in de buurt van zijn garagebedrijf af en ging op weg naar Culver City. Het nieuws dat Maria Juarez was opgepakt hield hem bezig, maar van welke kant hij het ook bekeek, hij snapte er niets van. Hij wilde naar haar huis rijden om met haar neven te praten, maar hij was bang dat dezelfde agenten de boel nog in de gaten hielden. Waarom zouden ze haar oppakken en dan beweren dat ze er vandoor was gegaan? Waarom zouden ze een opsporingsbevel uitvaardigen als ze haar al hadden gearresteerd? Het nieuws van haar vlucht en het opsporingsbevel had zelfs in de krant gestaan.

Het zat Holman niet lekker. Tegen de politiemensen die dachten dat ze was gevlucht werd gelogen door de agenten die beter wisten. De politiemensen die het opsporingsbevel hadden uitgevaardigd, wisten niet dat andere agenten al wisten waar ze was. Smerissen hielden dingen achter voor andere smerissen en dat kon maar één ding betekenen: corrupte smerissen.

Holman reed anderhalve kilometer door en draaide toen een parkeerterrein op. Hij belde Pollards nummer en wachtte tot er werd opgenomen. Er leek geen einde aan te komen, maar uiteindelijk hoorde hij haar stem.

'Het komt nu even niet gelegen.'

Pollard klonk niet als Pollard. Haar stem klonk gereserveerd en zwak en Holman dacht dat hij misschien het verkeerde nummer had gedraaid.

'Katherine? Spreek ik met agent Pollard?'

'Ja...'

'Wat is er?'

'Het komt nu even niet gelegen.'

Ze klonk afschuwelijk, maar Holman was van mening dat dit belangrijk was.

'Maria Juarez is niet gevlucht. De politie heeft haar opgepakt. Diezelfde smeris met rood haar die mij te grazen heeft genomen, die Vukovich. Wat de politie beweert klopt niet. Vukovich en een andere agent hebben haar midden in de nacht meegenomen.'

Holman wachtte, maar hoorde niets.

'Ben je er nog?'
'Hoe kom je aan die informatie?'
'Een vriend van me kent een paar mensen die bij haar in de straat wonen. Die hebben het gezien, de mensen die toen ook gezien hebben dat ik door die gasten werd opgepakt.'
'Welke vriend?'
Holman aarzelde.
'Wie?'
Holman wist nog steeds niet wat hij moest zeggen.
'Gewoon... een vriend.'
'Gary Moreno?'
Holman paste er wel voor op haar te vragen hoe ze dat wist. Als hij ernaar vroeg, zou hij in de verdediging schieten. En in de verdediging schieten impliceerde schuld.
'Ja, Gary Moreno. Dat is een vriend van me. We zijn samen opgegroeid, Katherine...'
'Zo'n goede vriend dat hij jou een auto geeft?'
'Hij heeft een garagebedrijf. Hij heeft heel veel auto's –'
'En zo veel geld dat jij niet hoeft te werken?'
'Hij heeft mijn zoon gekend –'
'Een meermaals veroordeelde crimineel en een bendelid en jij vond het niet nodig het te zeggen?'
'Katherine –'
'Waar ben je mee bezig, Holman?'
'Nergens mee...'
'Je hoeft me niet meer te bellen.'
De verbinding werd verbroken.
Holman drukte op de snelkeuzetoets, maar hij kreeg haar voicemail. Ze had haar telefoon uitgezet. Hij sprak zo snel als hij kon.
'Katherine, luister nou, wat had ik dan moeten zeggen? Chee is mijn vriend – dat is Gary's bijnaam, Chee – en ja, hij is een veroordeelde crimineel, maar dat ben ik ook. Ik ben mijn hele leven een crimineel geweest. De enige mensen die ik ken zijn criminelen.'
Er klonk een piepje en de verbinding werd verbroken. Holman vloekte en drukte nogmaals op de snelkeuzetoets.
'Hij heeft zijn leven gebeterd, net zoals ik mijn leven probeer te beteren, en hij is mijn vriend en daarom ben ik naar hem toe gegaan toen ik hulp nodig had. Ik ken verder niemand. Ik heb verder niemand. Katheri-

ne, bel alsjeblieft terug. Ik heb je nodig. Ik heb je hulp nodig, anders kom ik hier niet uit. Agent Pollard, alsjeblieft –'

Er klonk opnieuw een piepje, maar dit keer liet Holman zijn telefoon zakken. Hij bleef op het parkeerterrein staan en wachtte. Hij wist niet wat hij anders moest doen. Hij wist niet waar ze woonde en hoe hij haar kon bereiken, behalve via haar telefoon. Zo had ze het gewild om zichzelf te beschermen. Holman zat in zijn auto en voelde zich eenzaam, zo eenzaam als hij de eerste nacht in de gevangenis was geweest. Hij wilde met haar praten, maar agent Pollard had haar telefoon uitgezet.

34

Pollards moeder belde rond etenstijd. Dat hadden ze afgesproken. Haar moeder ving de jongens op wanneer ze uit kamp kwamen en nam hen mee naar haar flat in Canyon Country waar de jongens bij het zwembad konden spelen terwijl haar moeder online poker speelde. Texas Hold'em.

Pollard, die wist dat het afschuwelijk zou worden en zich wapende tegen de pijn, vroeg: 'Kunnen ze vannacht bij jou logeren?'

'Is er een man bij je, Katie?'

'Ik ben doodmoe, ma. Ik ben gewoon op, dat is alles. Ik heb even rust nodig.'

'Waarom ben je moe? Je bent toch niet ziek?'

'Kunnen ze bij jou blijven?'

'Je hebt toch niets onder de leden, hè? Je hebt toch niet iets opgelopen van een of andere vent? Je moet aan de man, maar daarom hoef je nog geen slet te worden.'

Pollard liet de telefoon zakken en keek ernaar. Ze hoorde haar moeder nog steeds praten, maar kon de woorden niet verstaan.

'Ma?'

'Ja?'

'Kunnen ze bij je blijven?'

'Ja, dat zal wel gaan, maar hoe moet dat met kamp? Ze zullen het vreselijk vinden als ze het kamp moeten missen.'

'Van één dagje geen kamp gaan ze niet dood. Ze vinden het er afschuwelijk.'

'Ik begrijp dat niet, hoor, een moeder die haar kinderen kwijt wil omdat ze even rust moet hebben. Ik heb dat nooit nodig gehad en ook nooit gewild.'

'Bedankt, ma.'

Pollard legde de telefoon neer en staarde naar de klok boven de gootsteen. Ze was in de keuken. Het was weer stil in huis. Ze zag de secondewijzer verspringen en wachtte op de tik.

TIK.

Net een pistoolschot.

Pollard stond op en liep terug naar de woonkamer. Ze vroeg zich af of

Leeds gelijk had. Ze had in zekere zin bewondering voor Holman, zowel in het verleden als nu, voor de manier waarop hij gepakt was en de manier waarop hij zichzelf terug had gevochten. En ze had zich ook tot op zekere hoogte tot hem aangetrokken gevoeld. Dat wilde ze niet graag toegeven, want dan voelde ze zich belachelijk. Misschien had ze 'indiaans bloed' gekregen zonder het te weten. Misschien ging dat zo. Misschien overviel het je wanneer je even niet oplette en was je verkocht voor je het wist.

Pollard staarde walgend van zichzelf naar de vellen papier op de bank. Haar dossier van Holman.

'Allejezus,' zei ze.

Zestien miljoen dollar was een fortuin. Het was een verborgen schat, een winnend lot, de pot goud aan het einde van de regenboog. Holman had negen banken beroofd voor een totaalopbrengst van nog geen veertigduizend dollar. Hij had tien jaar gezeten en was met niets uit de gevangenis gekomen, dus waarom zou hij het geld niet willen hebben? Pollard wilde het geld zelf ook wel hebben. Ze had erover gedroomd, had in haar droom gezien hoe ze een smerige garagedeur opendeed in een smerige achterbuurt waar alles zwart was van de roet, de deur omhoogduwde en het geld vond, een fantastisch, gigantisch vacuümverpakt blok geld, zestien miljoen dollar. Ze zou in één keer binnen zijn. De jongens zouden binnen zijn. Hun kinderen zouden binnen zijn. Haar problemen zouden zijn opgelost.

Pollard zou het uiteraard niet stelen. Dat ze het geld zou houden, was maar een fantasie. Net als dat ze haar droomprins zou vinden.

Maar Holman was al zijn leven lang een ontaarde crimineel die auto's had gestolen, pakhuizen had geplunderd en negen banken had beroofd. Hij hoefde er waarschijnlijk geen seconde over na te denken: hij zou het geld zonder meer stelen.

De telefoon ging. De vaste lijn, niet haar mobiel.

Pollards kreeg prompt kramp in haar buik, want ze was ervan overtuigd dat het haar moeder was. De jongens hadden waarschijnlijk geklaagd dat ze helemaal niet wilden blijven slapen en nu belde haar moeder om haar een enorm schuldgevoel aan te praten.

Pollard liep terug naar de keuken. Ze wilde niet opnemen, maar ze deed het toch. Ze voelde zich al schuldig genoeg.

'Ben je echt de Heldhaftige Bandiet aan het helpen?' vroeg April Sanders.

Pollard sloot haar ogen en nam een nieuwe lading schuld op haar schouders.
'Ik vind het zo vervelend voor je, April. Zit je nu in de problemen?'
'O, Leeds kan de pot op. Is het waar van de Heldhaftige Bandiet?'
Pollard zuchtte.
'Ja.'
'Ga je met hem naar bed?'
'Nee! Hoe kom je op het idee?'
'Ik zou met hem naar bed gaan.'
'Schei uit, April!'
'Ik zou niet met hem trouwen, maar ik zou wel met hem naar bed gaan.'
'April...'
'Ik heb Alison Whitt gevonden.'
'Blijf je me toch helpen?'
'Natuurlijk help ik je, Pollard. Heb eens een beetje vertrouwen in me.'
Pollard pakte een pen.
'Oké, April. Ik sta bij je in het krijt, meid. Waar is ze?'
'In het mortuarium.'
Pollard verstijfde, de pen doelloos in de lucht. De stem van April werd somber en professioneel.
'Wat heb je jezelf op de hals gehaald, Pollard? Waarom ben je op zoek naar een overleden meisje?'
'Ze was het vriendinnetje van Marchenko.'
'Marchenko had geen vriendinnetje.'
'Hij heeft haar een aantal keren gezien. Marchenko's moeder heeft minstens twee keer met haar gesproken.'
'Bill en ik hebben zijn gespreksgeschiedenis doorgenomen, Kath. Als we bij het terugbellen op een potentieel vriendinnetje waren gestuit, hadden we dat wel uitgezocht.'
'Ja, ik weet het ook niet. Misschien belde hij haar nooit thuis of belde hij haar alleen als hij bij zijn moeder was.'
Sanders zweeg even en Pollard wist dat ze stond na te denken.
'Het zal wel. Op het strafblad staat dat ze een paar keer is opgepakt voor prostitutie, winkeldiefstal, drugs – het gebruikelijke. Het was nog maar een kind, tweeëntwintig jaar oud. En nu is ze vermoord,' zei Sanders.
Pollard kreeg weer kriebels in haar bloed.
'Is ze vermoord?'
'Het lichaam is gevonden in een afvalcontainer bij Yucca Street in Hol-

lywood. Donkere strepen in de hals wijzen op wurging, maar de doodsoorzaak was een hartstilstand ten gevolge van bloedverlies. Ze was twaalf keer gestoken in borst en buik. Ja, dat noem ik moord.'

'Is er iemand gearresteerd?'

'Nee.'

'Wanneer is ze vermoord?'

'Dezelfde avond dat Holmans zoon is gedood.'

Ze zeiden even geen van beiden een woord. Pollard dacht aan Maria Juarez. Ze vroeg zich af of Maria Juarez ook dood zou worden teruggevonden. Ten slotte stelde Sanders de vraag.

'Kath? Weet je wat er met dit meisje is gebeurd?'

'Nee.'

'Zou je het me vertellen als je het wist?'

'Ja, dan zou ik het je vertellen. Uiteraard.'

'Oké.'

'Wat was het tijdstip van overlijden?'

''s Avonds tussen elf uur en halftwaalf.'

Pollard aarzelde, omdat ze niet precies wist wat het zou kunnen betekenen en hoeveel ze kon zeggen, maar April had recht op de waarheid.

'Mike Fowler kende haar of wist van haar bestaan. Zegt Fowlers naam je iets?'

'Nee, wie is dat?'

'Een van de agenten die die nacht samen met Richard Holman zijn vermoord. Hij was de hoogstgeplaatste.'

Pollard wist dat Sanders aantekeningen maakte. Alles wat ze nu zei, zou door Sanders worden vastgelegd.

'Fowler vroeg Marchenko's moeder naar een zekere Allie. Hij wist dat Allie en Anton Marchenko iets met elkaar te maken hadden en hij vroeg mevrouw Marchenko naar haar.'

'Wat heeft mevrouw Marchenko hem verteld?'

'Ze heeft ontkend dat ze het meisje kende.'

'Wat heeft ze jou verteld?'

'Ze heeft ons de voornaam gegeven en we mochten haar telefoonrekeningen inzien zodat we het nummer konden opzoeken.'

'Je bedoelt jij en de Heldhaftige Bandiet?'

Pollard sloot opnieuw haar ogen.

'Ja, Holman en ik.'

'Hmmm...'

‘Schei uit.’

‘Hoe laat werden de vier agenten die nacht vermoord?’

Pollard wist waar Sanders naartoe wilde en had er zelf ook al aan gedacht.

‘Om twee over halfeen. Het horloge van Mellon is om twee over halfeen kapotgegaan door een hagelkorrel uit een jachtgeweer. Daardoor weten ze het exacte tijdstip.’

‘Het is dus mogelijk dat Fowler en die kerels het meisje eerst hebben vermoord. Ze hadden tijd genoeg om haar te doden en daarna naar de rivier te gaan.’

‘Het is ook mogelijk dat iemand anders het meisje heeft vermoord en vervolgens naar de rivier is gegaan om de vier agenten om te brengen.’

‘Waar was de Heldhaftige Bandiet die nacht?’

Daar had Pollard ook al aan gedacht.

‘Hij heeft een naam, April. Holman zat nog in hechtenis. Hij werd de volgende dag pas vrijgelaten.’

‘Nog een geluk.’

‘Zeg, April, kun jij de hand leggen op het politierapport over Alison Whitt?’

‘Dat heb ik al. Ik zal het naar je faxen als ik thuis ben. Ik doe het liever niet hier.’

‘Bedankt, meid.’

‘Jij en de Heldhaftige Bandiet. Wat een giller.’

Pollard legde de telefoon neer en liep terug naar de woonkamer. Ze vond het niet zo stil meer in huis, maar ze wist dat de geluiden nu afkomstig waren van haar hart. Ze keek naar de map met stukken op de bank waar heel snel nieuwe stukken bij zouden komen. Het dossier Holman dijde uit. Er was een meisje vermoord vóór zijn vrijlating en nu had Holman het vermoeden dat de politie loog over Maria Juarez. Ze vroeg zich opnieuw af of Maria Juarez ook dood teruggevonden zou worden en of de vijfde man daar iets mee te maken zou hebben.

Pollard dacht na over de tijdlijn en hoopte onwillekeurig dat Holmans zoon niets met de moord op Alison Whitt van doen had. Ze had Holman zien worstelen met het schuldgevoel over de dood van zijn zoon en hem zien lijden onder de groeiende bewijslast dat zijn zoon had meegewerkt aan een illegaal plan om het gestolen geld terug te vinden. Holman zou eraan onderdoor gaan als zijn zoon een moordenaar was.

Pollard wist dat ze hem over Alison Whitt moest vertellen en dat ze meer te weten moest komen over Maria Juarez. Pollard pakte de telefoon, maar aarzelde. Leeds' bezoek had zijn tol geëist. Door zijn opmerkingen over haar gedrag had ze het gevoel gekregen dat ze zich belachelijk maakte en ze schaamde zich. Ze had niet opeens 'indiaans bloed' gekregen, maar ze had gedachten over Holman gehad die haar alarmeerden. Zelfs Sanders had gelachen. *Jij en de Heldhaftige Bandiet. Wat een giller.*

Pollard moest hem bellen, maar nu nog even niet. Ze gooide de telefoon terug op de bank en liep via de keuken naar de garage. Het was er bloedheet, ook al was de zon al ondergegaan en de avond al gevallen. Ze wurmde zich tussen de fietsen en skateboards door, langs de stofzuiger, naar een gehavende grijze archiefkast onder een dikke laag stof. Ze had het ding in jaren niet aangeraakt.

Ze trok de bovenste la open en zocht de map op met de knipsels over haar oude zaken. Pollard had krantenartikelen over haar zaken en arrestaties bewaard. Ze had al honderd keer op het punt gestaan het allemaal weg te gooien, maar nu was ze blij dat ze dat niet had gedaan. Ze wilde nog een keer alles over hem lezen. Ze moest weer weten waarom de *Times* hem de Heldhaftige Bandiet had genoemd en waarom hij een tweede kans verdiende.

Ze vond het knipsel en glimlachte om de kop. Leeds had de krant dwars door de kamer gegooid en een week op de *Times* lopen schelden, maar Pollard had toen al moeten lachen. De kop luidde: STRANDSCHOOIER EEN HELD.

Pollard las de knipsels aan haar keukentafel en dacht terug aan het moment waarop ze elkaar hadden leren kennen...

De strandschooier

De vrouw voor hem stond zich op te vreten van ergernis en snoof misnoegd terwijl ze voor de vierde keer zijn kant op keek. Holman wist dat ze eigenlijk iets tegen hem wilde zeggen en negeerde haar, maar het haalde niets uit. Op een goed moment barstte ze los.

'Wat heb ik toch een hekel aan deze bank. Maar drie bankbedienden en het lijkt wel alsof ze half lopen te slapen. Waarom maar drie bankbedienden terwijl ze toch tien loketten hebben? Wat een waardeloze boel is het hier toch.'

Holman hield zijn blik omlaaggericht zodat zijn gezicht door de klep van zijn pet onzichtbaar was voor de bewakingscamera's.

De vrouw begon harder praten, want ze wilde dat de andere mensen in de rij haar hoorden.

'Ik heb nog meer te doen. Ik heb niet de hele dag de tijd.'

Haar gedrag begon aandacht te trekken. Alles aan haar trok aandacht. Het was een dikke vrouw in een felpaarse, wijde jurk en ze had oranje nagels en een enorme pluizige bos haar. Holman sloeg zonder iets te zeggen zijn armen over elkaar en probeerde onzichtbaar te worden. Hij droeg een verschoten hawaïhemd, een crèmekleurige korte broek van Armani, sandalen en een pet van de Santa Monica Pier die hij laag over zijn ogen had getrokken. Hij had ook een zonnebril op, maar dat gold voor de helft van de mensen in de rij. Het was tenslotte L.A.

De vrouw schraapte haar keel.

'Hè, hè, eindelijk. Het werd tijd.'

Een oudere man met een gespikkelde huid in een roze overhemd liep naar een bankbediende toe. De dikke vrouw was na hem en daarna was Holman aan de beurt. Hij probeerde zijn ademhaling tot rust te brengen en hoopte dat de bankbedienden niet zagen hoe hij zweette.

'Meneer, ik kan u hier helpen.'

De bankbediende aan het einde van de rij was een kwieke vrouw met een hard gezicht, te veel make-up en ringen aan haar duimen. Holman schuifelde naar het loket en ging er zo dicht mogelijk bij staan. Hij had een dubbelgevouwen vel papier en een kleine bruine papieren tas bij zich. Hij legde het briefje en de tas op de balie. Het briefje was samengesteld uit woorden die hij uit een tijdschrift had geknipt. Hij wachtte tot ze het gelezen had.

DIT IS EEN OVERVAL
doe het geld in
de tas

Holman sprak zacht zodat zijn stem niet ver zou dragen.

'Geen pakjes verf. Geef me alleen het geld, dan is er niets aan de hand.'

Haar harde gezicht werd nog strenger. Ze keek hem strak aan en Holman keek terug. Toen bevochtigde ze haar lippen en opende ze haar geldla. Holman wierp een blik op de klok achter haar. Hij vermoedde dat ze al met haar voet op het stille alarm had gedrukt en dat het beveiligingsbedrijf van de bank was gewaarschuwd. Een ex-gedetineerde die Holman kende, had hem gezegd dat hij maar twee minuten had om het geld te pakken en de bank uit te komen. Twee minuten was niet lang, maar het was al acht keer lang genoeg geweest.

FBI-agent Katherine Pollard stond op het parkeerterrein van een Ralphs Market in Studio City te transpireren in de middagzon. Bill Cecil riep vanaf de passagiersplaats van hun anonieme beige dienstauto uit het raampje.

'Straks krijg je nog een zonnesteek.'

'Ik word gek van dat gezit de hele dag.'

Ze waren al op het parkeerterrein sinds 's ochtends halfnegen, een halfuur voor de banken in de buurt opengingen. Pollard had pijn in haar achterste en stapte daarom om de twintig minuten uit om de benen te strekken. Als ze uitstapte liet ze het raampje aan de bestuurderskant openstaan om de twee radio's op haar stoel te kunnen horen, ook al bleef Cecil in de auto. Cecil was hoger in rang, maar hij was alleen aanwezig om te assisteren. De Strandschooier was Pollards zaak.

Pollard boog zich naar voren vanuit haar heupen en raakte haar tenen aan. Ze vond het vreselijk om met haar dikke kont in het openbaar rekoefeningen te doen, maar ze hingen al drie dagen op het parkeerterrein van de Ralphs Market rond in de hoop dat de Strandschooier opnieuw zou toeslaan. Leeds had deze bankovervaller de bijnaam de Strandschooier gegeven omdat hij sandalen en een hawaïhemd aanhad en een wilde bos haar had die hij in een staartje droeg.

Uit een van de radio's kraakte een stem.

'Pollard?'

'Hé, dame, daar heb je de chef,' zei Cecil.

Het was Leeds op het kanaal van de FBI.

Pollard liet zich in de auto zakken en greep de radio.

'Hé, chef, zeg het eens.'

'De LAPD wil hun mensen ergens anders heen sturen. Ik ben akkoord gegaan. Ik blaas dit zaakje af.'

Pollard keek opzij naar Cecil, maar die haalde alleen maar zijn schouders op en schudde zijn hoofd. Pollard was al bang geweest voor dit moment. In de stad waren tweeënveertig beruchte meervoudige bankovervallers actief. Een groot aantal van hen gebruikte geweld en wapens en het merendeel had veel meer banken beroofd dan de Strandschooier.

'Maar, chef, hij gaat een van mijn banken pakken. Elke dag dat er niets is gebeurd, wordt de kans groter dat hij zal toeslaan. We hebben alleen wat meer tijd nodig.'

Pollard had van de meeste meervoudige overvallers die in Los Angeles actief waren de werkwijze in kaart gebracht. Ze meende dat de werkwijze van de Strandschooier doorzichtiger was dan de meeste. De banken die hij over-

viel waren allemaal bij grote gelijkvloerse kruisingen en vlak bij twee snelwegen gevestigd. Geen van de banken had bewakers in dienst, plexiglas voor de loketten of beveiligde toegangsdeuren, en al zijn overvallen hadden zich binnen een steeds kleiner wordende, linksdraaiende spiraal rond het snelwegennetwerk van L.A. afgespeeld. Pollard was ervan overtuigd dat zijn volgende doelwit bij de splitsing Ventura-Hollywood zou liggen en had geconstateerd dat zich daar in de buurt zes banken bevonden die een mogelijk doelwit waren. De langdurige operatie waarover ze nu de leiding had, was op die zes banken gericht.

'Hij is niet belangrijk genoeg. De LAPD wil zijn mensen inzetten tegen gewapende criminelen en ik kan jou en Cecil ook niet langer missen. Vandaag hebben de Rock Stars toegeslagen in Torrance,' zei Leeds.

De moed zonk Pollard in de schoenen. De Rock Stars was een bende die zijn naam had gekregen omdat een van de bendeleden tijdens de overvallen zong. Het klonk nogal onnozel, ware het niet dat de zanger zo stoned was, dat hij niet meer wist wat hij deed en gitaar speelde op een MAC-10 machinepistool. De Rock Stars hadden tijdens zestien overvallen twee mensen gedood.

Cecil pakte de radio.

'Geef dat kind nog één dag, chef. Dat heeft ze verdiend.'

'Het spijt me, maar het is afgelopen, Katherine. Ik blaas de zaak af.'

Pollard probeerde te bedenken wat ze nog kon zeggen toen de andere radio begon te kraken. Deze stond in verbinding met Jay Dugan, de leider van het surveillanceteam van de LAPD dat aan de operatie was toegewezen.

'Een twee-elf bij First United. Het is zover.'

Pollard liet de FBI-radio op Cecils schoot vallen en greep haar stopwatch. Ze zette hem aan, startte haar auto en sprak door de radio tegen Dugan.

'Tijd sinds aanvang?'

'Een minuut dertig plus tien. We zijn onderweg.'

Cecil bracht Leeds op de hoogte.

'Het moment is daar, Chris. We gaan er nu op af. Kom op, dame, rijden met dat ding.'

De First United California Bank was slechts vier blokken bij hen vandaan, maar het was druk op de weg. De Strandschooier had een voorsprong van minstens negentig seconden en was misschien alweer op weg naar de uitgang van de bank.

Pollard zette haar auto in de versnelling en voegde met een ruk in.

'Hoelang nog, Jay?'

'Nog zes blokken. Zal nipt worden.'

Pollard stuurde met één hand al toeterend tussen het overige verkeer door. Ze reed hard naar de bank en bad dat ze er op tijd zouden zijn.

Holman keek hoe de bankbediende haar lades een voor een in de tas leegde. Ze treuzelde.

'Opschieten.'

Ze begon iets sneller te werken.

Holman keek hoe laat het was en glimlachte. De secondewijzer passeerde de zeventig seconden. Hij zou in nog geen twee minuten weer buiten staan.

De bankbediende stopte het laatste geld in de tas. Ze vermeed oogcontact met de andere bankbedienden. Toen het laatste geld in de tas zat, wachtte ze op zijn instructies.

'Mooi. Schuif maar naar me toe. Niet gillen en tegen niemand iets zeggen tot ik de deur uit ben,' zei Holman.

Ze schoof de tas naar hem toe zoals Holman wilde, maar precies op dat moment kwam de bankdirecteur een stortingsbewijs brengen. De directeur zag de papieren tas en de uitdrukking op het gezicht van de bankbediende en toen wist ze genoeg. Ze verstijfde. Ze gilde niet en probeerde hem niet tegen te houden, maar Holman zag dat ze doodsbang was.

'Maakt u zich geen zorgen. Het komt allemaal goed,' zei hij.

'Neem het mee en ga weg. Doe alsjeblieft niemand kwaad.'

De oude man in het roze overhemd was klaar met zijn transactie. Hij liep achter Holman langs toen de directeur Holman verzocht niemand kwaad te doen. De oude man keek om om te zien wat er aan de hand was en begreep, net als de directeur, dat de bank werd beroofd. In tegenstelling tot de directeur begon hij te schreeuwen.

'We worden beroofd!'

Zijn gezicht werd vuurrood. Vervolgens greep hij naar zijn borst en maakte hij een benauwd gorgelend geluid.

'Hé,' zei Holman.

De oude man wankelde achteruit en viel. Toen hij op de grond lag, draaiden zijn ogen weg en veranderde het gorgelende geluid in een wegstervende zucht.

De luidruchtige vrouw in de wijde jurk krijste: 'O, mijn god!'

Holman greep het geld en liep richting de deur, maar niemand maakte aanstalten de oude man te helpen.

De dikke vrouw zei: 'Volgens mij is hij dood! Bel het alarmnummer! Volgens mij is hij dood!'

Holman rende naar de deur, maar toen keek hij nogmaals achterom. Het rode gezicht van de oude man was inmiddels donkerpaars en hij bewoog niet meer. Holman wist dat de oude man een hartaanval had gehad.

'Jezus, kan dan niemand reanimeren? Help die man toch!' zei Holman.

Niemand deed iets.

Holman wist dat de seconden wegtikten. Hij was al over de twee minuten heen en verloor steeds meer tijd. Hij draaide zich weer om naar de deur, maar hij kon het gewoon niet. Niemand stak een vinger uit.

Holman rende terug naar de oude man, liet zich op de grond vallen en ging aan het werk om zijn leven te redden. Holman zat nog steeds lucht in de mond van de oude man te blazen toen een vrouw met een wapen de bank binnenrende, gevolgd door een monsterlijk brede kale vent. De vrouw maakte zichzelf bekend als FBI-agent en zei tegen Holman dat hij was gearresteerd.

Tussen het beademen door zei Holman: 'Moet ik ophouden?'

Daarop liet de vrouw het wapen zakken.

'Nee,' zei ze. 'Je doet het prima.'

Holman ging door met reanimeren tot de ambulance kwam. Hij had de tweeminutenregel overschreden met drie minuten en zesenveertig seconden.

De oude man overleefde het.

DEEL VIER

35

Holman was zich aan het opdrukken toen iemand op zijn deur klopte. Hij deed werktuiglijk de ene na de andere push-up en was daar al bijna de hele ochtend mee bezig. Hij had de avond ervoor nog twee berichten op Pollards telefoon achtergelaten en probeerde nu moed te verzamelen om opnieuw te bellen. Toen hij het klopje hoorde, dacht hij dat het Perry was. Verder kwam er nooit iemand bij hem langs.

'Wacht even.'

Holman trok zijn broek aan en deed de deur open, maar in plaats van Perry stond daar Pollard. Hij wist niet wat hij ervan moest denken dat Pollard zomaar opeens bij hem voor de deur stond en hij keek haar verbaasd aan.

'We moeten praten,' zei ze.

Ze lachte niet. Ze keek geërgerd en had de map met alle papieren die hij haar had gegeven in haar hand. Holman besefte opeens dat hij in zijn blote bovenlijf stond met de slappe, bezwete witte huid en wilde dat hij een shirt had aangetrokken.

'Ik dacht dat het iemand anders was.'

'Mag ik binnenkomen, Holman? We moeten hierover praten.'

Holman deed een paar stappen achteruit om haar te laten passeren en wierp toen een blik om de deur. Perry's hoofd verdween achter in de gang om de hoek. Holman liep zijn kamer weer in, maar liet de deur openstaan. Hij schaamde zich voor zijn verschijning en zijn sjofele kamer en was ervan overtuigd dat ze zich daar met hem alleen niet op haar gemak zou voelen. Hij trok een T-shirt aan om zijn lijf te verbergen.

'Heb je mijn berichten gehoord?'

Ze liep terug naar de deur en deed hem dicht, maar bleef met haar hand op de knop staan.

'Ja, en ik wil je iets vragen. Wat ga je met het geld doen?'

'Waar heb je het over?'

'Als we die zestien miljoen vinden. Wat wil je dan gaan doen?'

Holman gaapte haar aan. Ze scheen het te menen. Ze keek hem gespannen aan met strak getuite lippen. Ze keek alsof ze was gekomen om de buit te verdelen.

'Je maakt zeker een grapje?' vroeg Holman.

'Nee, ik maak geen grapje.'

Holman nam haar nog een moment scherp op en ging toen op de rand van zijn bed zitten. Hij trok zijn schoenen aan om iets te doen te hebben, ook al moest hij eigenlijk nog onder de douche.

'Ik wil alleen weten wat er met mijn zoon is gebeurd. Als we dat geld vinden, mag je het hebben. Het maakt mij niet uit wat je ermee doet.'

Holman kon niet zeggen of ze teleurgesteld of opgelucht was. Het kon hem ook niet schelen, zolang hij maar op haar hulp kon rekenen.

'Als je het wilt houden, zal ik je niet verlinken, hoor. Maar één ding: ik zal me er door dat geld niet van laten weerhouden Richies moordenaar te vinden. Als ik gedwongen word te kiezen – dat geld houden of te weten komen wat er is gebeurd – dan gaat dat geld terug.'

'En je vriend Moreno?'

'Heb je mijn berichten beluisterd? Ja, hij heeft me die auto geleend. Wat is daar zo verschrikkelijk aan?'

'Misschien verwacht hij een aandeel in de buit.'

Holman begon boos te worden.

'Wat heb jij toch met Moreno? Wie heeft je over hem verteld?'

'Geef nou maar antwoord op mijn vraag.'

'Je hebt verdomme helemaal geen vraag gesteld. Ik heb het met hem nooit over het geld gehad, maar het kan me ook geen barst schelen als hij het houdt. Wat denk je dat we aan het doen zijn, een halsmisdrijf beramen?'

'Nee, alleen heeft de politie jou en Moreno met elkaar in verband gebracht. En ik vraag me af waarom.'

'Ik ben een keer of vier bij hem langs geweest. Misschien houden ze hem in de gaten.'

'Waarom zouden ze dat doen als hij de misdaad heeft afgezworen?'

'Misschien zijn ze erachter gekomen dat hij me heeft geholpen Maria Juarez te vinden.'

'Hebben hij en Juarez banden met elkaar?'

'Ik heb hem gevraagd of hij me wilde hélpen! Weet je, het spijt me dat ik je niet heb verteld dat Chee me die rotauto heeft geleend. Ik ben niet op zoek naar het geld – ik ben op zoek naar de smeerlap die mijn zoon heeft vermoord.'

Holman was klaar met zijn schoenen en sloeg zijn ogen op. Ze stond nog steeds naar hem te kijken, dus keek hij terug. Hij wist dat ze hem probeerde te doorgronden, maar hij wist niet precies waarom. Na enige tijd kwam ze kennelijk tot een besluit en ze ontspande haar mond.

'Niemand gaat dat geld houden. Als we het vinden, leveren we het in.'

'Prima.'

'Ben je het daarmee eens?'

'Ik zei dat ik het prima vond.'

'Je vriend Chee ook?'

'Hij heeft me die auto geleend. Voor zover ik weet, weet hij niet eens van het geld af. Als je hem wilt spreken, gaan we naar hem toe. Dan kun je het hem zelf vragen.'

Pollard nam hem nog even aandachtig op en haalde toen enkele vellen papier uit de map.

'Marchenko's vriendin heette Alison Whitt. Ze was een prostituee.'

Pollard kwam met de papieren naar hem toe en gaf ze aan hem. Holman bekeek het bovenste vel terwijl Pollard praatte en zag dat het een kopie van een proces-verbaal van de LAPD was met de persoonsgegevens van een blanke vrouw, genaamd Alison Whitt. De zwart-witafdruk van de politiefoto was onduidelijk, maar ze leek nog een kind, fris van het platteland, met lichtblond haar.

'Ongeveer twee uur voor jouw zoon en de andere drie agenten zijn vermoord, is Whitt vermoord.'

Pollard praatte door, maar Holman hoorde niet meer wat ze zei. Er schoten beelden door zijn hoofd die haar overstemden en hem bang maakten: Fowler en Richie in een donker steegje, gezichten verlicht door het vuur uit de lopen van hun wapens. Holman hoorde zichzelf nauwelijks praten.

'Hebben ze haar vermoord?'

'Dat weet ik niet.'

Holman kneep zijn ogen dicht en deed ze weer open in een poging de beelden te verdrijven, maar terwijl Pollard verder praatte werd Richies gezicht alleen maar groter, verlicht door de stille flits van zijn pistool.

'Fowler heeft haar gebeld op de donderdag dat ze onder de modder terugkwamen. Ze hebben die middag twaalf minuten met elkaar gesproken. Die avond was de avond dat Fowler en Richard laat op pad waren en terugkwamen met vuile schoenen.'

Holman stond op en liep om zijn bed heen naar de airconditioner om de nachtmerrie in zijn hoofd te ontvluchten. Hij richtte zijn blik op de foto van de acht jaar oude Richie op zijn ladekast, een jongetje nog, geen dief en geen moordenaar.

'Ze hebben haar vermoord. Ze heeft ze verteld waar het geld was, of misschien heeft ze gelogen of zo en hebben ze haar vermoord.'

'Schei uit, Holman. De aandacht van de politie gaat uit naar hoerenlopers en klanten die ze overdag op haar werk kan hebben ontmoet. De prostitutie was iets voor af en toe. Ze was serveerster in de Mayan Grille, een restaurant op Sunset.'

'Wat een onzin. Het is te toevallig dat zij dezelfde avond is vermoord.'

'Ik denk ook dat het onzin is, maar de kerels die deze zaak onderzoeken, weten waarschijnlijk niet dat ze Marchenko kende. Vergeet de vijfde man niet. We weten nu van vijf mensen in Fowlers groep en er zijn er maar vier dood. De vijfde man zou de schutter kunnen zijn.'

Holman was de vijfde man helemaal vergeten, maar nu klampte hij zich aan die gedachte vast als aan een reddingsboei. De vijfde man had ook geprobeerd Allie te vinden en nu waren alle anderen dood. Hij moest opeens aan Maria Juarez denken.

'Weet je al iets meer over de vrouw van Juarez?'

'Ik heb het vanochtend met een vriendin van me over haar gehad. De LAPD houdt vol dat ze is gevlucht.'

'Ze is niet gevlucht. Ze is opgepakt. Die vent die mij heeft aangehouden heeft haar meegenomen, die Vukovich. Hij werkt samen met Random.'

'Mijn vriendin zoekt het uit. Ze probeert de videoband te pakken te krijgen die Maria van haar man heeft gemaakt. Ik weet wel dat Random beweert dat het een trucopname is, dat heb je verteld, maar onze mensen kunnen hem ook onderzoeken en wij hebben de beste mensen ter wereld.'

Onze. Alsof ze nog bij de FBI werkte.

'Kan ik nog op je hulp rekenen?' vroeg Holman.

Ze aarzelde en liep naar de deur met haar map.

'Als je maar niet tegen me liegt.'

'Ik lieg niet.'

'Dat is je geraden. Kleed je aan. Ik wacht beneden in de auto.'

Holman keek toe terwijl Pollard de kamer uit liep en haastte zich naar de badkamer.

36

De Mayan Grille was een klein restaurant op Sunset Boulevard in de buurt van Fairfax waar alleen ontbijt en lunch werden geserveerd. Het was er druk. Er stonden mensen op de stoep te wachten en de tafeltjes op het terras waren allemaal bezet door jonge, knappe mensen die pannenkoeken en omeletten aten. Holman had een hekel aan het restaurant zodra hij het zag en hij had een hekel aan de mensen buiten. Hij dacht er op dat moment niet echt over na, maar alleen al hun aanblik deed hem walgen.

Holman had geen woord gezegd tijdens de rit naar de Mayan Grille. Hij had gedaan of hij naar Pollard luisterde, die hem op de hoogte bracht van de informatie over Alison Whitt, maar hij had vooral aan Richie gedacht. Hij vroeg zich af of criminele neigingen erfelijk waren, zoals Donna had gevreesd, of dat een slechte jeugd iemand tot crimineel gedrag kon aanzetten. In beide gevallen lag de oorzaak bij hem, meende Holman. Die gedachten hadden hem somber gestemd en hij sjokte achter Pollard aan tussen de mensen door het restaurant in.

Binnen was het ook druk. Holman en Pollard stuitten op een muur van mensen die allemaal wachtten tot er een tafel vrijkwam. Pollard had moeite over de mensen heen te kijken, maar Holman, die langer was dan vrijwel iedereen, kon alles goed zien. De jongens droegen bijna allemaal een slobberige spijkerbroek en een T-shirt en de meeste meisjes hadden een naveltruitje aan dat uitzicht bood op de tatoeage onder aan hun rug. Men had kennelijk meer interesse in kletsen dan in eten, want de meeste borden waren vol. Holman concludeerde dat deze mensen geen baan hadden, in de showbusiness werkten of allebei. Holman en Chee gingen vroeger op parkeerterreinen van dit soort restaurants op zoek naar auto's die ze konden stelen.

Pollard zei: 'In het politierapport staat dat een van de serveersters, een zekere Marki Collen, goed bevriend was met Whitt. Haar willen we spreken.'

'En als ze er niet is?'

'Ik heb van tevoren gebeld. We moeten haar alleen zover krijgen dat ze met ons wil praten. Dat zal niet makkelijk worden als het zo druk is.'

Pollard zei dat hij moest wachten en wurmde zich tussen de mensen door naar een gastvrouw die een intekenlijst voor wachtende klanten bijhield. Holman zag dat ze met elkaar spraken en dat er iemand, een manager zo te zien, bij hen kwam staan. De manager wees naar een serveerster die samen met een hulpkelner een tafel afruimde en schudde zijn hoofd. Pollard keek niet blij toen ze terugkwam.

'Er staan twintig mensen op een tafeltje te wachten, hij heeft te weinig personeel en hij wil niet dat ze pauze neemt. Het zal nog wel even duren voor ze met ons kan praten. Zullen we koffie gaan drinken en dan terugkomen als ze vrij is?'

Holman wilde niet wachten of ergens anders heen. Moest hij dan een beetje gaan rondlummelen omdat een stelletje Hollywood *wannabe's* die niets beters te doen hadden dan over hun laatste auditie ouwehoeren, eten bestelden dat ze niet opaten? Holman, die toch al in een slecht humeur was, werd nog chagrijniger.

'Dat is ze, die meid achterin die hij aanwees?'

'Ja. Marki Collen.'

'Kom mee.'

Holman baande zich een weg tussen de mensen door langs de gastvrouw en liep naar het tafeltje. De hulpkelner had het net schoongemaakt en was opnieuw aan het dekken. Holman trok een stoel onder het tafeltje uit en ging zitten, maar Pollard aarzelde. De gastvrouw had al tegen twee mannen gezegd dat er plaats was, maar nu zag ze dat Holman aan het tafeltje was gaan zitten en was ze woest.

'Dat kunnen we niet maken. Straks gooien ze ons eruit,' zei Pollard.

Om de dooie dood niet, dacht Holman.

'Dat doen ze heus niet.'

'We hebben hun medewerking nodig.'

'Geloof me nou maar. Het zijn acteurs.'

Marki Collen bracht net een bestelling naar het tafeltje achter Holman. Ze zag er verhit uit, zoals alle serveersters en hulpkelners in het restaurant. Holman diepte Chees geld op en hield de stapel biljetten uit het zicht onder de tafel. Hij leunde naar achteren en tikte Marki op de heup.

'Ik kom zo bij u, meneer.'

'Kijk eens, Marki.'

Bij het horen van haar naam keek ze om en Holman liet haar een opgevouwen briefje van honderd zien. Hij lette op haar ogen om er zeker van te zijn dat het tot haar doordrong en liet het in haar schortje glijden.

'Zeg tegen de gastvrouw dat ik een bekende ben en dat jij hebt gezegd dat we dit tafeltje konden nemen.'

De gastvrouw had de manager geroepen en nu kwamen ze samen op het tafeltje afgestevend met de twee mannen in hun kielzog. Holman zag dat Marki hen staande hield, maar ergens hoopte hij dat de twee kerels die het tafeltje wilden hebben hem een grote mond zouden geven. Holman had zin hen het hele restaurant door te schoppen, zo Sunset Boulevard op.

Pollard legde haar hand op zijn arm.

'Schei uit, joh. Kijk niet zo naar ze. Jezus, waarom doe je zo vijandig?'

'Hoe bedoel je?'

'Wil je met ze gaan vechten om zo'n rottafeltje? Je bent niet meer op de luchtplaats, hoor, Holman. We zijn hier om met dat meisje te praten.'

Holman besefte dat ze gelijk had. Hij keek hen aan met bajesogen. Holman dwong zichzelf de andere kant op te kijken. Hij wierp een blik op de tafeltjes om hen heen. Vrijwel alle mannen in het restaurant waren van Richies leeftijd. Holman zei tegen zichzelf dat hij daarom zo boos was. Deze mensen zaten pannenkoeken naar binnen te werken, maar Richie lag in een lijkzak in het mortuarium.

'Je hebt gelijk. Sorry.'

'Ontspan je een beetje.'

Marki maakte het in orde met de manager en kwam naar de tafel terug met een grote glimlach en twee menukaarten.

'Dat was gaaf, meneer. Heb ik u al eerder bediend?'

'Nee, daar heeft het niets mee te maken. We willen je wat vragen over Alison Whitt. We hebben begrepen dat jullie met elkaar bevriend waren.'

De naam Alison liet Marki kennelijk volkomen koud. Ze haalde alleen haar schouders op en bleef met haar blocnote in de aanslag staan alsof ze op hun bestelling wachtte.

'Ja, zo'n beetje. We waren maatjes hier in het restaurant. Moet je luisteren, het komt nu niet zo goed uit. Ik zit met al de tafeltjes.'

'Je kunt wel wat fooien mislopen voor die honderd dollar.'

Marki haalde opnieuw haar schouders op en verplaatste haar gewicht.

'De politie heeft al met me gepraat. Ze hebben met iedereen hier gepraat. Ik weet niet wat ik verder nog moet zeggen.'

Pollard zei: 'Wij zijn niet zozeer geïnteresseerd in haar dood, als wel in een voormalig vriendje. Wist je dat ze als prostituee werkte?'

Marki giechelde zenuwachtig en keek even naar de dichtstbijzijnde tafeltjes om te zien of er niemand meeluisterde. Toen liet ze haar stem dalen.

'Ja, natuurlijk. De politie heeft het tegen iedereen verteld. Daar hebben ze ons allerlei vragen over gesteld.'

'Op haar strafblad staan twee arrestaties van ongeveer een jaar geleden, maar dat zijn de laatste. Deed ze het nog wel?'

'O, ja. Dat kind was wild, ze kickte op dat leven. Ze kwam altijd met de meest fantastische verhalen.'

Holman hield een oogje op de manager, die pisnijdig was en hen in de gaten hield. Holman had het sterke vermoeden dat hij naar hen toe zou komen omdat Marki stond te praten in plaats van te werken.

Holman zei: 'Weet je wat, Marki? Neem een paar bestellingen op, zodat je baas niet over de rooie gaat, en kom dan terug om die verhalen te vertellen. Ondertussen bekijken wij de kaart.'

Toen ze wegliep, boog Pollard zich naar hem toe.

'Heb je dat meisje honderd dollar gegeven?'

'Hoezo?'

'Ik zoek geen ruzie met je, Holman.'

'Ja. Honderd.'

'Lieve hemel. Misschien had ik me toch door je moeten laten betalen.'

'Geld van Chee. Je zou er je handen niet aan vuil willen maken.'

Pollard keek hem sprakeloos aan. Holman schaamde zich opeens en sloeg zijn ogen neer. Hij was in een bijzonder slecht humeur en moest zich zien te beheersen. Hij richtte zijn blik op de menukaart.

'Wil je iets eten? Als we hier toch zijn, kunnen we net zo goed iets eten.'

'Lazer toch op.'

Holman staarde naar het menu tot Marki terugkwam. Marki zei dat ze eventjes kon blijven praten en Pollard ging verder met het gesprek alsof Holman zichzelf niet zojuist belachelijk had gemaakt.

'Vertelde ze wel eens iets over haar klanten?'

'Ze had grappige verhalen over haar klanten. Er zaten beroemdheden bij.'

'We zijn op zoek naar informatie over een vent die ze zo'n vijf maanden geleden kende. Het zou kunnen dat hij haar vriendje was, maar waarschijnlijk was het een klant. Hij had een ongebruikelijke naam: Anton Marchenko. Een Oekraïner.'

Marki glimlachte. Ze herkende de naam onmiddellijk.

'Dat was de piraat. Martin, Marko, Mar-nog-wat.'

'Marchenko.'

'Hoezo was hij een piraat?' vroeg Holman.

Haar glimlach vloeide langzaam over in gegiechel.

'Omdat hij daarop geilde. Allie zei dat hij niet kon klaarkomen als hij niet deed alsof hij een stoere piraat was, je weet wel, jo-ho-ho en een grote fles rum, dat hij een leven vol avontuur leidde en een grote verborgen schat had.'

Holman keek even naar Pollard en zag dat haar mondhoeken krulden. Ze beantwoordde zijn blik en knikte. Ze hadden iets.

Holman richtte zijn aandacht weer op Marki en trok zijn vriendelijkste glimlach.

'Dat meen je niet. Zei hij tegen haar dat hij een verborgen schat had?'

'Hij vertelde allerlei rare dingen. Hij nam haar altijd mee naar de Hollywood Sign. Daar moest hij het doen. Hij wilde haar nooit meenemen naar zijn huis en wilde het ook nooit in de auto doen of in een motel. Ze moesten naar de Hollywood Sign klimmen, zodat hij zijn toespraken kon houden en kon uitkijken over zijn rijk.'

Marki giechelde weer, maar Holman zag een probleem.

'Zei Allie dat ze naar de Hollywood Sign gingen?' vroeg hij.

'Ja. Een keer of vijf.'

'Daar kun je helemaal niet bij komen. Er staan hekken omheen en het wordt bewaakt met camera's.'

Marki keek even verbaasd en haalde toen onverschillig haar schouders op.

'Nou, dat heeft ze me verteld. Ze zei dat het een ramp was omdat je helemaal naar boven moest klimmen, maar die vent bulkte van het geld. Hij betaalde haar duizend dollar voor alleen, je weet wel, oraal. Ze zei dat ze de hele dag wel naar boven wilde klimmen voor duizend dollar.'

Het tafeltje naast hen wenkte Marki, zodat Holman en Pollard opnieuw alleen waren. Holman had zijn twijfels over Allies verhaal over de bezoekjes aan de Hollywood Sign.

'Ik ben er geweest. Je kunt in de buurt komen, maar je kunt er niet bij komen. Ze hebben overal videocamera's daarboven. Ze hebben zelfs bewegingsdetectoren,' zei Holman.

'Ja, maar dan nog, het klinkt best aannemelijk. Marchenko en Parsons woonden in Beachwood Canyon. De Hollywood Sign staat precies boven op hun heuvel. Misschien hebben ze het geld daar boven verstopt.'

'Je zou nergens rond dat monument zestien miljoen dollar kunnen begraven. Zestien miljoen dollar neemt veel plaats in.'

'We zien het wel als we er zijn. We gaan een kijkje nemen.'

Holman had nog zo zijn twijfels, maar toen Marki terugkwam, ging Pollard verder met haar vragen.

'We zijn bijna klaar, Marki. Je bent zo van ons af.'

'Ik kan wel wat fooien mislopen voor honderd dollar, zoals hij al zei.'

'Wist Allie waarom het altijd bij het monument moest gebeuren?'

'Dat weet ik niet. Hij ging er gewoon graag heen.'

'Goed, je zei iets over toespraken. Wat voor soort toespraken stak hij af?'

Marki kreeg rimpels in haar gezicht van het nadenken.

'Geen echte toespraken misschien, meer doen alsof. Alsof hij een piraat was en haar had gekidnapt, dat hij haar zou neuken op al zijn gestolen schatten. Ze moest doen alsof ze daar heel geil van werd, je weet wel, alsof het heel opwindend zou zijn om op al die harde gouden munten genaaid te worden.'

Pollard knikte haar bemoedigend toe.

'Alsof dat hem een kick gaf, het op het geld doen?'

'Ik denk het.'

Pollard keek opnieuw naar Holman en deze keer haalde Holman zijn schouders op. Al had Marchenko fantasieën over palen op poen gehad, dan nog kon Holman zich niet voorstellen dat je zestien miljoen in contanten op zo'n openbare plaats neerlegde. Toen schoot hem te binnen dat Richie en Fowler onder het gras en de modder thuis waren gekomen.

'Heb je de politie over Marchenko verteld toen ze hier waren?' vroeg Holman.

Marki keek verbaasd.

'Had dat gemoeten? Het was al zo lang geleden.'

'Nee. Ik vroeg me alleen af of ze ernaar hadden gevraagd.'

Holman was klaar om weg te gaan, maar Pollard lette niet op hem.

'Goed, nog één ding. Weet je hoe Allie met die vent in contact is gekomen?' vroeg Pollard.

'Nee.'

'Had ze een madam, of werkte ze voor een escortservice?'

Marki kreeg opnieuw rimpels in haar gezicht.

'Ze had iemand die op haar paste, maar het was geen pooier of zo.'

'Wat wil dat zeggen, dat iemand op haar paste?' vroeg Holman.

'Het klinkt een beetje raar. Ze zei tegen me dat ik het niet mocht doorvertellen.'

'Allie is dood. Dat verbod heeft zijn tijd gehad.'

'Nou, goed dan. Allie werkte voor de politie. Ze zei dat ze zich geen zorgen hoefde te maken over problemen met de politie, omdat ze een vriend had die dat kon oplossen. Ze kreeg zelfs betaald als ze ze over haar klanten vertelde.'

Toen Holman even naar Pollard keek, zag hij dat Pollard wit was weggetrokken.

'Alison was een betaalde informant?'

Marki glimlachte ongemakkelijk en haalde haar schouders op.

'Ze werd er niet rijk van of zo. Ze vertelde me dat ze een soort limiet op het bedrag hadden. Elke keer als zij wat geld wilde, moest die vent daar toestemming voor vragen.'

'Heeft ze je verteld voor wie ze werkte?' vroeg Holman.

'Uh-uh.'

Holman keek opnieuw naar Pollard, maar Pollard zag nog wit. Holman legde zijn hand op haar arm.

'Nog iets anders?'

Pollard schudde haar hoofd.

Holman haalde nog een briefje van honderd van het stapeltje en drukte het Marki in de hand.

37

Peg Entwistle, een depressieve actrice, beroofde zichzelf in 1932 van het leven door van de letter H af te springen. De letters waren, en zijn, vijftien meter hoog en in die tijd strekte het monument op de top van Mount Lee in de Hollywood Hills zich uit over een lengte van zo'n honderdveertig meter. Na jaren van verwaarlozing werd de Hollywood Sign aan het einde van de jaren zeventig herbouwd, maar vandalen en asocialen eisten hun tol, zodat de autoriteiten niet lang daarna het terrein voor het publiek afsloten. Ze zetten hekken, bewakingscamera's, infraroodlampen en bewegingsdetectoren om het monument heen. Het leek wel of ze Fort Knox bewaakten, iets waar Holman zich terdege van bewust was toen hij Pollard naar het hoogste punt van Beachwood Canyon leidde. Holman was in zijn jeugd vaak bij het monument geweest.

Pollard vertrouwde het niet.

'Weet jij hoe je er moet komen?'

'Ja. We zijn er bijna.'

'Ik dacht dat we door Griffith Park moesten.'

'Nee, we kunnen beter zo. We gaan naar een weggetje dat ik ken.'

Holman geloofde nog steeds niet dat ze iets zouden vinden, maar hij wist dat ze moesten gaan kijken. Elke nieuwe ontdekking die ze deden bracht hen weer bij de politie en nu wisten ze dat Alison Whitt ook in contact had gestaan met een agent. Als Whitt deze persoon over Anton Marchenko had verteld, had de politie wellicht ook van de Hollywood Sign geweten. Uit de combinatie van het monument en Marchenko's fantasie zouden ze hun conclusies hebben getrokken en tot het besluit zijn gekomen dat er op het terrein moest worden gezocht. Richie had misschien deelgenomen aan deze zoektocht. Holman vroeg zich af of Alison Whitt Marchenko op het nieuws had gezien. Dat zou haast wel. Ze had waarschijnlijk begrepen dat haar piraat de bankovervaller was en toen alles wat ze wist tegen haar politieman verteld. Dat was waarschijnlijk de aanleiding van haar dood geweest.

'Die canyons zijn hopeloos,' zei Pollard, 'ik krijg hier geen signaal voor mijn mobiel.'

'Wil je terug?'

'Nee, ik wil niet terug. Ik wil controleren of dat meisje werkelijk een informant was of niet.'

'Hebben ze een informantenhotline die je kunt bellen?'

'Dat is niet grappig, Holman.'

Ze klommen langzaam door smalle slingerende straatjes almaar hoger Beachwood Canyon in. De Hollywood Sign werd steeds groter, soms zichtbaar tussen de huizen en bomen en soms aan het oog onttrokken door de berg. Toen ze op de top van de heuvelrug kwamen, zei Holman dat ze moest stoppen.

'Rustig aan. We zijn er bijna. Je kunt voor die huizen daar parkeren.'

Pollard zette de auto aan de kant en ze stapten uit. De straat eindigde abrupt bij een groot hek. Het hek zat op slot en er hing een groot bord op met de tekst: VERBODEN VOOR ONBEVOEGDEN.

Pollard keek bedenkelijk toen ze het bord zag.

'Is dit jouw kortere weg? Dat hek zit dicht.'

'Het is een brandlaan. We kunnen hem volgen om de top heen naar de achterkant van het monument. Het is een paar kilometer korter dan via Griffith Park. Ik ben hier als kind zo vaak geweest.'

Pollard tikte op het bord, GESLOTEN.

'Heb je je ooit wél aan de wet gehouden?'

'Nee, eigenlijk niet.'

'Allemachtig.'

Pollard wurmde zich aan de zijkant om het hek heen. Holman ging achter haar aan en ze begonnen te klimmen. Het was steiler dan Holman zich herinnerde, maar hij was ouder en in slechte conditie. Hij liep algauw te hijgen, maar Pollard ging het kennelijk gemakkelijk af. De brandlaan kwam uit op een verharde weg en de verharde weg werd steiler toen hij een bocht maakte naar de achterkant van de berg. De Hollywood Sign verdween uit het zicht, maar de zendmast die erboven stond werd steeds groter.

'Die gasten hebben al dat geld heus niet hierheen gebracht. Het is veel te ver,' zei Holman.

'Marchenko nam zijn vriendinnetje mee hierheen.'

'Zij kon lopen. Zou jij hier zestien miljoen laten rondslingeren?'

'Ik zou ook geen dertien banken beroven en een vuurgevecht met de politie beginnen.'

De weg slingerde achter de berg langs toen ze in de buurt van de top kwamen, maar maakte weer een bocht naar de voorkant en opeens lag heel Los Angeles aan hun voeten, zo ver als Holman kon kijken. Catalina Island zweefde bijna tachtig kilometer naar het zuidwesten in de mist. Aan de plompe cilinder van het Capital Records Building was Hollywood te herkennen en groepjes dicht op elkaar staande wolkenkrabbers staken van het centrum tot Century City omhoog als eilanden in zee.

'Wauw,' zei Pollard.

Het uitzicht interesseerde Holman geen zier. De Hollywood Sign lag ongeveer tien meter onder hen achter een groene twee meter hoge afrastering die de weg volgde. De radiozendmast, waar aan alle kanten antennes en satellietontvangers uit staken, stond aan het einde van de weg, omringd door nog meer hekken. Holman gebaarde met zijn hand naar het monument.

'Daar staat het. Denk je nu nog steeds dat ze het geld hierboven hebben begraven?'

Pollard haakte haar vingers in het hek en tuurde omlaag naar het monument. De helling was steil. De onderkant van de letters was niet te zien, die zat een stuk lager.

'Jeetje mina. Kun je daar komen?' vroeg Pollard.

'Alleen als we over het hek klimmen, maar het hek is niet het grootste probleem. Zie je die camera's?'

Op verschillende metalen masten bij het hek van het zendstation waren bewakingscamera's gemonteerd, die allemaal op het monument waren gericht.

'Die camera's houden het monument vierentwintig uur per dag in de gaten. Ze hebben over de hele lengte van het monument camera's en nog meer camera's aan de voet, zodat ze het van alle kanten kunnen zien. Ze hebben ook infrarood, zodat ze het 's nachts in de gaten kunnen houden en er zijn bewegingsdetectoren,' zei Holman.

Pollard ging op haar tenen staan en probeerde zo ver mogelijk de helling af te kijken. Vervolgens keek ze met samengeknepen ogen naar het zendstation. Bij het station wemelde het ook van de camera's. Aan de andere kant van de weg lag een steile helling die nog zo'n tien meter omhoogliep naar de top. Pollard keek naar de top en toen weer naar de camera's.

'Wie zit er aan het andere eind van de camera's?'

'De Park Service. Parkopzichters houden dit ding zeven dagen per week dag en nacht in de gaten.'

Pollard keek nogmaals omhoog.

'Wat zit daarboven?'

'Onkruid. Dat is gewoon de top van de heuvel. Er staan nog wat oude spullen voor geologisch onderzoek, maar dat is alles.'

Pollard begaf zich op weg naar het zendstation en Holman liep achter haar aan. Ze bleef van tijd tot tijd staan om omlaag te kijken naar het monument.

'Kunnen we van onderaf bij het monument komen?' vroeg ze.

'Nee, daar hebben ze bewegingsdetectoren. De camera's beneden bestrijken de hellingen.'

'Verdomme, wat is het steil. Is het onder aan de letters vlakker?'

'Een beetje, maar niet veel. Het lijkt eerder op een breed stuk in een pad. Het monument is min of meer in de flank van de berg gezet.'

Rond het zendstation stond een nog hogere afrastering. Boven op de tweeënhalve meter hoge afrastering zat prikkeldraad. De weg waar ze op stonden, liep dood op een hek dat als een muur dwars over de weg stond. Ze waren ingesloten door de steile helling aan de ene kant, de afrastering aan de andere kant en het hek voor hen. Het was net of ze in een tunnel van harmonicagaas stonden, vond Holman.

'Aan de andere kant van de zendmast schijnt een helikopterplatform te zijn, maar dat heb ik nooit gezien. Zo komen ze naar boven als het alarm afgaat. Ze sturen een helikopter.'

Pollard tuurde omhoog naar de camera's en daarna achterom naar de weg waarlangs ze waren gekomen. Ze was teleurgesteld.

'Je had gelijk, Holman. Het is verschrikkelijk goed beveiligd.'

Holman probeerde zich voor te stellen dat Richie en Fowler en de andere twee politieagenten hier midden in de nacht kwamen, maar het lukte niet. Als ze het vermoeden hadden gehad dat Marchenko het geld bij of in de buurt van het monument had verborgen, waar en hoe zouden ze dan zijn gaan zoeken? Het terrein waar de Hollywood Sign op stond, was groot en zelfs politiemensen konden niet bij het monument komen zonder door de parkwachters gezien te worden. Misschien hadden ze tegen de parkwachters gezegd dat ze bezig waren met een officieel politieonderzoek, maar de kans daarop was klein. Het zou een slechte zet zijn geweest, vooral als ze 's nachts waren gaan zoeken. Dat zou verbazing hebben gewekt bij de parkwachters en er zouden verhalen over de nachtelijke zoektocht de ronde zijn gaan doen. Als ze hadden geprobeerd de parkwachters iets op de mouw te spelden, zouden ze overdag zijn gaan zoeken. Als ze hier 's nachts waren geweest, moesten ze hun zoektocht wel geheim hebben gehouden.

'Weet je waar ik aan denk?' vroeg Pollard.

'Nou?'

'Aan pijpen.'

Holman voelde dat hij bloosde. Hij keek de andere kant op en schraapte zijn keel.

'O ja?'

Pollard draaide een rondje om haar as, terwijl ze met gespreide armen naar de omgeving wees.

'Marchenko neemt haar mee hiernaartoe om seks te hebben, dus wat deed hij dan, liet hij gewoon midden op de weg zijn broek zakken om gepijpt te worden? Er hangen overal camera's. Er zou iemand aan kunnen komen. Je hebt hier geen enkele privacy. Het is een waardeloze plek om iemand te pijpen.'

Holman werd er verlegen van dat Pollard over seks praatte. Hij keek even haar kant op, maar kon zichzelf er niet toe brengen oogcontact te maken. Opeens draaide ze zich om en keek omhoog naar de steile helling die boven hen uit rees.

'Kun je op de top komen?'

'Ja, maar daar is niks te zien.'

'Daarom wil ik er juist heen.'

Holman besefte dat ze gelijk had. De top was de enige plek op de heuvel waar je privacy had.

Ze wurmden zich tussen de heuvel en het hek bij het zendstation door en klauterden omhoog over een smal, steil pad. Pollard viel twee keer op haar knieën, maar algauw bereikten ze de top en kwamen ze op een kleine open plek boven op de heuvel. Hierboven stonden alleen de instrumenten voor geologisch onderzoek die Holman zich herinnerde en verder struikgewas. Pollard keek om zich heen naar het panoramische uitzicht en glimlachte.

'Dat bedoel ik nou! Als ze dat heel erge deden, dan is dit de juiste plek.'

Pollard had gelijk. Vanaf de open plek konden ze zien of er iemand aankwam over de brandlaan. De camera's die bij het hek stonden, bevonden zich onder hen en waren de andere kant op gericht, op het monument. Niemand hield de top in de gaten.

Maar Holman geloofde nog steeds niet dat Marchenko en Parsons hun geld hierboven hadden begraven. Omdat het zo veel was, zouden ze het in een paar keer naar boven hebben moeten brengen en daarbij elke keer het risico hebben gelopen dat ze werden ontdekt. Zelfs als ze zo stom waren geweest om het geld hierheen te brengen, zou de kuil die nodig was om het te begraven vijf of zes koffers groot moeten zijn geweest. Het was niet eenvoudig zo'n kuil te graven in de rotsachtige bodem, en iedereen die op de top kwam, zou het grote stuk omgewoelde aarde direct zien.

Holman wees op de voetafdrukken en slepende sporen die overal op de open plek zichtbaar waren.

'Het kan best dat hij hier met het meisje is geweest, maar ik kan me echt niet voorstellen dat ze het geld hierheen hebben gebracht. Zie je al die voetafdrukken? Er moeten hier heel vaak wandelaars komen.'

Pollard keek aandachtig naar de afdrukken en liep toen een rondje langs de rand van de open plek. Ze scheen alles van verschillende kanten te bestuderen.

'Deze heuvel is niet erg groot. Er is hierboven niet veel ruimte,' zei ze.

'Dat bedoel ik nou juist.'

Pollard keek omlaag naar Hollywood.

'Maar waarom moest hij dan hierheen om met dat meisje te vrijen? Hij had overal kunnen doen alsof hij piraat was.'

Holman haalde zijn schouders op.

'Waarom zou hij dertien banken beroven gekleed als commando? Sommige mensen zijn nu eenmaal gek.'

Holman wist niet zeker of ze hem had gehoord. Ze stond nog steeds omlaag te kijken naar Hollywood. Toen schudde ze haar hoofd.

'Nee, Holman, hierheen komen was belangrijk voor hem. Het betekende iets. Dat is een van de dingen die ze ons in Quantico hebben geleerd. Zelfs gekte betekent iets.'

'Denk je dat het geld hier lag?'

Ze schudde haar hoofd, maar ze keek nog steeds omlaag naar de canyon.

'Nee. Nee, daar heb je gelijk in. Ze hebben hierboven geen zestien miljoen dollar begraven en Fowler en jouw zoon hebben het geld beslist niet gevonden en opgegraven. Dat gat zou zo groot zijn geweest als een bomkrater.'

'Zeker.'

Ze wees omlaag naar de stad.

'Maar hij woonde precies daar beneden in Beachwood Canyon. Zie je? Elke dag als hij zijn flat uit kwam en omhoogkeek, kon hij het monument zien. Misschien bewaarden ze het geld niet in hun flat en hadden ze het ook niet hierboven verstopt, maar om de een of andere reden voelde hij zich hier veilig en machtig. Daarom nam hij het meisje hier mee naartoe.'

'Je kunt kilometers ver kijken. Misschien kreeg hij daardoor het gevoel dat hij in een kraaiennest zat, zoals op een van die oude zeilschepen.'

Pollard keek nog steeds niet zijn kant op. Ze tuurde omlaag naar Beachwood Canyon alsof de antwoorden op al haar vragen daar voor het grijpen lagen.

'Dat denk ik niet, Holman. Weet je nog wat Alison tegen Marki had verteld? Het moest altijd hier gebeuren. Hij kon niet klaarkomen zonder zijn fantasieën en zijn fantasieën gingen over een schat, over seks hebben op het geld. Geld staat gelijk aan macht. Macht staat gelijk aan seks. Als hij hier was, had hij het gevoel dat hij dicht bij zijn geld was en het geld gaf hem een gevoel van macht zodat hij seks kon hebben.'

Ze keek hem aan.

'Fowler en je zoon kunnen op elk stuk braakliggend terrein in L.A. modder en gras aan hun schoenen hebben gekregen, maar als ze wisten wat Alison wist, zijn ze hier geweest. Kijk om je heen. Zo groot is het niet. Kijk of je iets ziet.'

Pollard wandelde het struikgewas in en speurde de grond af alsof ze haar autosleutels had verloren. Holman vond het tijdverspilling, maar begon in tegenovergestelde richting te zoeken.

Het enige door mensen gemaakte voorwerp op de top was een instrument dat Holman op een metalen vogelverschrikker vond lijken. Holman had het eerder gezien. De vogelverschrikker was jaren geleden in de grond gezet en droeg het merkteken van de U.S. Geological Survey. Holman vermoedde dat het een instrument was dat seismische activiteit registreerde, maar zeker weten deed hij het niet.

Holman stond midden tussen het kreupelhout, drie meter achter het metalen skelet, toen hij de omgewoelde aarde vond.

'Pollard! Agent Pollard!'

Het was een klein, iets dieper liggend ovaal van ongeveer dertig centimeter doorsnee. De donkere, omgewoelde aarde in het midden stak af tegen de omliggende niet omgewoelde grond.

Pollard kwam bij hem staan en knielde neer bij de ovaal. Ze prikte met haar vingers in de omgewoelde aarde en voelde aan de grond eromheen. Ze schepte een hand losse aarde uit het midden, en nog een, en nog een. Door de losse grond weg te halen legde ze een harde rand bloot. Ze bleef losse aarde weghalen tot ze uiteindelijk achteruit op haar hurken ging zitten. Lang had het niet geduurd.

'Wat is het?' vroeg Holman.

Ze keek hem aan.

'Het is een gat... Holman. Zie je die harde rand waar de schep langs is gegleden? Iemand heeft iets opgegraven. Heb je dat kuiltje in het midden gezien? Iemand heeft iets weggehaald en daardoor kwamen ze aarde te kort toen ze het gat weer dichtgooiden. Vandaar dat kuiltje.'

'Iedereen kan dat gat hebben gegraven.'

'Ja, iedereen kan het hebben gegraven. Maar hoeveel mensen zouden hierboven gaan graven en wat zou er gelegen kunnen hebben dat iemand wilde weghalen?'

'Ze hadden zestien miljoen dollar. Je krijgt geen zestien miljoen dollar in zo'n klein gat.'

Pollard stond op en ze keken samen omlaag naar het gat.

'Nee, maar je zou iets kunnen verstoppen wat naar de zestien miljoen leidde: gps-coördinaten, een adres, sleutels...'

'Een schatkaart,' zei Holman.

'Ja. Zelfs de schatkaart van een piraat.'

Holman keek op, maar Pollard was al een stukje weggelopen. Hij keek opnieuw omlaag naar het gat en kreeg een hol gevoel in zijn hart. Het gat in zijn hart was groter dan deze kleine kuil en voelde groter dan de canyon onder de Hollywood Sign. Het was de leegte van een vader die tekortgeschoten was tegenover zijn enige kind, dat daardoor het leven had gelaten.

Richie was geen goed mens geweest.

Richie had achter het geld aan gezeten.

En nu had Richie de prijs betaald.

Holman hoorde de stem van Donna door de enorme leegte in zijn hart galmen en telkens dezelfde vier woorden herhalen: zo vader, zo zoon.

Pollard probeerde de modder van haar handen te boenen en wilde dat ze een verfrissingsdoekje had. Er zat aarde onder haar nagels en het zou heel wat moeite kosten om dat eronderuit te krijgen, maar het kon haar niet schelen. Pollard geloofde stellig dat het gat met Marchenko en Parsons en de zoektocht naar hun geld te maken had, maar geloof was geen bewijs. Ze klapte haar telefoon open. Aan de signaalbalk zag ze dat ze een uitstekende verbinding had, maar ze belde het nummer nog niet. Een man, vergezeld door een witte hond, wandelde over de brandlaan onder de top. Ze bleef een tijdje naar hen staan kijken, richtte haar blik toen op de camera's op de masten en kwam tot de conclusie dat ten minste één van de camera's een deel van de brandlaan in beeld had. De Park Service legde de video-opnamen vrijwel zeker vast, maar Pollard wist dat de meeste bewakingsvideo's digitaal op een harde schijf werden opgeslagen en werden overschreven wanneer de schijf vol raakte. De meeste opnamen van bewakingscamera's werden naar haar ervaring niet meer dan achtenveertig uur bewaard. Ze betwijfelde dat er nog beelden waren van het moment waarop Fowler en de andere politiemannen midden in de nacht over de brandlaan liepen, als die al bestaan hadden. Waarschijnlijk was een deel van de groep overdag al een keer een kijkje gaan nemen. Ze zouden de camera's hebben gezien en zouden hebben bedacht hoe ze ze konden vermijden, net zoals ze hadden bedacht hoe en waar ze zouden zoeken.

Pollard bestudeerde de omgeving en concludeerde dat het mogelijk was. Zij had met Holman de brandlaan gevolgd die met een boog om de top heen liep en bij het zendstation boven de Hollywood Sign uitkwam. De camera's filmden waarschijnlijk het deel van de weg vlak bij het monument en de zendmast, maar niemand hield de achterkant van de berg in de gaten. Pollard liep naar de rand van de top en bestudeerde de helling aan de achterkant. Hij was steil, maar het moest te doen zijn, dacht Pollard. Als Fowler in een vochtige nacht met slecht houvast de helling op was geklauterd, verklaarde dat ook de modder op zijn schoenen.

Pollard klapte opnieuw haar telefoon open en zocht het nummer van Sanders' mobiel op in het geheugen. Pollard wist dat Sanders niet op het bureau was, want ze nam op met een normale stem.

'Ik wil één ding weten, Pollard: waar zijn jij en de Heldhaftige Bandiet in godsnaam mee bezig?'

Pollard keek even naar Holman. Hij stond nog bij het gat aan de andere kant van de top. Ze liet haar stem dalen.

'Hetzelfde als gisteren en de dag daarvoor. Waarom?'

'Leeds wordt op zijn nek gezeten door de politie, daarom. Parker Center heeft al een paar keer gebeld en Leeds gaat naar vergaderingen waar hij niemand iets over wil vertellen en de stoom komt zo ondertussen uit zijn oren.'

'Heeft hij specifiek iets over mij gezegd?'

'Nou en of. Als we door jou werden benaderd, moesten we dat onmiddellijk melden, zei hij. En als een van ons onder werktijd met overheidsmiddelen iemand hielp bij een privéonderzoek, zou hij disciplinaire maatregelen nemen en die persoon zonder pardon overplaatsen naar Alaska. En toen keek hij naar mij.'

Pollard zweeg even en overwoog hoeveel ze moest zeggen.

'Waar ben je?'

'Bij de haven. Een of andere dakloze heeft een bankbediende een dreigbriefje onder zijn neus geduwd, is er met de kas vandoor gegaan en is vervolgens in het park aan de overkant van de straat in slaap gevallen.'

'Ga je vertellen dat ik je heb gebeld?'

'Overtreed je de wet?'

'Lieve hemel, nee, ik overtreed de wet niet.'

'Dan kan Leeds de pest krijgen. Ik wil alleen weten wat er aan de hand is.'

'Dat zal ik je vertellen, maar ik wil je eerst iets vragen. Heb je nog een kopie van de videoband van Juarez kunnen krijgen?'

Sanders gaf niet direct antwoord, maar toen ze begon te praten, klonk haar stem wantrouwig.

'Ze zeiden dat de tape was gewist. Een betreurenswaardig ongelukje, zeiden ze.'

'Wacht even – de band met het alibi van Juarez is vernietigd?'

'Dat zeiden ze.'

Pollard haalde een keer diep adem. Eerst was Maria Juarez verdwenen en nu was haar videoband vernietigd, de band waarvan Maria beweerde dat hij het alibi van haar echtgenoot vormde. Pollard moest onwillekeurig lachen, maar niet van plezier. Er was een warme wind komen opzetten die lekker in haar gezicht blies. Ze vond het fijn op de top.

'Ik zal je een paar dingen vertellen. Ik weet nog niet alles, dus je mag het aan niemand doorvertellen,' zei Pollard.

'Uiteraard.'

'Door wie wordt Leeds gebeld?'

'Dat weet ik niet. De telefoontjes zijn afkomstig van Parker Center en Leeds vertelt ons helemaal niets. Hij is zelfs al twee dagen niet op kantoor geweest.'

'Goed. Ik denk dat we te maken hebben met een crimineel complot van een aantal politieagenten dat teruggaat op de bankovervallen van Marchenko en Parsons. Bij dat complot horen ook de moord op Holmans zoon en de andere drie agenten onder de Fourth Street Bridge.'

'Dat meen je niet.'

Pollards telefoon piepte omdat er een gesprek binnenkwam.

'Wat is dat?' vroeg Sanders.

'Ander gesprek.'

Pollard herkende het nummer niet, dus liet ze het naar haar voicemail gaan. Ze hervatte haar gesprek met Sanders.

'We denken dat de vier dode politiemensen en ten minste één andere politieman op zoek waren naar de ontbrekende zestien miljoen.'

'En hebben ze die gevonden?'

'Ik denk het wel, of in elk geval de plaats waar die miljoenen lagen. Toen het geld eenmaal was gevonden, heeft ten minste één lid van die groep besloten alles voor zichzelf te houden, vermoed ik. Dat weet ik nog niet zeker, maar dat dat complot bestaat, staat buiten kijf. Volgens mij stond die vijfde persoon in contact met Alison Whitt.'

'En wat was de rol van Whitt?'

'Alison Whitt beweerde dat ze een officiële politie-informant was. Als dat waar is, heeft ze haar contactpersoon wellicht verteld wat ze van Marchenko wist. Die politieman zat mogelijk in het complot.'

Sanders aarzelde.

'Je wilt dat ik uitzoek wie haar contactpersoon was.'

'Als ze een officiële informant was, staat haar naam genoteerd en dat geldt ook voor de politieman die haar heeft gecontracteerd.'

'Dat zal niet makkelijk worden. Ik heb je toch verteld dat ze ons op de vingers hebben getikt.'

'Parker Center heeft jullie op de vingers getikt. De moord op Whitt wordt op divisieniveau behandeld door het bureau in Hollywood. Misschien krijg je daar nog wel enige medewerking.'

'Goed. Oké, ja, ik zal zien wat ik kan doen. Denk je echt dat dit een moord is van politiemensen onderling?'

'Daar ziet het naar uit.'

'Maar dan kun je dat toch niet voor je houden. Je bent een burger. Je hebt het wel over moord, hoor.'

'Zodra ik harde bewijzen heb, krijg je ze van me. Dan kun jij het via de FBI aan de orde stellen. Nog één ding –'

'Jezus, nog meer?'

'Dit moet je gewoon weten. Mike Fowler had op het plaatsje in zijn achtertuin een paar vuile schoenen staan. Er moeten monsters van de aarde en vegetatie op zijn schoenen worden genomen en worden vergeleken met grondmonsters van de heuveltop boven de Hollywood Sign.'

'Dé Hollywood Sign? Waarom daar in godsnaam?'

'Daar ben ik. Marchenko en Parsons hebben hierboven iets verborgen wat verband hield met hun bankovervallen. Volgens mij zijn Fowler en Richard Holman hier geweest en hebben ze ernaar gezocht en ik denk dat ze iets gevonden hebben. Als jij straks de zaak aan de orde stelt, zul je willen weten of die monsters met elkaar overeenkomen.'

'Oké. Ik snap het. Hou me op de hoogte, wil je? Hou contact.'

'Laat me weten wanneer je iets over Whitt hebt gevonden.'

Pollard beëindigde het gesprek en luisterde haar voicemail af. Ze was gebeld door de assistente van Peter Williams van de Pacific West Bank.

'Meneer Williams heeft geregeld dat u de dossiers waar u om hebt gevraagd mag inzien. U zult ze hier in het gebouw tijdens kantooruren moeten lezen. Neem alstublieft contact op met mij of met het hoofd van onze beveiligingsafdeling, Alma Wantanabe, om een afspraak te maken.'

Pollard borg haar telefoon op en had zin triomfantelijk haar vuist in de lucht te steken. Williams had haar verzoek ingewilligd en nu begon alles op zijn plaats te vallen. Pollard had het gevoel dat ze vlak voor een doorbraak stonden en wilde de dossiers van Pacific West zo snel mogelijk bekijken.

Ze draaide zich om naar Holman en zag dat hij nu op zijn hurken naast het gat zat. Ze liep snel naar hem toe.

'Wat doe jij nou?' vroeg ze.

'Ik maak die kuil weer dicht. Straks breekt iemand zijn been nog.'

Holman zat met stijve werktuiglijke bewegingen de aarde langzaam terug te schuiven in het gat.

'Jaja, maar nu even niet meer met modder spelen. Kom mee. Pacific

West heeft een kopie van de politierapporten. Dat is mooi, Holman. Als we jouw voorbladen naast de rapporten leggen, kunnen we zien wat Random uit het bureau van je zoon heeft meegenomen.'

Holman stond op alsof hij van lood was gemaakt en begon af te dalen over het pad. Pollard vertelde wat ze te weten was gekomen over de videoband van Maria Juarez. Ze vond dit een veelzeggende ontwikkeling en ze werd nijdig toen Holman niet reageerde.

'Heb je me gehoord?' vroeg ze.

'Ja.'

'We zijn er bijna, Holman. Straks vinden we een ontbrekende schakel in die rapporten, of via het feit dat Whitt een informant was. Dan valt alles op zijn plaats. Dat wil je toch?'

Pollard werd kwaad toen hij geen antwoord gaf. Ze wilde net iets zeggen toen Holman eindelijk zijn mond opendeed.

'Ze hebben het dus kennelijk gedaan,' zei hij.

Pollard begreep wat hem dwarszat, maar ze wist niet wat ze moest zeggen. Holman was er waarschijnlijk op blijven hopen dat zijn zoon geen corrupte politieman was, maar nu was die hoop vervlogen.

'We moeten nog uitzoeken wat er is gebeurd.'

'Dat weet ik.'

'Het spijt me, Max.'

Holman liep zwijgend door.

Toen ze bij de auto kwamen, stapte Holman in zonder iets te zeggen, maar Pollard probeerde de moed erin te houden. Ze keerde de auto en reed door de canyon terug naar Hollywood, terwijl ze hem vertelde wat ze hoopte te vinden wanneer ze bij de Pacific West Bank waren.

'Ik wil niet naar Chinatown. Zou je me thuis willen brengen?' vroeg hij.

Pollard voelde de ergernis opnieuw opvlammen. Ze had medelijden met Holman vanwege alles wat hij doormaakte, maar nu zat hij daar met zijn brede schouders de helft van haar auto in beslag te nemen als een gigantisch depressief blok beton zonder zelfs maar naar haar te kijken. Hij deed haar aan zichzelf denken wanneer ze in de keuken naar die rotklok zat te staren.

'Zo lang zal het niet duren bij die bank,' zei ze.

'Ik heb iets anders te doen. Zet me eerst maar thuis af.'

Ze reden door Gower Street in de richting van de snelweg en moesten stoppen voor een stoplicht. Pollard was van plan de 101 te nemen zodat ze snel in Chinatown zouden zijn.

'Luister nou, Holman, we zijn er bijna, oké? We hebben deze zaak echt bijna opgelost.'

Hij keek haar niet aan.

'We kunnen hem later ook nog oplossen.'

'Verdomme, we zijn al bijna in Chinatown. Als ik jou naar Culver City moet brengen, moet ik een heel eind omrijden.'

'Laat dan maar. Ik neem de bus wel.'

Holman duwde opeens het portier open en stapte de rijbaan op. Daar had Pollard niet op gerekend, maar ze trapte op de rem.

'Holman!'

Er werd getoeterd toen Holman tussen de auto's door draafde.

'Holman! Kom terug. Wat doe je nou?'

Hij keek geen moment haar kant op. Hij bleef doorlopen.

'Stap in, verdomme!'

Hij wandelde door Gower in de richting van Hollywood. De auto's achter haar toeterden en uiteindelijk trok Pollard langzaam op. Ze hield met een schuin oog Holman in de gaten en vroeg zich af wat hij zo nodig moest doen. Hij bewoog zich niet meer als een zombie en zag er ook niet meer terneergeslagen uit. Hij keek woest, vond Pollard. Ze had mannen eerder zo zien kijken en het beangstigde haar. Holman keek alsof hij iemand wilde vermoorden.

Pollard draaide niet de snelweg op. Ze liet zich passeren door het overige verkeer en ging langzaam rechts rijden. Ze liet Holman lopen, maar hield hem in het oog.

Holman had niet gelogen toen hij zei dat hij de bus zou nemen. Pollard zag hem op Hollywood Boulevard in een bus stappen die naar het westen ging. Het was een ramp om erachteraan te rijden, want hij stopte op vrijwel elke hoek. Telkens wanneer hij stopte, moest ze haar Subaru langs de kant zetten, zelfs als er geen parkeerplaats vrij was, en zich helemaal lang maken om langs de voetgangers en auto's te kunnen kijken om te zien of Holman uitstapte.

Toen Holman in Fairfax was, stapte hij uiteindelijk uit en nam hij een Fairfaxbus naar het zuiden. Hij bleef in de bus zitten tot Pico en stapte toen weer over, nu weer op een bus die naar het westen ging. Pollard dacht dat Holman naar huis ging, zoals hij had gezegd, maar zeker weten deed ze het niet en daarom volgde ze hem, woest op zichzelf omdat ze zo veel tijd verspilde.

Holman stapte twee huizenblokken vóór zijn motel uit de bus. Pollard was bang dat hij haar zou zien, maar hij keek niet één keer om zich heen. Dat vond Pollard vreemd. Het was alsof hij zich niet bewust was van zijn omgeving. Of misschien kon het hem gewoon allemaal niet meer schelen.

Toen hij bij zijn motel was, dacht ze dat hij naar binnen zou gaan, maar dat deed hij niet. Hij liep door, ging de hoek om en stapte in zijn auto. Ze reed opnieuw achter hem aan.

Holman nam Sepulveda Boulevard dwars door de stad. Pollard bleef steeds vijf of zes auto's achter hem en volgde hem aldoor naar het zuiden tot Holman haar verraste. Hij stopte bij een afrit van de snelweg en kocht een boeket bloemen van een van de straathandelaren die zich altijd bij de afritten ophielden.

Wat gaat hij in hemelsnaam doen, vroeg Pollard zich af.

Dat wist ze even later toen Holman bij de begraafplaats kwam.

39

De zon was adembenemend heet toen Holman aan het einde van de ochtend het terrein van de begraafplaats op reed. De glanzende grafstenen schitterden in het licht als munten uitgestrooid op het gras, en het onberispelijke golvende groen was zo fel van kleur dat Holman zijn ogen samenkneep achter zijn zonnebril. De thermometer voor de buitentemperatuur op zijn dashboard gaf zesendertig graden aan. Het dashboardklokje stond op 11:19. Holman ving een glimp van zichzelf op in het achteruitkijkspiegeltje en verstijfde.

In dat korte ogenblik zag hij de gedateerde Ray-Ban Wayfarers, zijn haar onverzorgd over de slapen, en was hij zijn jongere ik: de Holman die er maar op los leefde met Chee, drugs gebruikte en auto's stal tot de boel uit de hand liep. Holman zette de Wayfarers af. Wat had hem in godsnaam bezield toen hij die bril kocht?

Omdat het een doordeweekse dag was en zo verschrikkelijk warm, waren er slechts weinig bezoekers op het kerkhof. Aan de andere kant van het terrein was een begrafenis, met een klein groepje aanwezigen verzameld rond een tent, maar het was de enige.

Holman reed over het pad naar het graf van Donna en parkeerde op precies dezelfde plaats als de vorige keer. Toen hij het portier opende, sloeg de hitte als een golf tegen hem op en deed het felle licht hem terugdeinzen. Hij greep naar de zonnebril, maar bedacht zich. Hij wilde haar niet herinneren aan wie hij vroeger was geweest.

Holman nam de bloemen mee naar haar graf. Zijn vorige bloemen waren nu bruin en broos. Holman raapte de oude bloemen op en haalde alle dode blaadjes en verdorde bloemen van de grafsteen. Hij bracht de dode bloemen naar een vuilnisbak bij het pad en legde de verse bloemen op haar graf.

Holman verweet zichzelf dat hij niet iets van een vaas had meegenomen. Bij deze temperatuur zouden de bloemen zonder water al aan het einde van de dag verdord en dood zijn.

Holman werd nog bozer op zichzelf toen hij bedacht dat hij misschien gewoon een van die mensen was die overal een puinhoop van maakten.

Hij ging op zijn hurken zitten en drukte zijn hand op Donna's gedenkplaatje. Het hete metaal brandde onder zijn hand, maar Holman duwde door. Hij liet het branden.

'Het spijt me,' fluisterde hij.

'Holman?'

Holman keek over zijn schouder en zag Pollard op hem afkomen. Hij kwam overeind.

'Wat dacht je dat ik ging doen, een bank beroven?'

Pollard kwam naast hem staan en keek omlaag naar het graf.

'Richards moeder?'

'Ja. Donna. Ik had met dit meisje moeten trouwen, maar... ach.'

Holman liet het varen. Pollard sloeg haar ogen op en bestudeerde zijn gezicht.

'Gaat het wel?'

'Nee, eigenlijk niet.'

Holman keek naar Donna's naam op het gedenkplaatje. Donna Banik. Het had Holman moeten zijn.

'Ze was trots op hem. Dat was ik ook, maar die knul heeft waarschijnlijk nooit echt een kans gehad, met een vader als ik.'

'Max, niet doen.'

Pollard raakte zijn arm aan, maar Holman voelde het nauwelijks, een gebaar met niet meer gewicht dan de luchtverplaatsing van een passerende auto. Hij keek naar Pollard, van wie hij wist dat ze een intelligente en ontwikkelde vrouw was.

'Ik heb geprobeerd in God te geloven toen ik in de gevangenis zat. Dat maakt deel uit van het twaalfstappenprogramma: jezelf overleveren aan een hogere macht. Ze zeggen dat het niet per se God hoeft te zijn, maar, kom op zeg, wie denken ze dat daar intrapt? Ik wilde echt dat er een hemel was, man – een hemel, engelen, God op een troon.'

Holman haalde zijn schouders op en keek weer naar het gedenkplaatje. Donna Banik. Hij vroeg zich af of ze er bezwaar tegen zou hebben als hij het liet veranderen. Hij kon het geld bij elkaar sparen en een nieuw gedenkplaatje laten maken. Donna Holman. Toen schoten de tranen in zijn ogen, want hij dacht: Nee, ze zou zich waarschijnlijk schamen.

Holman veegde zijn ogen droog.

'Ik heb een brief – een brief die Donna heeft geschreven toen Richie afstudeerde aan de politieacademie. Ze schreef dat ze zo trots was dat hij niet op mij leek, dat hij nu politieman was en heel anders dan ik. Jij vindt dat misschien wreed van haar, maar dat was het niet. Ik was blij. Donna had iets goeds van onze zoon gemaakt en dat had ze helemaal alleen gedaan. Ik heb ze helemaal niets gegeven. Ik heb ze in de steek gelaten. Nu hoop ik maar dat er geen hemel is. Ik wil niet dat zij dit daarboven allemaal ziet. Ik wil niet dat ze weet dat hij net zo geworden is als ik.'

Holman schaamde zich voor het feit dat hij dit soort dingen zei. Pollard stond stijf rechtop als een standbeeld. Haar mond was een strakke lijn en haar gezicht stond nors. Toen Holman haar kant op keek, gleed er een traan achter haar zonnebril vandaan die langzaam naar haar kin rolde.

Toen hij die traan zag brak er iets in Holman. Er welde een snik op in zijn keel en zijn lichaam schokte. Hij probeerde kalm te blijven, maar hij snakte gierend naar adem terwijl zijn ogen zich vulden met tranen, en het enige wat hij op dat moment besefte, was hoeveel verdriet hij mensen had aangedaan.

Hij voelde Pollards armen. Ze mompelde iets, maar hij verstond niet wat ze zei. Ze hield hem stevig vast en hij haar ook, maar hij was zich alleen bewust van zijn snikken. Hij wist niet precies hoelang hij huilde. Na enige tijd kwam Holman tot bedaren, maar hij hield haar nog steeds vast. Daar stonden ze dan, met hun armen om elkaar heen. Toen besefte Holman dat hij haar in zijn armen hield. Hij deed een stap achteruit.

'Sorry.'

Pollard liet haar hand lang op zijn arm liggen, maar ze zei niets. Hij dacht dat ze iets wilde zeggen, maar ze wendde haar hoofd af om haar ogen droog te vegen.

Holman schraapte zijn keel. Hij had nog meer tegen Donna te zeggen en hij wilde niet dat Pollard dat hoorde.

'Zeg, ik wil hier nog even blijven. Het gaat nu wel weer.'

'Tuurlijk. Dat begrijp ik.'

'Waarom houden we er voor vandaag niet mee op?'

'Nee. Nee, ik wil die rapporten zien. Dat kan ik ook wel zonder jou.'

'Vind je het niet erg?'

'Natuurlijk niet.'

Pollard raakte nogmaals zijn arm aan en hij wilde haar hand aanraken, maar op dat moment draaide ze zich om. Holman keek haar na toen ze door de beestachtige hitte naar haar auto liep en wegreed. Daarna richtte hij zijn blik weer op Donna's gedenkplaatje.

Opnieuw schoten de tranen in zijn ogen en nu was hij blij dat Pollard weg was. Hij zakte nogmaals op zijn hurken en legde de bloemen goed. Ze begonnen al te verwelken.

'Slecht of niet, hij was ons kind. Ik zal doen wat ik moet doen.'

Holman glimlachte, omdat hij wist dat ze het zou afkeuren, maar hij had vrede met zijn lot. Het kwade bloed was gewoon niet te verslaan.

'Zo zoon, zo vader.'

Holman hoorde achter zich een autoportier dichtslaan en keek op in het felle licht. Er kwamen twee mannen aanlopen.

'Max Holman.'

Van de kant van de begrafenis kwamen nog twee mannen, eentje met vuurrood haar.

Vukovich en Fuentes kwamen van de ene kant en nog twee mannen kwamen van de andere. Holman kon niet bij zijn auto komen. Ze verspreidden zich onder het lopen alsof ze verwachtten dat hij op de vlucht zou slaan en daarop voorbereid waren. Holman ging toch maar staan. Zijn hart bonsde. Op de uitgestrekte lege begraafplaats was hij zo kwetsbaar als een vlieg op een bord, zonder een plek waar hij zich kon verstoppen of een manier om hen af te schudden.

'Rustig maar,' zei Vukovich.

Holman zette zich in beweging en Fuentes en een van de mannen achter hem kwamen zijn kant op.

'Doe nou geen domme dingen,' zei Vukovich nu.

Holman begon te draven en de vier mannen schoten opeens allemaal naar voren. Holman riep naar de begrafenisgangers.

'Help! Help!'

Holman veranderde van koers en rende naar zijn auto, hoewel hij eigenlijk al wist dat hij het niet zou halen.

'Hier, hier! Help!'

Een paar begrafenisgangers bij de tent in de verte draaiden zich om toen de eerste twee agenten van weerszijden op hem afkwamen. Holman liet op het laatste moment zijn schouder zakken en rende hard tegen de kleinste man op, draaide zich toen bliksemsnel om en sprintte vervolgens naar zijn auto terwijl Vukovich schreeuwde.

'Vloer die vent!'

'Help! Help, hier!'

Iemand dreunde van achteren tegen Holman op, maar hij bleef overeind en draaide zich om terwijl Fuentes hem van opzij aanviel en Vukovich schreeuwde: 'Blijf staan, verdomme – geef het op.'

Er ontstond één grote warboel van lijven en armen. Holman haalde hard uit en raakte Fuentes op zijn oor. Toen werd hij getackeld en ging hij neer. Iemand zette zijn knieën in zijn rug en zijn armen werden naar achteren getrokken.

'Help! Help!'

'Hou je mond, klootzak. Wat verwacht je nou van die mensen?'

'Getuigen! Die mensen staan allemaal te kijken, hoor, vuile schoften!'

'Rustig aan, Holman. Je overdrijft een beetje.'

Holman bleef zich verzetten tot hij de plastic boeien in zijn polsen voelde snijden. Vukovich trok zijn hoofd omhoog aan zijn haar en draaide het om zodat ze elkaar konden aankijken.

'Rustig aan, man. Er gebeurt je niets.'

'Wat moet dit voorstellen?'

'We nemen je mee. Ontspan je.'

'Ik heb helemaal niets gedaan!'

'Je loopt de boel voor ons te versjteren, Holman. We hebben geprobeerd aardig te zijn, maar kennelijk heb je de hint niet begrepen. Je loopt de boel voor ons te versjteren.'

Toen ze hem overeind trokken, zag Holman dat alle begrafenisgangers nu naar hen stonden te kijken. De twee motoragenten die de lijkwagen hadden geëscorteerd, kwamen aanlopen, maar Fuentes draafde hun kant al op om hen op te vangen.

'Die mensen zijn getuigen. Dit zullen ze niet licht vergeten,' zei Holman.

'Het enige wat ze zullen onthouden, is dat er een of andere klootzak werd gearresteerd. Stel je toch niet zo aan.'

'Waar brengen jullie me naartoe?'

'Naar het bureau.'

'Waarom?'

'Doe nou eens rustig, man. Er gebeurt je niets.'

Het zat Holman niet lekker dat Vukovich telkens zei hij dat hem niets zou gebeuren. Het klonk als iets wat je te horen kreeg voor je werd vermoord.

Ze zetten hem neer bij hun auto en doorzochten zijn zakken. Ze namen zijn portefeuille, sleutels en mobiele telefoon in beslag en controleerden daarna zijn enkels, middel en kruis. Fuentes voegde zich bij hen en de twee motoragenten keerden terug naar hun begrafenis. Holman keek hen na alsof ze reddingsboeien waren die wegdreven op de stroom.

'Oké, laad hem maar in,' zei Vukovich.

'En mijn auto dan?' vroeg Holman.

'Wij nemen je auto mee. Jij gaat in de limo.'

'Er zijn mensen die het weten. Er zijn mensen die weten waar ik mee bezig ben.'

'Nee, Holman, er is niemand die iets weet. En hou nou je kop.'

Fuentes reed weg in de Highlander van Holman terwijl de twee nieuwe mannen hem op de achterbank van hun auto duwden. De grootste man stapte achterin bij Holman en zijn partner ging achter het stuur zitten. Ze vertrokken zodra ze de portieren hadden vergrendeld.

Holman wist dat ze hem gingen vermoorden. De twee politiemannen wisselden geen woord met elkaar en keurden hem geen blik waardig, dus dwong Holman zichzelf na te denken. Ze zaten in een Crown Victoria, een auto waar de recherche meestal in reed. Zoals in alle politieauto's werden de portieren en ramen achterin vergrendeld door de chauffeur. Holman zou de deuren niet kunnen openmaken, zelfs niet als hij zijn handen los kon krijgen. Hij zou moeten wachten tot hij uit de auto was, maar dan was het misschien al te laat. Hij probeerde zijn polsen te bewegen. De plastic handboeien gaven niet mee en schoven niet heen en weer over zijn huid. Hij had gedetineerden horen zeggen dat die nieuwe plastic handboeien sterker waren dan staal, maar Holman had ze nog nooit om gehad. Hij vroeg zich af of ze zouden smelten.

Holman bestudeerde de twee politiemannen. Ze waren in de dertig en stevig gebouwd en hadden allebei een roodbruin gezicht alsof ze veel tijd in de buitenlucht doorbrachten. Het waren fitte mannen en ze waren jong, maar ze hadden geen van beiden Holmans brede schouders en gewicht. De man naast Holman droeg een trouwring.

'Heeft een van jullie mijn zoon gekend?' vroeg Holman.

De bestuurder wierp een blik in het spiegeltje, maar ze gaven geen van tweeën antwoord.

'Was het een van jullie, hufters, die hem heeft neergeschoten?'

De bestuurder keek opnieuw en wilde iets zeggen, maar de man achterin snoerde hem de mond.

'Dat moet Random hem maar vertellen.'

Holman concludeerde dat Random waarschijnlijk de vijfde man was, maar nu bleken Vukovich, Fuentes en deze twee kerels er ook mee te maken te hebben. Telde je daar Fowler, Richie en de andere twee bij op, dan kwam je op negen. Holman vroeg zich af of er nog meer mensen bij betrokken waren. Zestien miljoen was veel geld. Het was genoeg om met een aantal mensen te delen. Holman vroeg zich af wat ze van Pollard wisten. Waarschijnlijk hadden ze hem vanaf zijn motel gevolgd en haar op de begraafplaats gezien. Ze zouden de FBI liever niet willen alarmeren, maar ze konden het risico natuurlijk niet nemen. Als ze zich van hem hadden ontdaan, zouden ze zich ook van haar ontdoen.

Ze reden ongeveer een kwartier. Holman dacht dat ze hem zouden meenemen naar een afgelegen terrein of een pakhuis, maar ze gingen Centinela af en reden een rommelig burgermansstraatje in Mar Vista in. Aan weerszijden van de straat stonden kleine huizen op smalle lapjes grond, van elkaar gescheiden door heggen en struiken. Fuentes was er al. Holman zag zijn Highlander een eindje verder langs de stoeprand staan. Fuentes zat niet in de auto en er stond niemand bij. Holmans hart begon te bonzen en zijn handen werden klam. Het was bijna zover. Hij zou nu snel tot handelen moeten overgaan. Hij kreeg hetzelfde gevoel als wanneer hij een bank binnen liep of om een vette Porsche heen draaide. Zijn leven stond op het spel.

Ze kwamen voor de inrit van een klein geel huis tot stilstand. Opzij van het huis liep een smal pad onder een gebogen carport door naar een garage in de achtertuin, en onder de carport stond een blauwe personenauto. Holman herkende de personenauto niet. Fuentes was waarschijnlijk al binnen, maar hij wist niet hoe het met Vukovich en Random zat. Misschien krioelde het van de mensen daarbinnen.

De chauffeur zette de motor uit en ontgrendelde de achterportieren. De chauffeur stapte eerst uit, maar de man achterin wachtte. De chauffeur maakte de deur aan Holmans kant open, maar bleef ervoor staan alsof hij Holman de weg wilde versperren.

'Oké, kerel. Je stapt uit, maar dan blijf je staan. Als je buiten bent, draai je je om met je gezicht naar de auto. Begrijp je wat ik zeg?'

'Maak je geen zorgen.'

Ze wilden niet dat de buren zagen dat Holmans handen op zijn rug waren geboeid.

'Stap uit en draai je om.'

Holman stapte uit en draaide zich om. De chauffeur kwam onmiddellijk achter hem staan en pakte hem stevig bij zijn polsen.

'Oké, Tom.'

Tom was de man achterin. Hij stapte uit, liep naar de voorkant van de auto en wachtte op Holman en de chauffeur.

Holman nam de omliggende huizen in zich op. Fietsen in voortuinen en klimtouwen in bomen vertelden hem dat dit een kinderrijke buurt was. Twee huizen verder stond een boot met buitenboordmotor op het garagepad. Door openingen in de struiken ving hij een glimp op van lage gaashekjes. Er was niemand buiten. De mensen zouden binnen zijn bij hun airconditioner, voornamelijk vrouwen met kleine kinderen op dit uur van de dag. Hij kon de longen uit zijn lijf schreeuwen, maar niemand zou hem horen. Als hij vluchtte, zou hij over hekjes heen moeten. Hij hoopte dat ze nergens in de buurt pitbulls hadden.

'Je moet me wel vertellen wat ik moet doen anders val ik nog,' zei Holman.

'We lopen voor om de auto heen.'

'Gaan we naar de voordeur?'

'Rechtdoor over het garagepad naar de carport.'

Holman dacht al dat ze via de carport zouden gaan. De voordeur was open, maar de ingang van de keuken zat waarschijnlijk aan de zijkant van het huis onder de carport. Die deur zat uit het zicht. Holman was niet van plan zich door hen het huis in te laten brengen. Hij was ervan overtuigd dat hij daarbinnen de dood zou vinden. Als hij dan toch moest sterven, dan buiten in de openlucht waar iemand het misschien zou zien. Maar Holman was niet van plan die dag te sterven. Hij wierp nogmaals een blik op de motorboot en vervolgens op zijn Highlander.

Holman deed een stap bij de auto vandaan. De chauffeur sloot het portier en gaf hem een zetje in de richting van de motorkap. Holman schuifelde langzaam naar voren. Tom stond op hen te wachten bij het garagepad en liep alvast een paar passen vooruit. Hij zou als eerste bij de deur zijn.

De chauffeur zei: 'Jezus, kun je niet wat sneller lopen.'

'Je trapt op mijn hakken. Ga dan een stukje achteruit, dat ik een beetje ruimte heb. Straks struikel ik nog.'

'Zeik toch niet zo, joh.'

De chauffeur kwam nog dichter achter hem lopen en dat was precies wat Holman wilde. Hij wilde dat de chauffeur in de smalle ruimte tussen het huis en de blauwe personenauto vlak achter hem liep.

Tom stapte onder de carport tussen het huis en de auto en liep naar de keukendeur. Hij wachtte op Holman en de chauffeur en trok toen de hordeur open. Toen de hordeur open was, stond Tom aan de ene kant en Holman en de chauffeur aan de andere, ingeklemd tussen het huis en de blauwe personenauto.

Holman wachtte niet tot de deur openging. Hij zwaaide zijn rechtervoet hoog tegen de gevel van het huis en drukte de chauffeur zo hard en zo snel als hij kon achteruit tegen de personenauto aan. Hij plaatste zijn linkervoet met een ruk naast zijn rechter, zette kracht met beide benen en duwde zo hard, dat de personenauto heen en weer schommelde. Hij ramde met zijn hoofd naar achteren en de zware klap van bot op bot toverde sterretjes voor zijn ogen. Vanuit zijn dikke nek en schouders beukte hij nog een keer naar achteren en hij voelde de chauffeur slap worden, terwijl tot Tom doordrong wat er gebeurde.

'Vuile kloo– hé!'

Tom probeerde zo snel mogelijk de deur dicht te doen, maar Holman had het al op een lopen gezet. Hij keek niet achterom. Hij rende niet de straat over of bij het gele huis vandaan. Hij vloog dwars door de voortuin, sloeg weer de hoek om en sprintte naar de achtertuin. Hij wilde zo snel mogelijk uit het zicht zijn. Hij ploegde met zijn hoofd vooruit door planten en struiken en viel over een hekje. Hij hoorde iemand in het huis schreeuwen, maar hij bleef niet staan. Toen hij achter het huis was, slingerde hij zich over een volgend hekje de achtertuin van een buurhuis in en holde verder. Takken en twijgen en scherpe dingen sloegen tegen hem aan, maar hij voelde het niet. Hij sprintte door de achtertuin van het buurhuis, frontaal tegen een muur van struiken op en werkte zich als een dier over een volgend hekje heen. Hij landde boven op een sprinkler. Hij krabbelde overeind en zette het weer op een lopen, dwars door de tuin. Toen viel hij over een driewieler en binnen begon er een kleine hond achter een raam naar hem te grommen en te blaffen. Hij hoorde geschreeuw en stemmen twee huizen verderop en wist dat ze eraan kwamen, maar hij liep door langs de zijgevel van het huis in de richting van de straat omdat hij daar de boot had zien staan. De boot stond op het garagepad.

In elkaar gedoken liep Holman naar de hoek van het huis. Vukovich en Tom stonden op straat bij hun auto, Vukovich met een radio in zijn hand.

Holman sloop naar de boot met de grote Mercury buitenboordmotor. Hij draaide zich snel om, duwde het plastic bandje tegen de rand van het schroefblad en zaagde zo hard als hij kon in de hoop dat de gedetineerden het mis hadden toen ze zeiden dat die dingen sterker waren dan staal.

Hij zette er zijn hele gewicht achter en bewoog het bandje op en neer. Hij drukte zo hard dat het plastic in zijn huid sneed, maar van de pijn ging hij alleen maar harder duwen en uiteindelijk brak het bandje doormidden en waren zijn handen vrij.

Fuentes en Tom gingen nu de andere kant op, maar Vukovich kwam midden over straat zijn kant op lopen.

Holman krabbelde achteruit bij de boot vandaan en sloop dwars door de achtertuin terug in de richting van waaruit hij gekomen was. De mannen bij het huis waaierden uit naar alle kanten en zouden er niet op bedacht zijn dat hij langs dezelfde weg terugkwam. Dat was een oude truc die hij als tiener in zijn begindagen als inbreker had geleerd. Hij sprong weer over het hekje in de tuin ernaast en zag een stapel straatstenen liggen. Hij pakte er eentje. Hij zou hem nodig hebben voor wat hij van plan was. Hij liep verder door de tuin, niet onbesuisd zoals eerst, maar zachtjes en met gespitste oren. Hij stapte voorzichtig over het hekje en bevond zich weer achter het gele huis. De achtertuin was verlaten en het was stil. Hij sloop langs de zijgevel van het huis in de richting van de voortuin en bleef telkens even stilstaan om te luisteren. Hij kon er niet te lang over doen, want Vukovich en de anderen zouden terugkomen als ze hem niet konden vinden.

Holman sloop gebukt onder de ramen door, langs de zijgevel van het gele huis. Hij kon de Highlander in de straat zien staan. Ze zouden hem waarschijnlijk zien wanneer hij zijn plan uitvoerde, maar met een beetje mazzel zouden ze te ver weg zijn om hem tegen te houden. Hij deed weer een paar stappen en op dat moment hoorde hij een vrouwenstem die uit het huis kwam.

Het was een bekende stem. Hij kwam langzaam een klein beetje omhoog tot hij naar binnen kon kijken.

Maria Juarez was binnen met Random.

Holman had nooit moeten kijken. Hij wist door zijn jarenlange ervaring als inbreker en autodief dat hij niet moest kijken, maar de fout was al gemaakt. Random zag de beweging vanuit zijn ooghoeken. Zijn ogen werden groot en hij draaide zich om naar de deur. Holman bleef niet staan wachten. Hij schoot overeind en rende dwars door de struiken heen. Hij had maar een paar seconden en nu zouden die seconden misschien niet eens genoeg zijn.

Hij sprintte zo hard als hij kon naar de Highlander. Achter zich hoorde hij de voordeur opengaan. Vukovich was al op de terugweg en begon te hollen. Holman sloeg de zijruit aan de passagierskant stuk met de straatsteen, stak zijn arm naar binnen en maakte het portier open, terwijl Random achter hem liep te schreeuwen.

'Hij is hier! Vuke! Tommy!'

Holman wierp zich de auto in. Chee had hem twee sleuteltjes gegeven en Holman had het reservesleuteltje in de console gelegd. Hij trok hem open, viste het sleuteltje eruit en kroop achter het stuur.

Holman reed op volle snelheid weg en keek pas achterom toen hij een heel eind verder was.

41

Holman wilde zo snel mogelijk van de Highlander af. Bij de volgende kruising sloeg hij af, nam de bocht op hoge snelheid en gaf vol gas. Hij onderdrukte de neiging bij de volgende zijstraat weer af te slaan omdat je een achtervolging gegarandeerd verloor als je begon te dwalen. Amateuristische autodieven en dronkaards die op de vlucht sloegen om aan een arrestatie te ontkomen, dachten altijd dat ze de politie in een doolhof van straatjes konden afschudden, maar Holman wist dat dat niet ging. Elke bocht kostte snelheid en tijd en gaf de politie de kans dichterbij te komen. Snelheid was van levensbelang en afstand was alles, dus reed Holman zo hard mogelijk door.

Holman wist dat hij uit de woonwijken moest zien te komen en naar een buurt met bedrijven en verkeer toe moest. Hij schoot zonder nadenken Palms Boulevard op, reed naar de snelweg en sloeg af bij het eerste het beste winkelcentrum dat hij tegenkwam, een gigantische winkelpromenade bij een Albertsons supermarkt.

De Highlander was groot, zwart en opvallend en Holman wilde hem niet op het parkeerterrein voor het winkelcentrum neerzetten. Hij draaide de laad- en loszone achter de winkels en warenhuizen in en reed achter het winkelcentrum langs. Hij zette de auto aan de kant, zette de motor uit en bekeek zichzelf. Zijn gezicht en armen zaten onder de schrammen, hij bloedde en zijn overhemd was op twee plaatsen gescheurd. Op zijn kleren zaten vegen modder en grasvlekken. Holman sloeg het vuil zo veel mogelijk van zijn kleren af en spuugde op de slip van zijn overhemd om het bloed weg te vegen, maar hij zag er nog steeds verschrikkelijk uit. Hij wilde weg bij de Highlander, maar de overgebleven plastic handboei zat nog om zijn linkerpols. Holman had de rechter handboei aan de schroef van de boot doorgesneden en nu hingen de uiteinden daarvan als twee slierten spaghetti aan zijn linkerpols. Hij bekeek de sluiting. De boeien sloten als een riem, alleen werkte de gesp maar één kant op. Het uiteinde van de riem kon door de gesp worden gehaald, maar door de kleine tandjes op het plastic was het onmogelijk de riem er weer uit te trekken. De plastic boeien moesten worden doorgesneden, maar Holman had nu niets scherps bij de hand.

Holman startte de motor, zette de airconditioner op zijn hardst en drukte de sigarettenaansteker in. Hij probeerde niet te denken aan wat hij ging doen, omdat hij wist dat het pijnlijk zou zijn. Toen de sigarettenaansteker omhoogsprong, trok hij de handboei zo ver mogelijk van zijn huid en drukte het gloeiende uiteinde op het plastic. Holman beet op zijn tanden en hield vol, maar het brandde verschrikkelijk. Hij moest de aansteker nog drie keer verhitten voordat het plastic doorsmolt.

Vukovich had hem zijn sleutels, portefeuille, geld en mobiele telefoon afgenomen. Holman keek rond op de vloer en in de console en vond in totaal tweeënzeventig cent. Dat was alles. Meer had hij niet.

Holman sloot de Highlander af en liep weg zonder om te kijken. Hij beende door een dierenwinkel vol kooien met tsjilpende vogeltjes en ontdekte een openbare telefoon bij de Albertsons. Hij wilde Pollard waarschuwen en hij had haar hulp nodig, maar toen hij bij de telefoon was, kon hij zich haar nummer niet herinneren. Holman stond met de telefoon in zijn hand en kon er niet opkomen. Hij had het nummer in het geheugen van zijn mobiel gezet, maar nu was zijn telefoon weg en kon hij het zich niet herinneren.

Holman begon te beven. Hij knalde de hoorn op de haak en schreeuwde.

'Dat meen je toch niet?'

Drie mensen die de winkel binnenkwamen, keken naar hem.

Holman besefte dat hij doordraaide en zei tegen zichzelf dat hij rustig moest blijven. Meer mensen keken zijn kant op. Zijn schrammen waren weer gaan bloeden en hij veegde over zijn armen, maar daardoor werd het bloed alleen maar uitgesmeerd. Holman spiedde naar het parkeerterrein. Er reden geen surveillancewagens of anonieme Crown Victoria's voorbij. Na een paar minuten kwam Holman tot bedaren en besloot hij Chee te bellen. Hij wist Chees nummer ook niet meer, maar het garagebedrijf van Chee stond in het telefoonboek.

Holman stopte zijn muntjes in de telefoon en wachtte tot de telefonist van Inlichtingen de verbinding tot stand had gebracht.

Chees telefoon ging over. Holman verwachtte dat hij vrijwel direct door iemand zou worden opgenomen, maar hij bleef overgaan. Holman vervloekte zijn pech en dacht dat de telefonist hem met het verkeerde nummer probeerde door te verbinden, maar toen werd er opgenomen door een jonge vrouw met een argwanend klinkende stem.

'Hallo?'

'Ik wil Chee spreken.'

'Sorry, maar we zijn gesloten.'

Holman aarzelde. Het was een doordeweekse dag en zo laat was het nog niet. Chees garage hoorde niet gesloten te zijn.

'Marisol? Spreek ik met Marisol?'

Het antwoord dat ze gaf klonk nog argwanender.

'Ja?'

'Je spreekt met Max Holman, die vriend van je vader. Ik moet hem spreken.'

Holman wachtte, maar Marisol reageerde niet. Toen besefte hij dat ze huilde.

'Marisol?'

'Ze hebben hem meegenomen. Ze kwamen –'

Ze barstte nu echt in snikken uit en het angstniveau van Holman schoot omhoog.

'Marisol?'

Holman hoorde een man op de achtergrond die iets zei en Marisol die antwoord probeerde te geven, en toen kwam de man aan de lijn. Zijn stem klonk ook wantrouwig.

'Met wie spreek ik?'

'Met Max Holman. Waar heeft ze het over? Wat is er aan de hand?'

'Je spreekt met Raul, man. Ken je me nog?'

Raul was de knul die Holmans rijbewijs had geregeld.

'Ja. Waar heeft ze het over? Waar is Chee?'

'Ze hebben hem opgepakt, man. Vanochtend –'

'Wie?'

'De *fucking* politie. Ze hebben hem gearresteerd.'

Holmans hart begon weer te bonzen en hij spiedde nogmaals naar het parkeerterrein.

'Wat is er dan gebeurd? Waarom hebben ze hem gearresteerd?'

Raul liet zijn stem dalen alsof hij niet wilde dat Marisol hem hoorde, maar hij klonk gespannen.

'Ik weet niet wat er is gebeurd. Ze kwamen vanochtend binnen met bevelschriften, honden, *fucking* klootzakken met machinegeweren –'

'De politie?'

'De LAPD, de FBI, de SWAT, zelfs de *fucking* ATF – als het in het alfabet staat, was het er. Ze hebben de hele boel overhoop gehaald en hem meegenomen.'

Holmans mond was droog geworden, maar de telefoon in zijn hand was glibberig. Hij keek naar het parkeerterrein en dwong zichzelf rustig adem te halen.

'Was hij gewond? Gaat het goed met hem?'

'Dat weet ik niet.'

Holman begon bijna te schreeuwen.

'Waarom weet je dat niet? Het is verdomme toch een simpele vraag.'

'Je denkt toch niet dat ze ons erbij wilden hebben, hè?! Ik werd plat op de grond gelegd en toen hebben ze ons hier in het kantoortje gezet!'

'Goed, goed, rustig maar. Wat voor bevelschriften? Wat zochten ze?'

'Semi-automatische vuurwapens en explosieven.'

'Allemachtig, waar was Chee mee bezig?'

'Nergens mee, man! Chee is helemaal nergens mee bezig. Explosieven, hoe verzinnen ze het! Zijn dochter werkt hier. Denk je dat hij hier explosieven zou opslaan? We mogen van Chee niet eens gestolen airbags verkopen.'

'Maar ze hebben hem gearresteerd?'

'Nou en of. Ze hebben hem voor de ogen van zijn dochter in de auto gezet.'

'Dan moeten ze iets gevonden hebben.'

'Ik weet niet wat ze gevonden hebben. Ze hebben wat zooi in een vrachtwagen geladen. Ze kwamen nota bene met de explosievenopruimingsdienst aanzetten, Holman! Ze lieten die *fucking* honden overal rondsnuffelen, maar dat soort spullen hebben wij niet.'

Een computerstem kwam aan de lijn en zei tegen Holman dat hij nog maar één minuut had. Holman had geen kwartjes meer. Zijn tijd was bijna op.

'Ik moet ophangen, maar nog één ding. Hebben ze naar mij gevraagd? Hebben ze Chee op de een of andere manier met mij in verband proberen te brengen?'

Holman wachtte op het antwoord, maar de lijn was al dood. Raul had opgehangen.

Holman hing de hoorn op de haak en bestudeerde het parkeerterrein. Hij was ervan overtuigd dat Chee erin was geluisd, maar hij begreep niet waarom. Chee wist niet meer van Holman dan Gail Manelli, Wally Figg en Tony Gilbert. Holman had Chee zelfs niet verteld over de ontbrekende zestien miljoen en zijn steeds sterker wordende vermoeden dat er sprake was van een complot, maar misschien dacht iemand dat hij het wel had verteld. Misschien dacht iemand dat Chee meer wist dan hij feitelijk wist en was dit een poging van hen hem aan het praten te krijgen. Holman kreeg gewoon hoofdpijn toen hij erover nadacht. Hij kon er geen touw meer aan vastknopen en gaf het op. Hij had dringendere problemen aan zijn hoofd. Er zou nu niemand komen om hem een lift, geld en een auto te geven. Holman stond er alleen voor en zijn enige hoop was dat hij Pollard zou kunnen bereiken. En dat zou ook wel eens haar enige hoop kunnen zijn.

Holman ging terug naar de Albertsons. Hij zocht de groenteafdeling op en liep toen naar de achterkant van de zaak. Elke groenteafdeling in elke supermarkt in Amerika had achterin een klapdeur, waar medewerkers met hun karren vol fruit en groente doorheen konden. Achter de deur zat altijd een koelruimte waar de bederfelijke waar werd afgeleverd en opgeslagen en al die ruimtes hadden ook deuren die uitkwamen op een losplaats.

Holman liet zichzelf uit en bevond zich opnieuw achter het winkelcentrum. Hij liep terug naar de Highlander, deed de achterklep open en trok de vloermatten opzij. In het gereedschapsvak lagen een schroevendraaier, een combinatietang en een krik. Holman had al heel lang geen auto meer gestolen, maar hij wist nog hoe het moest.

Holman liep terug naar het parkeerterrein.

42

Toen Pollard de begraafplaats verliet, reed ze beduusd en met een warrig hoofd zo vol gedachten dat ze het andere verkeer nauwelijks opmerkte de snelweg op naar Chinatown.

Pollard had niet geweten wat haar te wachten stond toen ze Holman achterna was gegaan, maar hij had haar opnieuw versteld doen staan. Holman, die zichzelf liever liet oppakken voor een bankoverval dan dat hij een oude man liet doodgaan. Holman, die zichzelf verontschuldigde tegenover zijn overleden vriendin omdat hij het verknald had met hun zoon. Pollard had niet weg willen gaan. Ze had willen blijven om zijn hand vast te houden en hem te troosten en zichzelf over te geven aan haar gevoelens.

Pollards hart brak toen Holman begon te huilen, niet zozeer om hem als wel om haarzelf. Daar stond Holman en ze wist dat ze van hem zou kunnen houden. Nu onder het rijden worstelde ze met het angstige vermoeden dat ze al van hem hield.

Max Holman is een ontaarde carrièrecrimineel, een ex-gedetineerde en een voormalig drugsgebruiker zonder opleiding en talenten die buiten de misdaad geen enkel vooruitzicht heeft behalve een eindeloze aaneenschakeling van slecht betaalde baantjes. Hij heeft geen respect voor de wet en zijn enige vrienden zijn bekende criminelen. Hij zal vrijwel zeker binnen een jaar weer in de gevangenis belanden. Ik heb twee kleine kinderen. Wat voor voorbeeld zou hij zijn? Wat zou mijn moeder zeggen? Wat zou de rest van de wereld zeggen? Stel dat hij me niet aantrekkelijk vindt.

Pollard arriveerde drie kwartier later bij het gebouw van de Pacific West Bank in Chinatown waar Alma Wantanabe, het hoofd van de Beveiliging van Pacific West, haar meenam naar een vergaderkamer zonder ramen op de derde verdieping. Daar stonden twee blauwe dozen klaar op een tafel.

Wantanabe legde uit dat de dossiers van de LAPD in twee groepen waren onderverdeeld. De ene groep bestond uit rapporten van bureaus over bankovervallen binnen hun wijk; rapporten van rechercheurs van de afdeling Overvallen van het bureau Newton die onderzoek deden naar bankovervallen die in Newton hadden plaatsgehad. De tweede groep dossiers was samengesteld door de afdeling Gewapende Overvallen van het hoofdbureau, die de rapporten van de bureaus had verwerkt in hun grotere onderzoek dat de hele stad besloeg. Pollard wist uit ervaring dat dit een kwestie van mankracht was. Hoewel Gewapende Overvallen de leiding had gehad over het stadsbrede onderzoek, maakten ze voor het voetenwerk gebruik van rechercheurs van de wijkbureaus die de overvallen in hun buurt onderzochten. Deze rechercheurs stuurden hun rapporten vervolgens een stapje hoger in de voedselketen naar de afdeling Gewapende Overvallen, die de werkzaamheden van de verschillende bureaus coördineerde en het Grote Plaatje in beeld bracht en onderzocht.

Wantanabe waarschuwde haar nogmaals dat ze geen materiaal uit de dossiers mocht halen of mocht kopiëren en liet Pollard vervolgens alleen.

Pollard sloeg haar eigen dossier open om de kopieën van de voorbladen te pakken die Holman had gemaakt voordat Random de rapporten in beslag nam. Van de voorbladen werd Pollard niet veel wijzer. Daar stonden alleen het nummer van de zaak en dat van de getuige op, en het nummer van de getuige hielp haar niet verder zonder de getuigenlijst waarop de namen waren vermeld:

Zaak nr. 11-621
Getuige nr. 318
Marchenko/Parsons
Verslag verhoor

Pollard hoopte dat ze de namen van getuigen via de getuigenlijst kon achterhalen en dan kon zien wat ze te zeggen hadden gehad. Ze wist niet waar de voorbladen vandaan kwamen, dus begon ze met de doos rapporten van de wijkbureaus. Ze haalde alles uit de doos en ging systematisch op zoek naar getuigenlijsten. Ze vond er drie, maar het werd al snel duidelijk dat de nummering van de bureaus niet overeenstemde met haar voorbladen. Ze legde de rapporten van de wijkbureaus opzij en richtte haar aandacht op die van Parker Center.

Haar belangstelling werd direct gewekt toen ze de tweede doos openmaakte. Het eerste vel papier was een voorwoord op een dossier, ondertekend door het hoofd van Gewapende Overvallen en de twee rechercheurs die de leiding over het onderzoek hadden. De tweede leidinggevende rechercheur was John B. Random.

Pollard staarde naar zijn naam. Ze kende Random van zijn onderzoek naar de moord op de vier politiemannen. Ze had aangenomen dat hij van de afdeling Moordzaken was, maar hier had hij de leiding over een onderzoek naar een bankoverval – de bankoverval die iets met de moorden te maken had.

Pollard bladerde door de volgende rapporten tot ze de getuigenlijst vond. Het was een document van zevenendertig bladzijden waar driehonderdzesenveertig genummerde namen op stonden, te beginnen met getuige nummer één, omschreven als een bankbediende, werkzaam op de eerste bank die Marchenko en Parsons hadden overvallen. Het laagste nummer op de voorbladen van Pollard was 318, in oplopende volgorde gevolgd door 319, 320, 321, 327 en 334. Al haar getuigen kwamen uit de laatste fase van het onderzoek.

Pollard begon de nummers op haar voorbladen aan namen te koppelen en zag direct een patroon.

Nummer 318 was Lawrence Trehorn, de beheerder van het flatgebouw met vier appartementen in Beachwood Canyon waar Marchenko en Parsons woonden.

De volgende drie getuigen waren hun buren.

Nummer 327 was een medewerker van de sportschool in West Hollywood waar Marchenko trainde.

En nummer 334 was de moeder van Anton Marchenko.

Pollard zocht de afzonderlijke verslagen op, maar las ze niet meteen. Ze controleerde de namen van de rechercheurs die de verhoren hadden afgenomen. Random had getekend voor Trehorn en mevrouw Marchenko, en Vukovich had het verhoor van een van de buren ondertekend. Vukovich was een van de agenten die samen met Random Holman voor het appartement van zijn schoondochter hadden aangehouden – nog een rechercheur belast met het onderzoek naar de moorden die ook het onderzoek naar Marchenko en Parsons had uitgevoerd.

Pollard dacht aan Fowler en de vijfde man die samen bij mevrouw Marchenko op bezoek waren gegaan. Ze vroeg zich af of Fowler ook bij deze andere vijf mensen was geweest.

Pollard schreef de namen en adressen van de vijf nieuwe getuigen over en las daarna de verslagen van de verhoren door. Ze had min of meer verwacht dat er in minstens één van de verhoren gewag zou worden gemaakt van Alison Whitt, de Hollywood Sign of de Mayan Grille, maar de rapporten leverden niets op, afgezien van een lijst met mensen die Marchenko en Parsons persoonlijk kenden. Pollard concludeerde dat dat het antwoord was. Er werd in geen van deze verhoren ingegaan op de overvallen zelf, maar ze konden wel allemaal van belang zijn voor iemand die wilde bepalen wat Marchenko en Parsons met het geld hadden gedaan. Dat was waarschijnlijk de reden waarom Richard Holman ze had. Maar dan bleef de vraag: hoe had hij ze gekregen en waarom had Random ze uit Richards appartement weggehaald? Het was net of Random niet wilde dat iemand beschikte over bewijzen dat Fowler en zijn groepje op zoek waren naar het geld.

Toen ze klaar was, stopte ze de verhoren in de juiste volgorde terug in de dossiers en legde de dossiers in de dozen. Ondertussen bleef ze nadenken over de vraag waarom Random de dossiers had meegenomen. Pollard overwoog de mogelijkheid dat Richard de dossiers van Random had gekregen, maar ergens klopte dat niet. Random wist wat er in de verhoren stond. Als hij met Richard en Fowler onder één hoedje had gespeeld, had hij hun kunnen vertellen wat hij wist. Hij had hun de dossiers niet hoeven geven.

Pollard liet de dozen op de tafel staan en bedankte Alma Wantanabe, die met haar naar de lift liep. Toen ze in de lift stond, controleerde ze haar berichten, maar Sanders had nog niet gebeld. Even was ze teleurgesteld, maar toen besefte ze dat ze iets had wat bijna even goed was om mee te werken: mevrouw Marchenko. Als Random de vijfde man was, hoefde Pollard de informantenlijst niet te zien. Mevrouw Marchenko zou hem kunnen identificeren en dan was het verband tussen Random en Fowler een feit. Erachter komen wie de contactpersoon van Alison Whitt was, was dan de kers op de taart.

Pollard besloot Holman te bellen. Ze wilde hem vertellen wat ze had gevonden en daarna naar mevrouw Marchenko gaan. Ze stond zijn nummer te draaien toen de deuren opengingen.

Holman stond in de hal, vuil en besmeurd met opgedroogd bloed.

43

Holman herinnerde zich dat Pollard naar het gebouw van de Pacific West Bank zou gaan, maar hij wist niet of ze daar nog was en hoe hij haar kon bereiken en hij had geen geld meer om te telefoneren. Eigenlijk wilde hij niet naar het gebouw toe. Als iemand Pollard vanaf de begraafplaats had gevolgd, zou Holman hen recht in de armen lopen, maar hij wist niet hoe hij haar anders moest bereiken. Holman reed rondjes om het gebouw tot hij bang werd dat hij haar zou mislopen. Toen ging hij in de hal staan wachten als een zenuwachtig hondje. Hij wilde net weggaan toen de lift openging en Pollard eruit stapte. Zodra het tot haar doordrong dat hij daar stond, trok haar gezicht wit weg.

'Wat is er met jou gebeurd? Wat zie je eruit! Wat is er gebeurd?'

Holman stond nog te trillen. Hij leidde haar weg bij de liften. Een bewaker in de hal had hem al twee keer aangesproken en Holman wilde het gebouw uit.

'We moeten hier weg. Vukovich en die gasten... ze hebben me alweer opgepakt.'

Pollard zag de bewaker ook en liet haar stem dalen.

'Je bloedt...'

'Het kan zijn dat ze je gevolgd hebben. Ik vertel het je buiten wel...'

Holman wilde zo snel mogelijk weg.

'Wie?'

'De politie. Ze hebben me te grazen genomen op de begraafplaats toen jij net weg was...'

Het trillen werd erger. Holman probeerde haar mee te nemen naar de deur, maar ze trok hem de andere kant op.

'Hierheen. Kom mee...'

'We moeten hier weg. Ze zoeken me.'

'Je ziet er niet uit, Max. Je valt veel te veel op. Kom mee...'

Holman liet zich door haar meetronen naar het damestoilet. Ze nam hem mee naar de wastafels, pakte een stapel papieren handdoeken en maakte ze nat onder de kraan. Holman wilde vluchten, maar hij was zo lamgeslagen dat hij geen voet kon verzetten: het toilet leek net een rattenval die op het punt stond dicht te klappen.

‘Ze hebben me meegenomen naar een huis. Het was Vukovich en – Random was daar. Ze hebben me niet gearresteerd. Het was verdomme geen arrestatie. Ze hebben me gewoon méégenomen...’

‘Ssst. Je staat helemaal te trillen. Probeer eens rustig te worden.’

‘We moeten hier weg, Katherine.’

Ze veegde bloed van zijn gezicht en armen, maar hij kon niet ophouden met praten, evenmin als hij kon ophouden met beven. Toen herinnerde hij zich dat zijn telefoon weg was en het afschuwelijke hopeloze gevoel dat hij had gehad toen hij haar niet kon bereiken.

‘Ik heb iets nodig om mee te schrijven, een pen. Heb jij een pen? Ik wilde je bellen, maar ik wist je nummer niet meer. Ik kon je verdomme niet...’

Het beven werd zo erg dat Holman stond te schudden op zijn benen. Hij verloor de controle over zichzelf, maar hij kon er niets tegen doen.

Pollard smeet de bebloede handdoeken neer en greep hem bij zijn armen.

‘Max.’

Haar ogen leken hem op te zuigen. Ze keek hem recht in zijn ogen en Holman keek terug. Haar vingers knepen in zijn armen, maar haar ogen waren kalm en haar stem klonk troostend.

‘Max, je bent nu hier bij mij...’

‘Ik was bang. Ze hadden Maria Juarez...’

Haar vingers masseerden zijn armen en Holman kon zijn blik niet van haar ogen losmaken.

‘Je bent veilig. Je bent nu bij mij en je bent veilig.’

‘Jezus, ik was zo godvergeten bang.’

Holman bleef naar haar ogen kijken, maar rond haar mondhoeken speelde een vriendelijke glimlach die hem tot rust bracht zoals een anker een afdrijvende boot tot rust zou brengen.

Het trillen werd minder.

‘Gaat het weer?’

‘Ja. Ja, het gaat wel weer.’

‘Mooi. Goed zo.’

Pollard haalde een pen uit haar jaszak en nam zijn arm. Ze schreef het nummer van haar mobiele telefoon aan de binnenkant van zijn onderarm en keek toen op met een zachte blik in haar ogen.

‘Nu heb je mijn nummer. Zie je wel, Max? Nu kun je het niet kwijtraken.’

Holman voelde dat er iets was veranderd. Ze deed een stap dichterbij, sloeg haar armen om hem heen en liet haar hoofd tegen zijn borst rusten. Holman stond stijf als een etalagepop. Hij wist niet wat hij hiermee aan moest en wilde haar niet schofferen. Ze fluisterde tegen zijn borst.

'Heel even maar.'

Aarzelend raakte Holman haar ook aan. Ze schrok niet en sprong niet weg. Hij nam haar in zijn armen en legde zijn wang op haar hoofd. Beetje bij beetje gaf hij zich over, hield haar vast, ademde haar in en voelde alle kwaad wegebben. Na een tijdje voelde Holman dat ze een beweging maakte. Ze deden allebei tegelijk een stap achteruit. Pollard glimlachte.

'Nu kunnen we gaan. Je kunt me onderweg in de auto vertellen wat er is gebeurd.'

Pollard stond geparkeerd in de kelder van het gebouw. Holman beschreef hoe ze hem op de begraafplaats hadden overvallen en hoe hij was ontsnapt en wat hij had gezien. Pollard luisterde met gefronst voorhoofd, maar ze maakte geen opmerkingen en stelde geen vragen, zelfs niet toen hij haar vertelde dat hij een auto had gestolen. Ze zei geen woord tot hij uitgesproken was. Toen bleek dat ze er nog niet veel van begreep.

'Goed, je werd dus door Vukovich en drie andere mannen, waarvan er een Fuentes heet en een Tom, op de begraafplaats gearresteerd?'

'Ze hebben me niet gearresteerd. Ze hebben me opgepakt, maar ze brachten me niet naar een politiebureau. Ze namen me mee naar een wóónhuis. Dit was verdomme geen arrestátie.'

'Wat wilden ze?'

'Ik weet niet wat ze wilden. Ik heb gemaakt dat ik wegkwam.'

'Hebben ze niets gezegd?'

'Nee, niets...'

Toen schoot Holman iets te binnen.

'Op de begraafplaats zei Vukovich dat ik de boel versjteerde, dat zij aardig probeerden te zijn, maar dat ik de boel versjteerde. Hij zei dat ze me meenamen naar het bureau, maar in plaats daarvan brachten ze me naar een woonhuis. Ik zag dat huis, maar ik was niet van plan daar naar binnen te gaan, echt niet.'

Pollards frons werd dieper alsof ze haar best deed het te begrijpen, maar dat was tevergeefs.

'Goed, en Random was in dat huis?'

'Ja. Met Maria Juarez. Chee zei dat de politie haar had meegenomen en hij had gelijk. En nu hebben ze Chee ook. Die hebben ze vanochtend gearresteerd.'

Pollard reageerde niet. Ze zat kennelijk nog te piekeren en uiteindelijk schudde ze haar hoofd.

'Ik snap er helemaal niets van. Ze hebben Maria Juarez opgepakt en nu hebben ze jou ook meegenomen. Wat wilden ze dan doen? Jullie gevangen houden? Wat zouden ze daarmee opschieten?'

Dat lag nogal voor de hand, vond Holman.

'Ze ruimen iedereen uit de weg die een gevaar vormt voor Randoms zaak tegen Warren Juarez. Ga maar na. Random heeft Warren Juarez de moorden in de schoenen geschoven en de zaak gesloten, maar Maria zei dat Warren het niet had gedaan, dus hebben ze haar opgepakt. Toen slikte ik het verhaal dat ze hadden verzonnen ook niet. Ze probeerden me zover te krijgen dat ik het liet rusten, maar toen dat niet werkte, pakten ze mij ook op. Nu hebben ze Chee.'

'Heeft Random hem gearresteerd?'

'Een speciale eenheid heeft vanochtend een inval in zijn garage gedaan en naar wapens en explosieven gezocht. Dat is onzin. Ik ken Chee al mijn hele leven en laat ik je één ding zeggen: dat slaat nergens op. Die schoften hebben hem er waarschijnlijk ingeluisd.'

Pollard leek nog niet overtuigd.

'Maar waarom zouden ze Chee erbij betrekken?'

'Misschien denken ze dat ik hem over het geld heb verteld. Misschien omdat hij me heeft geholpen. Ik weet het niet.'

'Zou je het huis kunnen terugvinden, het huis waar ze je heen gebracht hebben?'

'Reken maar. Ik kan je er nu naartoe brengen.'

'Nee, daar gaan we nu niet heen...'

'We moeten erheen. Nu ik weet waar ze haar vasthouden, zullen ze hun biezen pakken. En dan nemen ze haar mee.'

'Luister, Max, je hebt gelijk. Ze zijn vertrokken zodra jij weg was en als ze Maria Juarez tegen haar wil vasthielden, dan hebben ze haar meegenomen. Als we nu teruggaan, vinden we een leeg huis. Als we hiermee naar de politie gaan, wat kunnen we ze dan vertellen? Dat jij bent gekidnapt door vier mensen van de LAPD die mogelijk criminele bedoelingen hadden?'

Holman wist dat ze gelijk had. Hij was een crimineel. Hij had geen bewijs en geen reden om aan te nemen dat iemand hem zou geloven.

'Wat moeten we dan doen?'

'We moeten de vijfde man zoeken. Als we kunnen bewijzen dat Random de vijfde man is, kunnen we hem aan Fowler koppelen en dan is de zaak rond...'

Pollard bladerde door haar map en trok er een krantenknipsel over de moord op Richard uit. Bij het artikel stond een foto van twee politiemensen die op Parker Center een verklaring aflegden, en een van die politiemensen was Random.

'Ik wil deze foto aan mevrouw Marchenko laten zien. Als zij Random als de vijfde man aanwijst, kan ik met de dingen die we weten naar mijn vrienden bij de FBI. Dan kunnen we iets ondernemen, Max.'

Holman wierp een blik op Randoms korrelige gezicht en knikte. Hij wist dat Pollard opnieuw gelijk had. Ze kende het klappen van de zweep. Ze was een professional.

Holman stak zijn hand uit en raakte haar wang aan. Ze deinsde niet terug.

'Grappig hoe dingen gaan.'

'Ja.'

Holman draaide zich om om het portier te openen.

'Ik zie je daar.'

Pollard greep hem bij de arm voor hij kon uitstappen.

'Hé! Jij gaat met mij mee! Je kunt niet in een gestolen auto gaan rijden. Je wilt toch niet gepakt worden voor autodiefstal?'

Pollard had alweer gelijk, maar Holman wist dat hij in zeker opzicht ook gelijk had. Random en Vukovich hadden geprobeerd hem te grazen te nemen. Dat zouden ze opnieuw proberen. Voor zover hij wist, was iedere agent in de stad naar hem op zoek en zouden ze hem te pakken nemen zoals ze Chee te pakken hadden genomen.

Holman haalde voorzichtig haar hand weg.

'Ik moet misschien vluchten, Katherine. Ik wil niet in jouw auto vluchten. Ik wil niet dat jij met mij wordt gepakt.'

Holman gaf een kneepje in haar hand.

'Ik zie je daar.'

Hij gaf haar geen kans te reageren. Holman stapte snel uit de auto en liep op een drafje weg.

Holman verliet de parkeergarage alsof hij wegsloop bij een bank die hij zojuist had beroofd. Hij was nog steeds bang dat iemand Pollard vanaf de begraafplaats had gevolgd en keek scherp naar de auto's en voetgangers in de buurt van het gebouw, maar hij ontdekte niets verdachts. Hij wachtte in zijn gestolen auto tot Pollard de weg op draaide en volgde haar naar mevrouw Marchenko.

Holman voelde zich beter nu hij met Pollard had gepraat. Hij had het gevoel dat het niet lang meer zou duren tot ze zouden weten wie Richie had vermoord en waarom en hij vermoedde dat Random daarom tegen hem was opgetreden. Random had een grote rol gespeeld in de zaak-Marchenko en nu had hij de leiding over het onderzoek naar de moord op de vier politiemensen. Erg handig. Random had natuurlijk geweten van de ontbrekende zestien miljoen en had waarschijnlijk een team samengesteld, waar Fowler, Richie en de anderen deel van uitmaakten, om het geld te zoeken. Holman dacht met bitterheid terug aan de opmerkingen die Random over hen had gemaakt: slechte agenten, dronkaards en schooiers die hun principes overboord zouden gooien voor de pot met goud. Random wilde de moorden toeschrijven aan Warren Juarez. Maria Juarez had bewijsmateriaal waaruit bleek dat haar echtgenoot niet de schutter was, dus verdween eerst het bewijsmateriaal, en daarna Maria Juarez zelf. Richie was in het bezit geweest van rapporten die Random had geschreven en Random had de rapporten laten verdwijnen. Holman had te veel vragen gesteld, dus isoleerden ze hem eerst van de andere gezinnen, probeerden ze hem vervolgens af te schrikken en trachtten ze hem ten slotte ook te laten verdwijnen. Dit was de enige verklaring die Holman kon bedenken waarbij alles op zijn plaats viel. Hij begreep nog steeds niet wat Chee ermee te maken had, maar hij was ervan overtuigd dat ze genoeg hadden. De strop werd langzaam aangehaald, dus probeerde Random de losse eindjes af te werken en zich te ontdoen van de beul. Toen Holman besefte dat hij de beul was, glimlachte hij. Het móést Random zijn – en hij wilde Randoms beul zijn.

Toen ze bij het huis van mevrouw Marchenko kwamen, parkeerde Holman aan de overkant van de straat. Mevrouw Marchenko deed de voordeur al open op het moment dat Holman zich bij Pollard op het trottoir voegde.

'Ik heb haar vanuit de auto gebeld,' zei Pollard.

Mevrouw Marchenko scheen niet blij te zijn hen te zien. Ze keek nog achterdochtiger dan de eerste keer.

'Ik heb in alle kranten gekeken of ik dat artikel zag. Ik heb het nergens zien staan.'

Pollard glimlachte opgewekt.

'Het verschijnt binnenkort. We zijn gekomen om een paar laatste feiten te controleren. Ik heb een foto die ik u wil laten zien.'

Holman liep achter Pollard en mevrouw Marchenko aan naar haar woonkamer. Hij zag dat de kapotte ventilator nog kapot was.

Mevrouw Marchenko liet zich in haar gebruikelijke stoel vallen.

'Wat voor foto?'

'Weet u nog dat we u vorige keer een paar foto's hebben laten zien? Toen kon u een van de twee politieagenten aanwijzen die bij u waren geweest, nietwaar?'

'Ja.'

'Ik ga u nu een andere foto laten zien. Ik wil weten of dat de andere man was.'

Pollard haalde het krantenknipsel uit haar map en hield het omhoog. Mevrouw Marchenko bekeek het aandachtig en knikte.

'O, hem ken ik, maar dat was voor –'

Pollard knikte bemoedigend.

'Ja, juist. Hij heeft u verhoord toen Anton was gedood.'

'Ja, dat klopt, ja...'

'Is hij nog een keer teruggekomen met die andere man?'

Mevrouw Marchenko leunde naar achteren in haar stoel.

'Nee. Dat was hij niet.'

Holman voelde boosheid opwellen. Ze waren zo dichtbij. Ze stonden op het punt de zaak open te breken en nu werkte de oude dame tegen.

'Waarom kijkt u niet nog een keer...'

'Ik hoef niet nog een keer te kijken. Hij was het niet met die man. Hem ken ik van daarvoor. Hij was er een van dat stel dat mijn lamp kapot heeft gemaakt.'

De oude dame keek zo zelfvoldaan en opstandig, dat Holman ervan overtuigd was dat ze hen in de maling nam.

'In godsnaam, mevrouw.'

Pollard stak een hand op om hem te waarschuwen dat hij moest ophouden.

'Denk dan eens aan die andere man, mevrouw Marchenko. Probeert u zich te herinneren hoe hij eruitzag. Hij leek niet op deze man?'

'Nee.'

'Kunt u hem beschrijven?'

'Hij zag eruit als een man. Wat zal ik zeggen? Donker pak, geloof ik.'

Holman vroeg zich opeens af of de vijfde man misschien Vukovich was geweest.

'Had hij rood haar?'

'Hij had een hoed op. Ik weet het niet. Ik heb toch gezegd dat ik er niet op heb gelet.'

Holmans overtuiging dat ze Random zouden pakken, viel in scherven als een droom die uit elkaar spat bij het geluid van de wekker. Holman was nog op de vlucht, Chee zat nog vast, Maria Juarez werd nog gevangen gehouden. Holman griste Pollard het knipsel uit de hand en beende naar mevrouw Marchenko. Ze deinsde achteruit alsof ze bang was dat hij haar zou slaan, maar dat kon Holman niet schelen. Hij wees naar de foto van Random.

'Weet u zeker dat hij het niet was?'

'Hij was het niet.'

'Max, schei daarmee uit.'

'En als ik u nu vertel dat dit de schoft is die uw zoon heeft vermoord? Lijkt hij er dan nog niet op?'

Pollard kwam streng en boos overeind van de bank.

'Zo is het wel genoeg, Max. Hou op.'

Het buldoggezicht van mevrouw Marchenko verstrakte.

'Was hij het? Heeft hij Anton vermoord?'

Pollard pakte het krantenknipsel en duwde Holman naar de deur.

'Nee, mevrouw Marchenko. Sorry. Hij had niets met Antons dood te maken.'

'Waarom zegt hij dat dan? Waarom zegt hij dan zoiets?'

Holman liep kwaad het huis uit en bleef pas staan toen hij op straat was. Hij vond zichzelf een klootzak. Hij was boos en in de war en schaamde zich weer voor zichzelf, en toen Pollard naar buiten kwam, keek ze woest.

Holman zei: 'Het spijt me. Hoe kan dat nou, dat het Random niet was? Het moest Random wel zijn! Hij is de verbindende factor in deze hele zaak.'

'Hou je mond. Hou gewoon je mond. Goed dan, Random en Vukovich waren dus geen van beiden de vijfde man. We weten dat je zoon het niet was en ook Mellon en Ash niet, maar het moet iemand geweest zijn.'

'Random had nog een man of drie bij zich in dat huis. Misschien was het er een van hen. Misschien werkt de hele politie wel voor Random.'

'We hebben Alison Whitt nog...'

Ze had haar mobiele telefoon al in haar hand en drukte op een snelkeuzetoets.

'Als Random haar contactpersoon was, kunnen we nog –'

Ze stak haar hand op om hem het zwijgen op te leggen toen de persoon die ze belde opnam.

'Ja, met mij. Wat heb je over Alison Whitt gevonden?'

Holman wachtte af en zag Pollard verstijven. Hij wist al dat het mis was voordat Pollard de telefoon liet zakken. Hij zag het aan de manier waarop ze haar schouders liet hangen. Pollard keek hem een moment aan en schudde haar hoofd.

'Alison Whitt staat niet te boek als informant bij de Los Angeles Police Department.'

'Wat doen we nou?'

Pollard gaf niet direct antwoord. Holman wist dat ze nadacht. Hij dacht ook na. Hij had het kunnen verwachten. Waarom zou het ook lukken? Hij wist wel beter.

Uiteindelijk gaf Pollard antwoord.

'Ik heb haar strafblad bij mij thuis liggen. Ik kan zien door wie ze is gearresteerd. Misschien was het een denkfout van ons, dat ze een officiële informant was. Misschien speelde ze wel in het geniep informatie door aan een of andere vent en herken ik een naam.'

Holman glimlachte. Opnieuw was het meer omwille van zichzelf dan voor haar. Hij nam de lijnen van haar gezicht en de manier waarop haar haar viel in zich op en dacht nogmaals terug aan de eerste keer dat hij haar zag, toen ze een vuurwapen op hem richtte in de bank.

'Het spijt me dat ik je erbij betrokken heb.'

'We zijn hier nog niet mee klaar. We zijn er bijna, Max. Overal aan beide kanten van deze idiote zaak stuit je op Random. We hoeven alleen nog maar dat ene ontbrekende stukje te vinden. Dan wordt alles duidelijk.'

Holman knikte, maar hij voelde zich de verliezer. Hij had geprobeerd het op de goede manier te spelen, de manier waarop je het hoort te spelen wanneer je je aan de wet houdt, maar de goede manier had niets opgeleverd.

'Je bent een bijzonder mens, agent Pollard.'

Haar gezicht werd strak. Ze was opeens weer die jonge agente.

'Ik heet Katherine. Spreek me verdomme aan met mijn naam.'

Holman wilde haar weer in zijn armen nemen. Hij wilde haar dicht tegen zich aan houden en kussen, maar dat kon alleen maar verkeerd gaan.

'Je moet me niet meer helpen, Katherine. Het kan alleen maar slecht voor je aflopen.'

Holman ging op weg naar zijn auto. Nu liep Pollard achter hem aan.

'Wacht even. Wat ga je doen?'

'Nieuwe spullen halen en van de radar verdwijnen. Ze hadden me te pakken en ze zullen het opnieuw proberen. Dat mag niet gebeuren.'

Hij stapte in zijn auto, maar zij ging voor het portier staan, zodat hij het niet kon dichttrekken. Holman probeerde haar te negeren. Hij stak zijn schroevendraaier in het opengebroken startslot en draaide hem om om de motor te starten. Pollard ging niet opzij.

'Hoe kom je nu aan geld?'

'Chee heeft me wat geld gegeven. Ik moet weg, Katherine. Toe.'

'Holman!'

Holman keek naar haar op. Pollard deed een stap achteruit en sloeg het portier dicht. Ze leunde naar binnen door het raampje en raakte zijn lippen aan met de hare. Holman sloot zijn ogen. Hij wilde dat er geen einde aan zou komen, maar hij wist dat het, zoals al het goede in zijn leven, niet zou duren. Toen hij zijn ogen weer opende, stond ze naar hem te kijken.

'Ik ben niet van plan het op te geven,' zei ze.

Holman reed weg. Hij waarschuwde zichzelf dat hij niet achterom moest kijken. Hij had aan den lijve ondervonden dat je in de problemen kwam wanneer je achterom keek en daarom zei hij tegen zichzelf dat hij niet moest kijken. Toch wierp hij een blik in het achteruitkijkspiegeltje en zag haar op straat staan, hem nakijken, die ongelooflijke vrouw die bijna een deel van zijn leven was geworden.

Holman veegde zijn ogen droog.

Hij keek strak vooruit.

Hij reed.

Het was niet gelukt de stukjes in elkaar te passen, maar het was niet meer belangrijk. Holman was niet van plan de schuldigen de dans te laten ontspringen.

45

Pollard was woedend. Marki had precies de goede termen gebruikt in haar relaas over wat Whitt had gezegd toen ze vertelde dat ze een informant was: de registratie, de limiet, de goedkeuring. Burgers wisten die dingen niet behalve als ze er zelf mee te maken hadden gehad. Daarom geloofde Pollard nog steeds dat Whitt de waarheid had gesproken.

Pollard pleegde opnieuw een telefoontje naar Sanders toen ze de Hollywood Freeway op scheurde. Ze had er in aanwezigheid van Holman niet dieper op in willen gaan, maar nu wilde ze de details weten.

'Hoi, met mij. Kun je nog praten?'

'Wat is er?'

'Dat meisje was een informant. Je moet het nog een keer controleren.'

'Hé. Ho, eens even. Het was een gunst, hoor. Leeds schopt me op straat als hij erachter komt.'

'Ik weet zeker dat dat meisje de waarheid sprak. Ik geloof haar.'

'Ik weet dat je haar gelooft. Je geloof druipt gewoon uit de telefoon. Maar ze stond niet op de lijst. Weet je, misschien betaalde een of andere politieman haar uit zijn eigen zak. Dat gebeurt zo vaak.'

'Als iemand onofficieel gebruik van haar maakte, zou ze niet geweten hebben dat de vergoedingen aan een maximum zijn gebonden en dat ze moeten worden goedgekeurd. Denk eens even na, April: ze was een echte informant en ze had een politieman die haar hielp.'

'Luister nou naar me. Ze stond niet op de lijst. Het spijt me.'

'Misschien met een schuilnaam. Kijk eens in haar strafblad of –'

'Nou ben je dom bezig. Niemand krijgt betaald onder een schuilnaam.'

Pollard reed een tijdje zwijgend door. Ze geneerde zich voor haar wanhopige gedram.

'Ja, je hebt waarschijnlijk gelijk.'

'Je weet dat ik gelijk heb. Wat is er toch met je, meid?'

'Ik was er vast van overtuigd.'

'Het was een hoer. Hoeren liegen. Dat is hun werk: "Je bent mijn beste minnaar, ik kom bij jou altijd zo heerlijk klaar." Kom op, Kath. Ze heeft er een mooi verhaal van gemaakt voor haar vriendin omdat ze van alles een mooi verhaal kan maken. Dat is hun werk.'

Pollard schaamde zich voor zichzelf. Misschien kwam het door Holman. Misschien wilde ze het zo graag voor hem oplossen, dat ze haar gezonde verstand had verloren.

'Sorry dat ik zo uit mijn slof schoot.'

'Kom maar een paar donuts langsbrengen. Ik begin af te vallen. Je weet dat ik mijn gewicht graag op peil houd.'

Pollard kon zelfs geen glimlach opbrengen. Ze klapte haar telefoon dicht en bleef erover doorpiekeren terwijl ze naar huis reed. Haar gedachten sprongen heen en weer tussen haar teleurstelling dat Alison Whitt had gelogen toen ze zei dat ze een informant was en haar verbazing dat mevrouw Marchenko Random niet had herkend als de vijfde man.

Het was net of zij en Holman twee afzonderlijke zaken hadden blootgelegd waarbij Random allebei betrokken was: Fowlers zoektocht naar het ontbrekende geld en de vermeende moord van Warren Juarez op de vier politiemensen. Random had een belangrijke rol gespeeld in het onderzoek naar Marchenko en nu had hij de leiding over het onderzoek naar de moorden. Random had het moordonderzoek onmiddellijk afgesloten door Warren Juarez als de schuldige aan te wijzen, ook al waren er nog onbeantwoorde vragen. Hij had ontkend dat Fowler en de anderen iets met Marchenko te maken hadden en had een nader onderzoek tegengehouden. Hij was hierbij zo actief opgetreden, dat het duidelijk was dat hij iets te verbergen had.

Alleen waren Fowler en zijn jongens wél op zoek geweest naar het geld en ze waren niet alleen geweest. Er was ten minste één andere persoon bij betrokken: de vijfde man. Iemand had hun kopieën gegeven van rapporten van de afdeling Gewapende Overvallen waar zij anders niet de hand op hadden kunnen leggen, en twee van die rapporten waren geschreven door Random, die die rapporten later uit het appartement van Richard Holman had meegenomen. Er was ook iemand met Fowler meegegaan naar mevrouw Marchenko en het leek Pollard aannemelijk dat dit dezelfde persoon was die de van Alison Whitt afkomstige informatie aan Fowler doorspeelde. Pollard was ervan overtuigd dat Alison Whitt nu het belangrijkste aanknopingspunt was en dat ze via haar waarschijnlijk toch weer bij Random zouden uitkomen.

Maar Pollard had nog altijd een probleem met Maria Juarez. Toen ze was verdwenen, had Random een bevel voor haar arrestatie uitgevaardigd, maar Chee beweerde dat de politie haar had meegenomen uit het huis van haar neven. Inmiddels had Holman gezien dat ze in handen van Random was. Als Random de werkelijke moordenaar van de vier politiemannen dekte, waarom zou hij Maria Juarez dan gevangen houden en niet gewoon vermoorden? Na haar bezoek aan de plaats delict was Pollard ervan overtuigd geraakt dat de vier politiemensen hun moordenaar willens en wetens naderbij hadden laten komen. Als Juarez de moordenaar was en als de politiemensen die nacht bij de brug waren vanwege hun zoektocht naar het geld, dan moest Juarez iets te maken hebben gehad met Marchenko. Misschien wist Maria Juarez wat haar echtgenoot had geweten en had Random haar hulp nodig om het geld te vinden. Dat zou verklaren waarom ze nog in leven was. Maar Pollard was niet tevreden met deze verklaring. Ze zat te gissen, en gissen in een onderzoek was iets voor sukkels.

Pollard probeerde te bevatten waarom zo veel van de informatie die ze had geen steek hield, toen ze haar garagepad op reed. Ze haastte zich door de helse hitte en opende de voordeur van haar huis. Ze stapte naar binnen en de boosheid over Alison Whitt week voor het schrikbeeld van het onvermijdelijke telefoontje naar haar moeder. Toen ze haar huis binnenging was ze in gedachten verzonken en ze overwoog net dat er ook werkelijk niets lukte, toen een roodharige man die binnen stond te wachten de deur uit haar handen duwde en hem dichtsloeg.

'Welkom thuis.'

Pollard schrok zo erg, dat ze met een schok achteruitdeinsde toen een andere man uit de gang kwam. Deze man had een portefeuille in zijn hand met een politiekaart.

'John Random. We zijn van de politie.'

46

Pollard draaide zich bliksemsnel om naar Vukovich en plantte haar elleboog hard tussen zijn ribben. Vukovich gromde en schoot opzij.

'Hé...'

Pollard draaide snel de andere kant op met het idee dat ze in de keuken moest zien te komen zodat ze door de achterdeur naar buiten kon, maar Random versperde haar de weg.

'Wacht even! We doen je niets. Wacht nou!'

Random was tussen Pollard en de keuken blijven staan en niet dichterbij gekomen. Hij stond met beide handen in de lucht. Zijn politiekaart bungelde boven zijn hoofd. Ook Vukovich had niets ondernomen. Pollard deed voorzichtig een paar passen opzij zodat ze hen allebei tegelijk kon zien.

Random zei: 'Doe eens rustig. Kalm aan. Als we je iets wilden doen, dan zouden we hier niet zo staan, wel?'

Random liet zijn handen zakken, maar kwam niet naar voren. Dat was een goed teken, maar Pollard deed toch nog een stap opzij. Haar blik ging van de een naar de ander. Ze kon zichzelf wel voor haar kop slaan dat ze haar dienstpistool in de doos in haar kast had laten liggen. Hoe stom kon een mens zijn? Misschien kon ze een van de keukenmessen te pakken krijgen, dacht ze, al zou ze deze schoften niet graag met een mes te lijf gaan.

'Wat moet je van me?'

Random keek haar nog even onderzoekend aan en stopte toen zijn politiekaart weg.

'Je medewerking. Jij en Holman hebben de boel lopen verpesten voor ons. Mag ik het alsjeblieft even uitleggen?'

'Hebben jullie hem daarom opgepakt, om het uit te leggen?'

'Ik zou hier nu niet zijn en je niet vertellen wat ik je ga vertellen als jullie me niet gedwongen hadden open kaart te spelen.'

Vukovich leunde tegen de deur en hield haar in het oog, maar hij keek nieuwsgierig en stond er ontspannen bij. Random was kregelig, maar zijn ogen stonden moe en zijn pak was gekreukeld. Hun lichaamstaal was allesbehalve bedreigend. Pollard begon zich een beetje te ontspannen, maar ze bleef op haar hoede.

'Een vraagje...' zei ze.

Random hief zijn handen in een gebaar van: ga je gang, vraag maar.

'Wie heeft die mannen vermoord?'

'Warren Juarez.'

'Klets niet, Random. Ik geloof je niet en ik geloof ook niet dat zij toevallig onder die brug waren. Ze waren op zoek naar Marchenko's geld.'

Random hief opnieuw zijn handen en haalde zijn schouders op, alsof hij wilde zeggen dat het hem niet uitmaakte of ze hem geloofde of niet.

'Ja, ze waren op zoek naar het geld, maar Juarez was de schutter. Iemand heeft hem betaald om ze te vermoorden. We proberen erachter te komen wie die persoon is.'

'Niet liegen, Random. Holman heeft Maria Juarez bij jou in dat huis gezien.'

'Ik lieg niet. Dat huis is een schuiladres. Ze was daar vrijwillig op ons verzoek.'

'Waarom?'

'Juarez heeft geen zelfmoord gepleegd. Zijn opdrachtgever heeft hem vermoord. We denken dat hij werd benaderd vanwege de connectie met Fowler en dat de persoon die hem benaderde, van het begin af aan van plan is geweest hem te doden. We waren bang dat deze persoon zijn vrouw ook zou doden. We hebben Holman meegenomen om hem bij Maria te brengen, zodat ze het hem zelf kon vertellen. Ik was ervan overtuigd dat hij me anders niet zou geloven.'

Pollard hield Random scherp in de gaten toen hij zijn verhaal deed en meende dat hij de waarheid sprak. Alles wat hij zei, klonk logisch. Ze dacht er goed over na en knikte.

'Goed. Dat wil ik wel geloven, maar waarom hebben jullie Chee laten arresteren? Dat snap ik niet.'

Random wierp een blik op Vukovich voor hij weer naar haar keek. Hij schudde zijn hoofd.

'Ik weet niet waar je het over hebt.'

'Holmans vriend, Chee – Gary Moreno. Er is vanochtend een inval bij hem gedaan en hij is in hechtenis genomen. We dachten dat jullie dat waren.'

'Ik weet er niets van.'

'Waar hebben we het dan over, Random? Moet ik geloven dat het toeval is?'

Random zag er een beetje beteuterd uit, maar hij keek opnieuw naar Vukovich.

'Vuke, kijk eens wat je te weten kunt komen.'

Vukovich haalde een mobiele telefoon tevoorschijn en slofte door de gang naar de keuken. Pollard kon hem horen praten terwijl ze haar gesprek met Random voortzette.

'Als je wist dat er buiten Juarez nog een andere persoon bij betrokken was, waarom heb je het onderzoek dan stopgezet?'

'Zijn moordenaar heeft de moord op een zelfmoord laten lijken. Ik wilde hem in de waan laten dat zijn list was geslaagd. Ik wilde hem het idee geven dat wij niet wisten dat hij bestond zodat hij zich veilig voelde.'

'Waarom?'

'Omdat deze persoon volgens ons een hooggeplaatste politieman is.'

Random zei het op zakelijke toon en zonder enige aarzeling. Het was precies wat Pollard en Holman al heel lang dachten, alleen dachten zij dat het Random was. Pollard besefte ineens dat de rare verschillen tussen de twee Randoms logisch waren en dat alles wat inconsistent leek toch consistent kon zijn.

'De vijfde man.'

'Wat is de vijfde man?'

'We wisten dat er nog iemand anders bij betrokken was. We hebben hem de vijfde man genoemd. We dachten dat jij het was.'

'Het spijt me dat ik je moet teleurstellen.'

'Je bent bezig geweest met een onderzoek binnen een onderzoek, het ene openbaar, het andere geheim – een geheim onderzoek.'

'Er was geen andere manier. De enige mensen die ervan weten, zijn mijn team, de hoofdcommissaris en een adjunct-commissaris. Dit onderzoek liep al een paar weken voor die mannen werden vermoord. Iemand vertelde mij dat een groep politiemensen op het geld uit was. Van de meeste konden we de naam achterhalen, maar er was iemand die bijzonder veel van Marchenko en Parsons afwist en informatie doorspeelde aan Fowler. En Fowler beschermde de vuilak als een pitbull. Fowler was de enige die die persoon kende, de enige die hem sprak en ontmoette. We waren bezig uit te zoeken wie het was.'

'En toen begon het schieten.'

Randoms gezicht verstrakte.

'Ja. Toen begon het schieten en Holman en jij hebben overal zo in zitten spitten, dat het ze zelfs op de wijkbureaus begint op te vallen. Je moet ermee ophouden, Pollard. Als deze man doorkrijgt dat we achter hem aan zitten, krijgen we hem niet meer te pakken.'

Nu begreep Pollard de telefoontjes die Leeds van Parker Center had gekregen. De hoogste baas had willen weten waar ze mee bezig was en had Leeds gemaand dat hij ervoor moest zorgen dat ze ophield.

'Hoe komt het dat je zo veel weet over wat Fowler wel en niet heeft gedaan? Hoe weet je dat Fowler de enige was?'

Random aarzelde even. Het was de eerste keer dat hij aarzelde voor hij een van haar vragen beantwoordde. Pollard kreeg een knoop in haar buik, want ze wist plotseling het antwoord.

'Iemand in die groep was een van jouw mensen,' zei ze.

'Richard Holman werkte voor mij.'

De koude airconditioning werd warm. Een ijzige stilte verspreidde zich langzaam als gemorste siroop door het hele huis. Alles wat Holman haar over zijn gesprekken met Random had verteld, schoot door haar hoofd.

'Vuile klootzak die je bent. Dat had je hem wel eens mogen vertellen.'

'Als ik het hem had verteld, had ik het onderzoek in gevaar gebracht.'

'Je hebt die man in de overtuiging gelaten dat zijn zoon oneerlijk was. Heb je enig idee hoeveel verdriet hij daarvan heeft? Kan het je iets schelen?'

Het zachte vlees rond Randoms ogen trok samen. Hij bevochtigde zijn lippen.

'Rich Holman kwam naar me toe toen Fowler hem vroeg of hij mee wilde doen. Rich had geweigerd, maar ik heb hem overgehaald Fowler terug te bellen. Ik heb hem erbij betrokken, mevrouw Pollard, dus ja, het kan me wel iets schelen.'

Pollard liep naar haar bank. Ze schonk geen aandacht aan Random. Ze had niets te zeggen. Ze dacht aan Holman. Ze knipperde snel toen haar ogen volschoten, want ze wilde niet dat Random haar zag huilen. Richie was geen slecht mens. Richie was goed. Holman hoefde zich niet te verontschuldigen tegenover Donna.

'Snap je nu waarom het zo moest?' vroeg Random.

'Als je uit bent op vergiffenis, moet je niet bij mij zijn. Misschien moest het zo, Random, maar dan nog ben je een klootzak. Die man had net zijn zoon verloren. Je had hem alleen maar hoeven behandelen als mens in plaats van als een stuk vuil, dan was dit allemaal niet gebeurd.'

'Wil je hem bellen? Ik heb jullie medewerking nodig voor het te laat is.'

Pollard lachte.

'Ik zou het wel willen, maar het kan niet. Jullie hebben op de begraafplaats zijn mobiele telefoon afgepakt. Ik kan hem niet bereiken.'

Random klemde zijn kaken op elkaar, maar reageerde niet. Vukovich kwam terug uit de keuken met de mededeling dat hij zou worden teruggebeld, maar Pollard schonk er geen aandacht aan. Ze vroeg zich af of alles wat zij en Holman hadden gedaan zinloos was geweest. De vijfde man was er waarschijnlijk al vandoor.

'En hebben ze nou het geld gevonden of niet? Ik denk het haast wel, anders zou die verdachte waar je naar op zoek bent die mensen niet hebben vermoord.'

'We weten het niet zeker. Als ze te weten zijn gekomen waar het lag, is het pas na de moorden gevonden.'

'Ze moeten het geld gevonden hebben, Random. Wat hebben ze bij de Hollywood Sign gevonden?'

Random was duidelijk verrast.

'Hoe weet jij dat?'

'Ik heb toch overal in lopen spitten, klootzak. Ze hebben iets gevonden op de donderdagavond voor ze werden vermoord. Wat ze hebben gevonden, lag begraven in een gat van ongeveer dertig centimeter breed en vijftig centimeter diep. Wat was het?'

'Sleuteltjes. Ze hebben tweeëntwintig sleuteltjes gevonden in een blauwe metalen thermosfles.'

'Sleuteltjes? Meer niet? Wat voor sleuteltjes?'

'Rich heeft ze niet gezien. Fowler heeft de thermosfles opengemaakt. Hij vertelde de anderen wel wat ze gevonden hadden, maar hield ze bij zich.'

'En verder geen informatie waar ze de sloten konden vinden?'

'Enkel sleuteltjes. De volgende dag zei Fowler tegen de anderen dat zijn partner dacht dat hij misschien wel kon achterhalen waar die sleuteltjes van waren. We denken dat ze daarom bij elkaar kwamen op de avond dat ze zijn vermoord. Het laatste wat Rich mij heeft verteld, is dat iedereen dacht dat ze te horen zouden krijgen waar het geld was.'

Pollard zat na te denken over de sleuteltjes toen het tot haar doordrong dat bijna alles wat Random wist van Rich Holman kwam. Als Fowler informatie prijsgaf, vertelde Rich het door aan Random. Maar Fowler had zijn partner afgeschermd. Hij hield dingen geheim. Pollard vroeg zich opeens af of ze niet meer over deze zaak wist dan Random.

'Weet je niet waarom Marchenko die sleutels bij de Hollywood Sign had verstopt?'

Pollard kon aan zijn gezicht zien dat hij geen flauw idee had. Hij haalde zijn schouders op en begon te raden.

'Afgelegen. Dicht bij zijn flat.'

'Alison Whitt.'

Random snapte er niets van.

'Alison Whitt was een prostituee. Marchenko had seks met haar bij het monument. Wisten jullie dat niet?'

Vukovich schudde zijn hoofd.

'Dat kan niet. We hebben iedereen verhoord die ook maar iets met Marchenko en Parsons te maken had. Iedereen die we gesproken hebben, zei dat deze grapjassen castraten waren. Ze hadden niet eens vrienden, laat staan vriendinnen.'

'Holman en ik hoorden van haar bestaan van Marchenko's moeder. Weet je, Random, ongeveer een week voor de moorden is Fowler met iemand anders bij Marchenko's moeder geweest. Ze kwamen speciaal omdat ze informatie over Alison Whitt wilden hebben. De man die er die dag bij was, was niet Rich en ook niet Mellon of Ash. Het moet Fowlers partner zijn geweest. Ze kende zijn naam niet, maar je zou bij haar langs kunnen gaan met een tekenaar.'

Random keek snel naar Vukovich.

'Bel Fuentes. Laat er iemand heen gaan met een tekenaar.'

Vukovich liep opnieuw weg met zijn mobiele telefoon en Random richtte zich weer tot Pollard.

'En hoe zit het nu met Whitt?'

'Slecht. Ze is op dezelfde avond vermoord als de anderen. Whitt is de verbindende factor, Random. Holman en ik hoorden van haar bestaan van mevrouw Marchenko, maar Fowler en zijn vriend wisten al van Whitt af vóór ze bij Marchenko's moeder kwamen. Whitt beweerde dat ze een informant was, dus dacht ik dat de vijfde man misschien haar contactpersoon was, maar dat heeft niets opgeleverd.'

'Wacht eens even... Hoe ben je dit allemaal te weten gekomen als Whitt al dood was?'

Pollard vertelde hem over Marki Collen en de Mayan Grille en Alison Whitts verhalen over Marchenko. Random haalde een blocnote tevoorschijn om aantekeningen te maken. Toen ze uitverteld was, las Random wat hij had opgeschreven.

'Ik zal het uitzoeken.'

'Je vindt toch niets. Een vriendin bij de FBI heeft de dossiers op Parker erop nageslagen. Ze komt niet op jullie lijst voor.'

Random trok een somber glimlachje.

'Bedank je vriendin van me, maar ik zoek het liever zelf uit.'

Random haalde zijn telefoon uit zijn zak en liep naar het raam terwijl hij een nummer draaide. Toen hij stond te bellen kwam Vukovich terug.

'Ik heb nieuws over die man Chee. Het was een gerechtvaardigde inval. De explosievenopruimingsdienst had een tip gekregen van de FBI en is er samen met Metro op afgegaan. Ze hebben drie kilo C-4 plastic springstof en een ontstekingslont uit zijn garage gehaald.'

Pollard gaapte Vukovich aan en keek toen naar Random, maar Random was nog aan de telefoon.

'En dat was op aangeven van de FBI?'

'Dat zei die man. Had iets te maken met een onderzoek naar een complot, zei hij, dus toen zijn ze erheen gegaan om te kijken hoe het zat.'

'Wanneer kregen ze die tip?'

'Vanochtend vroeg ergens. Is dat belangrijk?'

Pollard schudde haar hoofd , maar ze had het gevoel dat haar benen gevoelloos werden.

'Weet je zeker dat het de FBI was?'

'Dat zei die man.'

De gevoelloosheid trok omhoog haar lichaam in.

Random beëindigde zijn gesprek, haalde een visitekaartje uit zijn portefeuille en kwam daarmee naar Pollard.

'Holman zal wel met me willen praten. Dat is prima. Als je hem te pakken hebt gekregen, bel me dan, maar je moet hem wel duidelijk maken dat hij zich er niet meer mee moet bemoeien. Dat moet echt. Je mag niemand vertellen wat ik heb gezegd en Holman mag het ook niet tegen zijn schoondochter vertellen. Je snapt toch wel waarom we het zo aanpakken, hè? Ik hoop bij god dat het nog niet te laat is.'

Pollard knikte, maar ze dacht helemaal niet na over Randoms aanpak. Toen ze wegliepen bleef ze stijfjes bij de deur staan en draaide zich daarna om naar haar lege huis. Pollard geloofde niet in toeval. Ze hadden het haar in Quantico geleerd en ze had het in honderden onderzoeken ervaren: toeval bestond niet.

Een tip van de FBI.

Pollard ging naar haar slaapkamer en sleepte een stoel naar haar kast. Ze haalde de doos van de bovenste plank, de plank waar de jongens niet bij konden, en pakte haar vuurwapen.

Pollard wist dat ze mogelijk een grote en ernstige fout had gemaakt. Marki had hun verteld dat Whitt een informant was en dat een agent haar hielp, maar agent betekende niet noodzakelijkerwijs politieman en de LAPD was niet de enige wetshandhavingsinstantie die gebruikmaakte van informanten. Sheriffs, agenten van de geheime dienst, U.S. Marshals en medewerkers van de ATF beschouwden zichzelf allemaal als agenten en maakten allemaal gebruik van informanten.

Alison Whitt kon een informant van de FBI zijn geweest. En als dat zo was...

...was de vijfde man een FBI-agent.

Pollard haastte zich naar buiten de hitte in en reed naar Westwood.

Informanten konden een wezenlijke rol spelen in het oplossen van misdrijven en het verkrijgen van een tenlastelegging en deden dat vaak ook. De informatie die ze verschaften en de manier waarop ze die verkregen, werden als onderdeel van het juridische dossier opgenomen in de rechercherapporten, bevelschriften, aanhoudingsbevelen, dagvaardingen, aktes van beschuldiging en uiteindelijk de processtukken. De echte naam van een informant werd nooit gebruikt omdat veel van deze documenten openbaar waren. In dit soort documenten werd de naam van de informant vervangen door een getal. Dit getal was het codenummer van de informant en de codes werden, samen met rapporten over de betrouwbaarheid van de informant en, wanneer een informant betaald kreeg voor zijn informatie, betaalbewijzen achter slot en grendel bewaard om de anonimiteit van de informant te waarborgen. Waar en hoe deze lijst werd opgeslagen, verschilde van instelling tot instelling, maar het ging uiteraard niet om de lanceercodes van atoomraketten; het enige wat een agent hoefde te doen, was zijn baas om de sleutel vragen.

Pollard had in haar drie jaar bij de afdeling Bankovervallen slechts viermaal gebruik gemaakt van een informant. Alle keren had ze Leeds om de lijst met informanten gevraagd en gezien hoe hij een archiefkast openmaakte waarin hij de stukken bewaarde. Elke keer pakte hij daarvoor een koperkleurig sleuteltje uit een doosje dat hij in de rechter bovenla van zijn bureau bewaarde. Pollard wist niet of het doosje en het sleuteltje en de stukken zich na acht jaar nog op dezelfde plaats bevonden, maar Sanders zou dat wel moeten weten.

De hemel boven Westwood was schitterend helderblauw toen Pollard het parkeerterrein op draaide. Ze probeerde zichzelf wijs te maken dat dit de uitzondering op de regel was waarbij toeval gewoon toeval was, maar ze geloofde het niet. Alison Whitts naam zou op een formulier in de kamer van Leeds staan. De agent die haar had gerekruteerd en gebruikt, was vrijwel zeker verantwoordelijk voor de moord op zes mensen. Die agent zou iedereen kunnen zijn.

Uiteindelijk klapte Pollard haar telefoon open om Sanders te bellen, want ze moest toegang krijgen tot het gebouw. Maar Sanders nam niet op. Pollard werd direct doorgeschakeld naar haar voicemail, een teken dat Sanders waarschijnlijk op een plaats delict nieuwe slachtoffers aan het verhoren was.

Pollard vervloekte haar pech, draaide het algemene nummer van de afdeling en wachtte tot er werd opgenomen. Op dagen dat het team door heel L.A. verspreid aan het werk was, bleef één persoon op kantoor als achterwacht om telefoontjes af te handelen en zijn of haar administratie bij te werken. Wanneer Pollard dienst had als achterwacht, negeerde ze die telefoontjes meestal.

'Afdeling Bankovervallen. Met agent Delaney.'

Pollard herinnerde zich de jonge agent die ze met Bill Cecil had gezien. Nieuwe mensen namen altijd op, want die waren nog niet afgestompt.

'Met Katherine Pollard. Ik heb je een keer ontmoet, toen met de donuts, weet je nog wel?'

'O, ja. Hoi.'

'Ik sta beneden. Is April er?'

Pollard wist dat Sanders niet op kantoor was, maar naar Sanders vragen was een opzetje voor haar volgende vraag. Ze moest weten of Leeds op zijn kamer was, omdat Leeds de lijst bewaarde. Pollard wilde Leeds niet in de buurt hebben.

'Ik heb haar niet gezien. Ik ben eigenlijk alleen hier. Iedereen is op pad.'

'En Leeds?'

'Eh, die was hier net nog wel... Nee, ik zie hem niet. Het is behoorlijk druk vandaag.'

Pollard was opgelucht, maar probeerde teleurgesteld te klinken.

'Hè, verdorie. Zeg, Kev, ik heb een paar dingen voor Leeds die ik samen met een doos donuts voor het team even langs wilde brengen. Kun je iemand naar beneden sturen?'

'Tuurlijk. Geen probleem.'

'Fijn. Ik zie je zo.'

Pollard had een doos donuts bij Stan's gehaald om haar bezoek te rechtvaardigen. Ze stopte haar vuurwapen onder de stoel en liep met haar donuts en haar dossier naar het gebouw. Ze had het dossier meegenomen om een excuus te hebben om naar Leeds' kamer te gaan. Pollard wachtte net zoals de vorige keer op haar begeleider en ging met de lift naar de dertiende verdieping.

Toen ze de afdeling op kwam, keek ze onderzoekend rond. Delaney zat alleen achter zijn bureau vlak bij de deur. Pollard wierp Delaney een stralende glimlach toe terwijl ze op hem af liep.

'Man, ik vond het altijd zo erg als ik achterwacht had. Volgens mij ben je hard aan een donut toe.'

Delaney viste een donut uit de doos, maar scheen niet goed te weten wat hij ermee aan moest en nam hem waarschijnlijk alleen uit beleefdheid. Zijn bureau was bezaaid met papier.

'Zal ik de doos bij je laten staan?' vroeg Pollard.

Delaney keek even naar zijn bureau en zag dat er geen plaats was om hem neer te zetten.

'Waarom zet je hem niet in de koffiekamer?'

'Prima, doe ik. Ik ga deze dingen even bij Leeds op de kamer leggen en dan heb je geen last meer van me.'

Ze gebaarde met het dossier zodat hij het zou zien en draaide zich om. Pollard probeerde zich ontspannen te bewegen, alsof haar gedrag normaal was. Ze zette de donuts in de koffiekamer en gluurde even naar Delaney toen ze de kantoorruimte weer in stapte. Hij zat met gebogen hoofd hard te werken.

Pollard liep naar de kamer van Leeds. Ze opende zonder aarzelen de deur en trad binnen in het hol van de leeuw. Pollard was niet meer in Leeds' kamer geweest sinds de dag dat ze ontslag had genomen, maar hij was nog even intimiderend als ze zich herinnerde. Aan de muur hingen foto's van Leeds met alle presidenten na Nixon, evenals een portret met opdracht van J. Edgar Hoover, die Leeds beschouwde als een Amerikaanse held. Tussen de presidenten hing een originele politieposter met het opsporingsverzoek voor John Dillinger, die Leeds van president Reagan had gekregen.

Pollard keek om zich heen om zich te oriënteren en zag tot haar grote opluchting dat de archiefkast nog steeds op dezelfde plaats stond en dat Leeds nog hetzelfde bureau had. Ze liep snel naar het bureau toe en trok de rechter bovenla open. In het doosje lagen nu verschillende sleutels, maar Pollard herkende het koperkleurige sleuteltje. Ze haastte zich naar de kast, bang dat Delaney zich zou afvragen waarom ze zo lang wegbleef. Ze haalde de kast van het slot, trok de la open en speurde de hangmappen af, die op alfabetische volgorde waren gerangschikt. Ze vond de W, haalde de map eruit en zocht in de dossiers. Elk dossier was voorzien van de naam en het codenummer van de informant.

Ze hoopte nog altijd dat dit de uitzondering op de regel zou zijn toen ze de naam zag staan: Alison Carrie Whitt.

Pollard sloeg het dossier open op het voorblad, waar de persoonsgegevens van Alison Whitt waren vermeld. Ze keek snel de bladzijde over om te zien of de naam van de vijfde man erop stond...

'Wat doe jij hier?'

Pollard schrok van het geluid van zijn stem. Leeds stond met een woedend gezicht in de deuropening.

'Pollard, sta op! Ga bij die kast vandaan. Delaney! Kom hier!'

Pollard kwam langzaam overeind, maar ze legde het dossier niet neer. Delaney verscheen achter Leeds in de deuropening. Ze nam hen aandachtig op. Een van hun beider namen zou op het voorblad kunnen staan, maar ze verwachtte niet dat het Delaney zou zijn. Hij was nog te nieuw.

Pollard vermande zich. Ze richtte zich op en keek Leeds recht in de ogen.

'Een agent van deze afdeling was betrokken bij de moord op de vier politiemensen onder de Fourth Street Bridge.'

Op hetzelfde moment dat ze het zei, dacht ze: Leeds. Het zou Leeds kunnen zijn.

Hij kwam met omzichtige bewegingen op haar af.

'Leg dat dossier neer, Katherine. Wat je nu doet, is een federaal misdrijf.'

'Vier politiemensen vermoorden is een misdrijf. En een officiële federale informant genaamd Alison Whitt vermoorden ook...'

Pollard hield het dossier omhoog.

'Is ze jouw informant, Chris?'

Leeds wierp een blik op Delaney en bleef aarzelend staan. Delaney was haar getuige. Pollard sprak verder.

'Ze zit in jouw archief: Alison Whitt. Ze was een vriendin van Marchenko. Een agent van deze afdeling wist dat omdat hij haar kende. Diezelfde agent was een handlanger van Mike Fowler en de andere politiemensen die op zoek waren naar de zestien miljoen dollar.'

Leeds keek nogmaals naar Delaney, maar nu bekeek Pollard zijn aarzeling in een ander licht. Zijn houding was niet dreigend: hij was nu nieuwsgierig.

'Wat voor bewijs heb je?'

Ze knikte naar het dossier met Holmans aantekeningen en artikelen en stukken.

'Dat zit allemaal daarin. Je kunt ook een rechercheur van de LAPD bellen, een zekere Random. Dan kun je het uit zijn mond horen. Alison Whitt werd vermoord in dezelfde nacht als de vier politiemannen. Ze werd vermoord door de persoon die in haar dossier wordt genoemd.'

Leeds keek haar strak aan.

'Denk je dat ik het ben, Katherine?'
'Het zou kunnen.'
Leeds knikte en begon te glimlachen.
'Kijk dan.'
Pollard liet haar blik over de laatste paar gegevens op het voorblad glijden tot ze de naam zag staan.
De naam luidde: speciaal agent William J. Cecil.
Bill Cecil.
Een van de aardigste mannen die ze ooit had ontmoet.

Holman zocht drie parkeerterreinen bij winkelcentra af voor hij zo'n zelfde rode Jeep Cherokee vond als hij had gestolen. De kentekenplaten omruilen met die van een auto van hetzelfde merk en model en dezelfde kleur was een truc die Holman had geleerd toen hij als broodwinning autodiefstallen pleegde. Als een politieman nu Holmans kenteken zou controleren, zou niet naar voren komen dat de Jeep gestolen was.

Holman ruilde de kentekenplaten om en ging op weg naar Culver City. Hij vond het niet prettig terug te gaan naar zijn motel, maar hij moest zijn geld en zijn wapen halen. Hij had niet eens genoeg kleingeld om Perry te bellen om te vragen of er iemand voor hem was geweest. Holman kon zichzelf wel voor zijn kop slaan dat hij Pollard niet had gevraagd hem een paar dollar te lenen, maar hij had er pas later aan gedacht. En de gestolen Jeep was leeg. Hij zocht op de vloer en onder de stoelen, in de console en de zijvakken, maar vond niets, zelfs geen afval.

De drukte rond het middaguur was bijna voorbij toen Holman bij Pacific Gardens arriveerde. Hij reed een rondje om het blok en hield zijn ogen open voor mensen die zomaar wat rondhingen of in geparkeerde auto's zaten. Pollard had zinnige dingen gezegd over Random en het feit dat zijn optreden zo verwarrend was. Maar wat hun bedoeling ook was, Holman was ervan overtuigd dat ze nog een keer een poging zouden doen hem te grijpen. Hij reed nog twee keer een rondje om het blok, parkeerde een stuk verderop in de straat en hield het motel bijna twintig minuten in de gaten voor hij besloot naar binnen te gaan.

Holman liet de Jeep in de straat naast het motel staan en ging naar binnen via de achterkant, langs Perry's kamer. Hij bleef onder aan de trap staan, maar hoorde en zag niets bijzonders. Perry zat niet achter zijn bureau.

Holman liep terug naar Perry's kamer en klopte zacht op de deur. Uit de kamer kwam Perry's stem.

'Wat is er?'

Holman sprak op gedempte toon.

'Ik ben het. Doe eens open.'

Holman hoorde Perry vloeken, maar algauw ging de deur zo ver open, dat Perry net naar buiten kon kijken. Zijn broek hing op zijn dijen. Alleen Perry zou zo aan de deur komen.

'Ik zat op de pot, joh. Wat is er?'

'Is er iemand voor me geweest?'

'Wie?'

'Gewoon, iemand. Ik dacht dat er misschien iemand was geweest.'

'Die vrouw?'

'Nee, die niet.'

'Ik heb de hele ochtend achter mijn bureau gezeten tot ik naar de wc moest. Ik heb niemand gezien.'

'Oké, Perry. Bedankt.'

Holman liep terug naar de hal en sloop de trap op. Toen hij op de tweede verdieping kwam, keek hij de gang door naar beide kanten, maar er was niemand te zien. Holman ging niet naar zijn kamer. Hij liep direct naar de werkkast en trok voorzichtig de deur open. Hij duwde de bezems opzij en stak zijn hand in het gat in de muur onder de hoofdkraan. Het rolletje bankbiljetten en het wapen lagen nog onder de waterleiding. Holman trok ze er net uit toen iemand de loop van een wapen hard achter zijn linkeroor drukte.

'Laat maar vallen wat je in je hand hebt. Ik wil alleen je hand daaruit zien komen.'

Holman verroerde zich niet. Hij keek niet eens om, maar verstijfde met zijn hand in de muur.

'Haal die hand eruit, rustig.'

Holman toonde zijn hand en spreidde zijn vingers zodat de man kon zien dat hij leeg was.

'Mooi zo. Blijf even zo staan dat ik je kan fouilleren.'

De man betastte Holmans middel en zijn kruis en het zitvlak van zijn broek en liet daarna een hand langs de binnenkant van zijn benen naar zijn enkels glijden.

'Goed. Jij en ik hebben een probleempje, maar dat gaan we oplossen. Draai je langzaam om.'

Holman draaide zich om terwijl de man een stap achteruit deed zodat hij de ruimte had om te reageren als Holman iets probeerde. Holman zag een kale negroïde man met een lichte huid in een blauw kostuum. De man liet zijn pistool in zijn jaszak glijden, maar bleef het vasthouden, en Holman begreep dat het wapen schietklaar was. Het duurde even voordat Holman hem herkende.

'Ik ken jou.'

'Dat klopt. Ik heb geholpen bij je arrestatie.'

Holman wist het weer: speciaal agent Cecil van de FBI was er die dag in de bank bij geweest. Holman vroeg zich af of Pollard hem had gestuurd, maar uit de manier waarop Cecil het wapen vasthield, maakte hij op dat Cecil hier niet als vriend was.

'Sta ik onder arrest?'

'Ik zal je vertellen wat we gaan doen: wij gaan die trap af alsof we de beste maatjes zijn. Als die oude man daar beneden je roept of ons probeert tegen te houden, zeg je tegen hem dat je nu even geen tijd hebt en loop je door. Buiten staat een donkergroene Ford. Daar stap je in. Als je iets anders doet dan wat ik zeg, schiet ik je neer.'

Cecil deed een stap opzij en Holman liep de trap af en stapte in de Ford, terwijl hij zich afvroeg wat er aan de hand was. Hij keek hoe Cecil voor de auto langs liep en achter het stuur ging zitten. Cecil haalde zijn pistool uit zijn zak en hield het terwijl hij wegreed met zijn linkerhand vast op zijn schoot. Holman nam hem op. Cecils ademhaling was snel en oppervlakkig en zijn gezicht glom van het zweet. Zijn ogen waren groot en schoten heen en weer tussen het verkeer en Holman, zoals de ogen van een man die op zijn hoede is voor slangen. Hij zag eruit als een man die een auto had gestolen en probeerde weg te komen.

Holman vroeg: 'Wat moet dit voorstellen?'

'We gaan zestien miljoen dollar halen.'

Holman probeerde niets te laten merken, maar zijn rechteroog begon te tranen en de huid eromheen trilde. Cecil was de vijfde man. Cecil had Richie vermoord. Holman wierp een blik op het wapen. Toen hij opkeek, waren Cecils ogen op hem gericht.

'O, ja. Ja, ja, ik hoorde bij dat ploegje, maar ik heb niets met die moorden te maken. We waren partners, je zoon en ik, tot Juarez door het lint ging. Die vuile klootzak werd gek, vermoordde ze allemaal, dacht zeker dat hij het geld voor zichzelf kon houden. Daarom heb ik hem omgelegd. Ik heb hem omgelegd omdat hij die mensen had vermoord.'

Holman wist dat Cecil loog. Hij zag het aan de manier waarop Cecil oogcontact maakte, zijn wenkbrauwen optrok en knikte met zijn hoofd om oprechtheid te veinzen. Helers en drugsdealers hadden talloze malen op dezelfde manier tegen Holman gelogen. Cecil probeerde een spelletje met hem te spelen, maar Holman begreep niet waarom. Iets had Cecil doen besluiten zich bekend te maken en nu had de man duidelijk een plan waarin een rol voor Holman was weggelegd.

Beelden van Cecil onder de brug lichtten op in Holmans hoofd als een jachtgeweer in het donker: Cecil die er van korte afstand op los schoot, de witgouden pluim, een vallende Richie...

Holman gluurde nogmaals naar het vuurwapen en vroeg zich af of hij het zou kunnen grijpen of weg zou kunnen duwen. Holman wilde deze vuilak te grazen nemen: alles wat hij had gedaan sinds die ochtend in het CCC toen Wally Figg hem vertelde dat Richie dood was, was erop gericht geweest deze man te vinden. Als Holman kon voorkomen dat hij werd neergeschoten, zou hij Cecil misschien knock-out kunnen slaan. Maar wat dan? Hij zou Cecil ter plekke moeten neerschieten, want anders zou de politie komen en zou Cecil zijn FBI-penning laten zien. En wie zouden ze dan geloven? Cecil zou ervandoor gaan terwijl Holman zou moeten praten als Brugman om uit een surveillancewagen te komen.

Holman dacht dat hij misschien uit de auto kon springen voor Cecil hem neerschoot. Ze waren juist Wilshire Boulevard op gedraaid, toen het verkeer langzamer ging rijden.

'Je hoeft er niet uit te springen. Als we er straks zijn, laat ik je eruit.'

'Ik ga nergens heen.'

Cecil lachte.

'Ik zit al bijna dertig jaar achter kerels zoals jij aan, Holman. Ik weet al wat je gaat denken nog voor je het denkt.'

'Weet je wat ik nu denk dan?'

'Ja, maar ik neem het je niet kwalijk.'

'Ik denk: Waarom ben je in godsnaam nog hier als je zestien miljoen dollar hebt.'

'Weet waar het is, kon het alleen niet halen. Daar heb ik jou voor nodig.'

Cecil pakte een mobiele telefoon uit de console en gooide die op Holmans schoot.

'Hier. Bel je vriendje Chee, kun je horen wat er is.'

Holman pakte de telefoon, maar deed niets. Hij keek strak naar Cecil en voelde nu een ander soort angst, een angst die niets te maken had met Richie.

'Chee is gearresteerd.'

'Wist je dat al? Nou, mooi, scheelt weer een telefoontje. Chee was in bezit van drie kilo C-4. Bij het bewijsmateriaal dat in dat stinkhol, dat zogenaamde garagebedrijf van hem, in beslag is genomen, zitten de telefoonnummers van twee mensen die ervan verdacht worden dat ze sympathisanten van Al Qaida zijn, en plannen om een geïmproviseerde bom te maken. Snap je waar ik heen wil?'

'Je hebt hem erin geluisd.'

'Waterdicht, mannetje, waterdicht. En alleen ik weet wie die zooi in zijn garage heeft neergelegd, dus als jij me niet helpt met dat geld, is je vriendje goed zuur.'

Zonder enige waarschuwing ging Cecil boven op de rem staan. De auto kwam met piepende banden tot stilstand en Holman werd tegen het dashboard gesmeten. Claxons toeterden en banden gilden achter hen, maar Cecil reageerde niet. Zijn ogen waren harde zwarte steentjes die op Holman gericht bleven.

'Snap je het een beetje?'

Er werd opnieuw geclaxonneerd en er werd gescholden, maar Cecils blik dwaalde geen moment af. Holman vroeg zich af of hij gek was.

'Pak dat geld en ga weg. Wat heb ik er in godsnaam mee te maken?'

'Dat zei ik al. Ik kan het zelf niet halen.'

'Waarom niet? Waar is het dan?'

'Daar.'

Holman keek waar Cecil naar knikte en zag het filiaal van de Grand California Bank in Beverly Hills.

49

Cecil stuurde zijn auto tussen het overige verkeer door naar de stoeprand en staarde naar het gebouw van de bank als was het het achtste wereldwonder.

'Marchenko en Parsons hebben al dat geld verborgen in een bank.'

'Moet ik van jou een bank beroven?'

'Ze hebben het geld niet gestort, sufkop. Het ligt in tweeëntwintig kluizen, van die grote, geen kleine.'

Cecil stak zijn hand onder zijn stoel en haalde een rammelend zakje tevoorschijn. Hij gooide het op Holmans schoot en nam de telefoon terug.

'Dat zijn de sleuteltjes, alle tweeëntwintig.'

Holman liet de sleuteltjes in zijn hand vallen. Aan de ene kant waren de naam MOSLER en een getal van zeven cijfers gegraveerd. Aan de andere kant stond een getal van vier cijfers.

'Dus dit hadden ze bij het monument verstopt.'

'Hij dacht waarschijnlijk dat die sleuteltjes daarboven veilig zouden zijn als hij toevallig ergens voor werd gepakt. Er lag ook niets waarop stond welke bank, maar de fabrikant houdt dat bij. Eén telefoontje en ik wist het.'

Holman keek omlaag naar de sleuteltjes in zijn hand. Hij liet ze als muntjes door zijn vingers gaan. Zestien miljoen dollar.

'En nu denk je natuurlijk: als hij de sleuteltjes had en wist waar het was, waarom is hij het dan niet gaan halen,' zei Cecil.

Holman wist het al. Iedere bankdirecteur in L.A. zou Cecil en de andere agenten van de afdeling Bankovervallen direct herkennen. Er zou een bankmedewerker met hem mee moeten met de loper, omdat er voor een kluisje altijd twee sleutels nodig waren, die van klant en die van de bank, en Cecil zou hun register moeten tekenen. Zestien miljoen verspreid over tweeëntwintig kluisjes betekende heel wat tripjes van en naar een bank waar je door de medewerkers werd herkend en waar iedereen wist dat je geen klant was en geen kluisjes had gehuurd. Men zou vragen zijn gaan stellen. Cecils komen en gaan zou zijn vastgelegd door beveiligingscamera's. Hij zou door de mand zijn gevallen.

'Ik weet waarom je het geld niet bent gaan halen. Ik zat me af te vragen hoe zwaar zestien miljoen dollar is.'

'Dat kan ik je precies vertellen. Als een bank wordt overvallen, vertellen ze ons hoeveel er van elke coupure verloren is gegaan. Even rekenen en je weet hoeveel bankbiljetten. Er gaan vierhonderdvierenvijftig biljetten in een pond, maakt niet uit welke coupure – je rekent het zo uit. Deze zestien miljoen weegt vijfhonderdachttien kilo.

Holman keek nogmaals naar de bank en richtte toen zijn blik op Cecil. De man keek nog steeds gebiologeerd naar de bank. Holman had durven zweren dat zijn ogen groen oplichtten.

'Ben je al eens gaan kijken?'

'Eén keer binnen geweest. Kluisje zevenendertig-nul-een opengemaakt. Dertienduizend dollar eruit gehaald en nooit meer teruggegaan. Te bang.'

Cecil trok een lelijk gezicht tegen zichzelf.

'Had zelfs een of andere flutvermomming aangetrokken.'

Cecil had goudkoorts. Mannen in de gevangenis hadden het erover als ze hun verkeerde beslissingen romantisch probeerden te laten klinken door zichzelf met de goudzoekers uit het Wilde Westen te vergelijken; mannen die high werden van het dromen van de pot met goud die hen rijk zou maken. Ze dachten eraan tot ze nergens anders meer aan dachten. Ze raakten ervan bezeten en uiteindelijk beheerste het hun hele leven. Na verloop van tijd gingen ze er zo wanhopig naar verlangen, dat ze er gek van werden. Deze idioot had zes moorden op zijn geweten en het enige waar hij aan kon denken, was het geld. Holman zag een opening. Hij glimlachte.

'Waar lach je om?' vroeg Cecil.

'Ik dacht dat jij al wist wat ik dacht voor ik het dacht.'

'Dat is ook zo. Jij denkt: waarom heeft deze zielige klootzak mij uitgekozen?'

'Zoiets, ja.'

Cecils vochtige ogen werden hard van boosheid.

'Wie had ik er dan bij moeten halen, mijn vrouw? Denk je dat ik het graag op deze manier wil doen? Ik had wel een oplossing verzonnen, hoor, klootzak – dat geld ligt daar gewoon! Ik had tijd genoeg, maar jij hebt me samen met dat wijf in een hoek gedreven. Een week geleden had ik alle tijd van de wereld; nu heb ik vijftien minuten. Dus wie zou ik het in godsnaam moeten vragen? Moet ik mijn broer in Denver bellen, mijn caddie van de golfbaan? En wat zeg ik dan? Kom eens helpen, ik ga een hoop geld stelen? Nee, dit is allemaal jouw schuld! Ik ben niet van plan zestien miljoen dollar te laten liggen. Dat weiger ik! Dus daar zitten we dan. Jij zult het moeten doen omdat ik niemand anders heb. Behalve je vriendje Chee.

Die heb ik te pakken. Als jij me belazert, zal hij ervoor boeten, dat zweer ik.'

Cecil leunde naar achteren alsof hij al zijn kruit had verschoten, maar het wapen op zijn schoot week geen moment.

Holman keek peinzend naar het vuurwapen.

'Jij bent straks weg. Wat kun je dan voor Chee doen?'

'Als jij dat geld naar buiten brengt, geef ik je de man die die dingen heeft neergelegd. Ik vertel je wanneer hij de spullen heeft gekregen, waar, hoe, alles wat je nodig hebt om die vent vrij te krijgen.'

Holman knikte alsof hij erover nadacht en keek vervolgens naar de bank. Hij wilde voorkomen dat Cecil aan zijn gezicht zag wat hij dacht. Cecil kon hem nu direct neerschieten of wachten tot Holman het geld naar buiten had gebracht, maar Cecil zou hem hoe dan ook doden – dat hij Chee zou vrijpleiten was kletspraat. Holman wist het en Cecil wist waarschijnlijk dat hij het wist, maar Cecil was zo belust op het geld, dat hij zichzelf zo gek had gekregen dat hij het geloofde, net zoals hij zichzelf zo gek had gekregen vier politieagenten te vermoorden. Holman overwoog te doen alsof hij het spelletje meespeelde om weg te kunnen komen, maar dan zou Cecil misschien ontsnappen. Holman wilde dat de vuilak zich moest verantwoorden voor de moord op zijn zoon.

'Hoe zie je dit voor je?'

'Ga naar het hoofd van de Klantenservice. Vertel hem direct dat je heel vaak terug zult komen: je komt belastingpapieren en stukken van de rechtbank ophalen die je daar voor de veiligheid hebt opgeborgen. Maak een grapje, dat je hoopt dat ze niet van plan waren koffie te gaan drinken of zo. Je kunt toch wel een mooi verhaal ophangen?'

'Tuurlijk.'

'Het geld in die kluisjes zit nog in tassen. Je opent vier kluisjes per keer. Ik denk dat de tas in zo'n kluisje ongeveer tweeëntwintig kilo weegt, twee aan elke schouder, achtentachtig kilo. Dat zou een grote vent als jij moeten kunnen hebben.'

Holman luisterde niet. Hij zat te denken aan iets wat Pollard hem had verteld toen ze dachten dat Random de vijfde man was: als ze Random aan Fowler konden koppelen, was hij erbij. Holman kwam tot de conclusie dat als hij Cecil en het geld bij elkaar kon krijgen, Cecil dat nooit zou kunnen wegredeneren of zich van de verdenking zou kunnen vrijpleiten.

'Tweeëntwintig kluisjes à vier kluisjes per keer. Dat is zes keer met elke keer achtentachtig kilo op mijn schouders. Denk je niet dat ze me op een gegeven moment zullen tegenhouden?'

'Iets is beter dan niets, vind je ook niet? Als er iets misgaat, wandel je gewoon naar buiten. Je pleegt geen bankoverval, Holman. Je wandelt gewoon naar buiten.'

'En als ze nou in die tassen willen kijken?'

'Dan loop je door. Als we maar wat krijgen.'

Holman had een plan. Hij dacht dat het kon slagen als hij genoeg tijd had. Daar hing alles van af, of hij genoeg tijd had.

'Dat gaat veel tijd kosten, man. Ik hou er niet van zo lang in een bank te zijn. Daar heb ik slechte herinneringen aan.'

'Het is wel best met die herinneringen van je. Denk gewoon maar aan Chee.'

Holman keek Cecil aan alsof hij de achterlijkste lul op aarde was. Hij wilde dat Cecil dronken werd van het idee dat het geld zo dichtbij was. Hij wilde dat Cecil high werd van het goud.

'Chee kan de pest krijgen. Ik ben de vent die het risico neemt. Wat zit er voor mij in?'

Cecil keek hem met open mond aan en Holman begon aan te dringen.

'Ik wil de helft.'

Cecil knipperde met zijn ogen. Hij wierp een blik op de bank, bevochtigde zijn lippen en keek weer naar Holman.

'Je maakt een geintje zeker?'

'Nee. Ik vind dat je het me schuldig bent, vuilak, en je weet waarom. Als het je niet bevalt, ga je dat geld toch fijn zelf halen?'

Cecil likte nogmaals langs zijn lippen en Holman wist dat hij om was.

Cecil zei: 'De eerste vier tassen zijn van mij. Daarna krijg je er één van elke vier die je naar buiten brengt.'

'Twee.'

'Eén, daarna twee.'

'Daar kan ik mee leven. Zorg dat je hier bent als ik terugkom met het geld, anders lever ik je uit aan de politie.'

Holman stapte uit de auto en wandelde naar de bank. Zijn maag trok samen alsof hij moest overgeven, maar Holman zei tegen zichzelf dat het hem zou lukken als Cecil hem genoeg tijd gaf. Daar hing alles van af, of Cecil hem de tijd gaf.

Holman hield de deur open voor een jonge vrouw die de bank uit kwam. Hij glimlachte vriendelijk naar haar, stapte naar binnen en nam de omgeving in zich op. In de lunchpauze was het meestal druk in een bank, maar nu was het bijna vier uur. Er stonden vijf klanten te wachten voor twee bankbedienden. Twee managertypes zaten aan hun bureau achter de loketten, en een jongeman, waarschijnlijk een medewerker van de klantenservice, bemande een bureau dat in de ontvangsthal stond. Holman zag direct dat deze bank een doelwit voor bankovervallers was. Er waren geen beveiligde deuren bij de ingang, geen veiligheidsglas voor de loketten en geen bewakers. Het was slechts een kwestie van tijd voor de bank werd overvallen.

Holman liep naar het begin van de rij wachtenden, keek even naar de klanten, draaide zich toen om naar de bankbedienden en verhief zijn stem.

'Dit is een overval. Maak de kassalades leeg. Geef me het geld.'

Holman keek hoe laat het was. Het was vier voor vier.

De klok liep.

50

Lara Myer, zesentwintig jaar oud, was bezig aan het laatste uur van haar dienst als beveiligingscoördinator bij New Guardian Technologies toen op haar computerscherm de mededeling verscheen dat er een 2-11 alarm was binnengekomen van de Grand California Bank op Wilshire Boulevard in Beverly Hills. Dat was niets bijzonders. Volgens de tijdregistratie op haar scherm was het 3:56:27.

New Guardian verzorgde de elektronische beveiliging van elf bankketens in Los Angeles en omgeving, tweehonderdeenenzestig buurtwinkels, vier supermarktketens en enkele honderden warenhuizen en bedrijven. De helft van de ontvangen alarmmeldingen was per definitie vals: het gevolg van wisselingen in de netspanning, haperende computers, elektronische of elektrische storingen, of menselijke fouten. Elke week trapten er wel twee bankbedienden ergens in L.A. en omgeving per ongeluk op een alarmknop. Mensen blijven mensen. Die dingen gebeuren.

Lara werkte de procedure af.

Ze opende de pagina van Grand Cal (filiaal Wilshire-BH) op haar scherm. Op deze pagina stonden de managers en de fysieke bijzonderheden van de bank (aantal medewerkers, aantal loketten, veiligheidsvoorzieningen indien aanwezig, uitgangen enzovoort). Bovendien kon ze vanaf deze pagina een systeemdiagnoseopdracht naar de bank sturen. Het diagnostische programma zou controleren of er problemen met het systeem waren die tot een valse alarmmelding konden leiden.

Lara opende het diagnosevenster en klikte op BEVESTIGEN. Het diagnostische programma schakelde het alarm automatisch uit, terwijl het naar afwijkingen in de netspanning, hardwareproblemen en fouten in de software zocht. Als een bankbediende het alarm per ongeluk in werking had gesteld, schakelden ze het soms direct op de bank al uit en werd de alarmmelding automatisch ingetrokken.

Het diagnostische programma had ongeveer tien seconden nodig.

Lara keek naar de bevestiging die verscheen.

Twee bankbedienden in het filiaal van Grand Cal in Beverly Hills hadden hun stille alarm in werking gesteld.

Lara draaide zich snel om in haar stoel om haar dienstchef te roepen.

'We hebben er een.'

Haar dienstchef kwam aanlopen en las de bevestiging.

'Geef maar door.'

Lara drukte op een knop op haar bedieningspaneel om de meldkamer van het politiebureau in Beverly Hills te bellen. Nadat ze de politie op de hoogte had gebracht, zou Lara de FBI bellen. Ze wachtte geduldig toen de telefoon vier keer overging.

'Meldkamer Beverly Hills.'

'Met beveiligingscoördinator vier-vier-een van New Guardian. We hebben een twee-elf bij de Grand California Bank op Wilshire Boulevard in jullie wijk.'

'Moment.'

Lara wist dat de telefonist van de meldkamer nu moest controleren of Lara was wie ze zei dat ze was, en niet een of andere grapjas. Pas als dit was gedaan en Lara de noodzakelijke informatie over de bank had gegeven, zouden er mensen op afgestuurd worden.

Ze keek op de klok.

3:58:05.

51

Holman vond dat het best aardig ging. Niemand deed een uitval naar de deur en er stortte ook niemand ter aarde met een hartaanval zoals de laatste keer. De klanten bleven bij elkaar in de rij staan en keken hem aan alsof ze wachtten tot hij zou zeggen wat ze moesten doen. Al met al waren het uitstekende slachtoffers.

Holman zei: 'Alles komt goed. Ik ben hier over een paar minuten weer weg.'

Hij haalde het zakje met sleuteltjes tevoorschijn en liep naar de jongeman die bij het bureau van de klantenservice stond. Holman gooide hem het zakje toe.

'Hoe heet je?'

'Doe me geen kwaad.'

'Er gebeurt je niets. Hoe heet je?'

'David Furillo. Ik ben getrouwd. We hebben een kindje van twee.'

'Gefeliciteerd. David, dat zijn kluissleuteltjes, nummer van het kluisje op het sleuteltje zoals altijd. Pak je loper en maak vier van die kluisjes open, maakt niet uit welke. Nu direct graag.'

David keek naar de vrouwen die bij de bureaus achter de balie stonden. Een van hen was waarschijnlijk zijn baas. Holman draaide Davids kin van de vrouw af zodat hij naar Holman keek.

'Je moet niet naar haar kijken, David. Doe wat ik zeg.'

David trok de bureaula open om de loper te pakken en haastte zich naar de ruimte met de kluisjes.

Holman draafde door de hal terug naar de voordeur. Hij stelde zich zo op dat hij zelf niet te zien was en tuurde naar buiten. Cecil zat nog in de auto. Holman richtte zich weer tot de klanten.

'Heeft iemand een mobiele telefoon? Kom op, ik moet een telefoon hebben. Het is belangrijk.'

Ze keken elkaar onzeker aan tot een jonge vrouw aarzelend een telefoon uit haar tas haalde.

'U mag de mijne wel gebruiken.'

'Dankjewel. Blijf kalm allemaal. Rustig aan.'

Holman keek hoe laat het was toen hij de telefoon openklapte. Hij was nu tweeënhalve minuut in de bank. De veilige periode was al voorbij.

Holman liep terug naar de deur om even naar Cecil te kijken en hield toen zijn arm omhoog om het nummer aan de binnenkant van zijn onderarm te lezen.

Hij belde Pollard.

52

Leeds had Pollard gewaarschuwd dat het feit dat Cecil Alison Whitt kende, niet garandeerde dat hij veroordeeld zou worden, dus probeerden ze een afspraak te maken om te zien of mevrouw Marchenko de foto van Cecil tussen een zestal andere uit kon halen. In de tijd dat Leeds met Random belde, had Pollard geprobeerd Holman te bereiken en naar zijn kamer gebeld. Toen ze geen antwoord kreeg, belde ze Perry Wilkes, die haar vertelde dat Holman wel in het motel was geweest, maar alweer was vertrokken. Meer wist Wilkes ook niet.

Uit het informantenregistratieformulier van Alison Whitt bleek dat Cecil haar drie jaar geleden als informant had aangetrokken. Cecil was met Whitt in aanraking gekomen tijdens een onderzoek naar een tot tweederangs filmster omgeturnde zanger die ervan werd verdacht dat hij de invoer van drugs van een bende dealers in South Central financierde. Om aan een arrestatie wegens prostitutie en drugsbezit te ontkomen, stemde Whitt ermee in op gezette tijden informatie over de contacten van de zanger met bepaalde bendeleden door te geven. Cecil verklaarde op haar registratieformulier dat Whitt op regelmatige basis accurate informatie doorspeelde die nuttig was voor het onderzoek.

Inmiddels zat Pollard achter een bureau bij Leeds' kamer toen haar telefoon ging. In de hoop dat het Holman of Sanders was, keek ze snel wie er belde, maar ze herkende het nummer niet. Ze besloot het gesprek naar haar voicemail te laten gaan, maar veranderde toen met tegenzin van gedachten.

Holman zei: 'Met mij.'

'Goddank! Waar zit je?'

'Ik ben een bank aan het beroven.'

'Wacht even...'

Pollard riep Leeds.

'Ik heb Holman! Holman is aan de telefoon...'

Leeds liep weg bij zijn bureau, terwijl Pollard verderging met het gesprek. Hij ging in de deuropening staan en mompelde in zijn telefoon, terwijl hij zijn ogen op haar gericht hield.

Pollard zei: 'De vijfde man is een FBI-agent, Bill Cecil. Hij was –'

Holman viel haar in de rede.
'Dat weet ik. Hij zit op dit moment in een groene Ford Taurus voor de bank. Hij wacht op mij –'
Nu viel Pollard hém in de rede.
'Ho, wacht eens even. Ik dacht dat je een grapje maakte.'
'Ik sta in de Grand California op Wilshire Boulevard in Beverly Hills. Marchenko heeft het geld hier in kluisjes opgeborgen. Cecil had de sleuteltjes. Dat is wat ze bij de Hollywood Sign hadden gevonden –'
'Waarom beroof jij die bank?'
Leeds fronste.
'Wat doet hij?'
Pollard gebaarde dat hij stil moest zijn, terwijl Delaney nieuwsgierig kwam aanlopen.
Holman vroeg: 'Weet jij een snellere manier om de politie hier te krijgen? Door ons kon hij zich niet langer schuilhouden, Katherine. Cecil had de sleuteltjes, maar hij durfde het geld niet te gaan halen. Ik ben nu drieënhalve minuut binnen. De politie zal hier zo wel zijn.'
Pollard legde haar hand op de telefoon en keek naar Leeds en Delaney.
'Grand California op Wilshire in Beverly Hills. Kijk eens of ze een twee-elf gemeld hebben.'
Ze richtte zich weer tot Holman toen Delaney wegrende om de meldkamer van de FBI te bellen.
'Zijn er gewonden?'
'Nee, natuurlijk niet. Jij moet aan de politie vertellen wat er aan de hand is. Ik denk niet dat ze naar mij zullen luisteren.'
'Max, dit is een slecht idee.'
'Ik wil dat de politie hem pakt met het geld in zijn bezit. Hij durfde niet naar binnen, dus ik ga hem het geld brengen...'
'Waar is Cecil nu?'
'Staat voor de deur geparkeerd. Hij zit op het geld te wachten.'
'Groene Taurus?'
'Ja.'
Pollard legde haar hand op de telefoon en sprak nogmaals met Leeds.
'Cecil zit in een groene Ford Taurus voor de bank.'
Leeds gaf de informatie door aan Random, terwijl Delaney opgewonden terugkwam.
'Beverly Hills bevestigt een twee-elf op die locatie. Eenheden onderweg.'
Pollard richtte zich weer tot Holman.

'Moet je luisteren, Holman, Cecil is gevaarlijk. Hij heeft al zes mensen gedood –'

'Hij is zo dom geweest mijn zoon te vermoorden.'

'Blijf in die bank, oké? Ga niet naar buiten. Het is gevaarlijk en dan heb ik het niet alleen over Cecil. De politiemensen die eraan komen, weten ook niet hoe het zit. Ze weten niet –'

'Jij weet het.'

Holman hing op.

Op het moment dat de verbinding werd verbroken, begon zich in Pollard een druk op te bouwen alsof ze van binnenuit werd verpletterd, maar ze wist zich te beheersen en kwam overeind.

'Ik ga naar de bank.'

'Laat Beverly Hills het opknappen. Je hebt niet genoeg tijd.'

Pollard rende zo hard als ze kon.

53

Bill Cecil zat nerveus met zijn voet te tikken en hield de bank scherp in de gaten. De auto stond in de parkeerstand, de motor draaide, de airconditioner blies koude lucht. Cecil transpireerde en stelde zich voor wat er in de bank gebeurde.

Eerst zou Holman een lulpraatje moeten houden met de medewerker van de klantenservice. Als die al een klant had, zou Holman moeten wachten. Cecil dacht dat Holman wel zo slim zou zijn het hem te laten weten als dat het geval was door even te komen zwaaien of zo, maar tot nu toe had hij dat niet gedaan. Dat vatte Cecil op als een goed teken, maar het maakte het wachten er niet eenvoudiger op.

Vervolgens zou de medewerker van de klantenservice Holman meenemen naar de kluisjes en het zou zo'n luie relaxte hufter kunnen zijn die altijd alles op zijn elfendertigst deed.

Als ze eenmaal bij de kluisjes waren, zou Holman het register moeten tekenen, terwijl de medewerker het loperslot van alle vier de kluisjes openmaakte. De kleintjes hadden altijd een stalen binnendoos, die je erin en eruit kon schuiven, om je verzekeringen en testamenten en andere spullen bij elkaar te houden, maar de grote niet. De grote waren gewoon grote lege dozen. Holman zou met zijn sleuteltjes controleren of de sloten goed werkten, maar hij zou de kluisjes pas openmaken wanneer de medewerker de deur uit was.

En dan zou hij de tassen met geld eruit halen, de kluisjes dichtdoen en weer op slot draaien en op zijn gemak de bank uit wandelen. Hij zou waarschijnlijk nog een leuke opmerking tegen de medewerker van de klantenservice moeten maken, maar daarna was het nog maar tien seconden naar de deur.

Cecil dacht dat de hele procedure, van begin tot eind zonder te moeten wachten op een andere klant, zes minuten zou kosten. Holman was nu vier minuten in de bank, misschien vierenhalf. Geen reden tot zorg.

Cecil tikte met zijn pistool op de onderrand van het stuur en zei bij zichzelf dat hij over tien seconden een blik door de deur zou werpen.

54

Holman klapte de telefoon dicht en keek nogmaals naar buiten. Hij was bang dat de politie te snel zou komen. Het was voor de politie bijna onmogelijk binnen twee minuten ter plaatse te zijn, maar elke seconde daarna gaf hun meer tijd om op de plaats delict te komen. Holman was nu twee minuten langer in de bank dan hij ooit bij een overval was geweest, behalve toen hij werd gearresteerd. Hij dacht terug aan die keer. Het had Pollard bijna zes minuten gekost om bij de bank te komen en zij stonden toen niet ver van de bank klaar om in te grijpen. Holman had nog een paar seconden.

Hij liep naar de klanten en gaf het meisje haar telefoon terug.

'Alles goed met iedereen? Gaat het nog?'

Een man van in de veertig met een fondsbrilletje vroeg: 'Zijn we gegijzeld?'

'Dit is geen gijzeling. Hou je nog even rustig. Jullie zijn zo van me af.'

Holman riep naar de safe.

'Hé, David! Hoe gaat het daar?'

Davids stem kwam uit de safe.

'Ze zijn open.'

'Oké, mensen, blijf gewoon waar je bent. De politie is onderweg.'

Holman draafde door de ontvangsthal naar de safe. David had vier grote kluizen opengemaakt en vier nylon sporttassen naar het midden van de vloer gesleept. Drie tassen waren blauw en een was zwart.

'Wat zit er in die tassen?' vroeg David.

'Iemands nare droom. Blijf hier, kerel. Hier ben je veilig.'

Holman tilde de tassen een voor een op en hing ze aan zijn schouders. Het leek zwaarder dan tweeëntwintig kilo.

'En die andere sleuteltjes?' vroeg David.

'Hou jij die maar.'

Holman wankelde de safe uit en zag onmiddellijk dat er twee klanten ontbraken.

Het meisje dat hem haar telefoon had geleend, wees naar de deur.

'Ze zijn gevlucht.'

O, shit, dacht Holman.

55

Cecil zei tegen zichzelf dat hij Holman nog tien seconden zou geven. Hij wilde dat verdomde geld hebben, maar hij wilde er niet zijn leven voor geven of voor gepakt worden en de kans daarop werd groter naarmate Holman langer in de bank bleef. Uiteindelijk besloot Cecil te gaan kijken waarom het zo lang duurde. Als ze Holman hadden overmeesterd, zou hij ervandoor gaan, zo snel als zijn benen zijn vermoeide dikke lijf konden dragen.

Cecil zette net de motor af toen een man en een vrouw de bank uit kwamen rennen. De vrouw struikelde toen ze de deur uit kwam, en de man viel bijna over haar heen. Hij trok haar overeind en zette het op een lopen.

Cecil startte ogenblikkelijk de motor en wilde al wegrijden, maar er kwam niemand anders naar buiten.

Het bleef rustig rond de bank.

Cecil zette de motor opnieuw uit, stak zijn pistool in zijn holster en stapte uit de auto. Hij vroeg zich af waarom die mensen de bank uit waren gerend. Er kwam niemand anders naar buiten, dus wat kon er aan de hand zijn? Cecil ging op weg naar de bank, maar bleef toen weifelend staan. Misschien kon hij toch beter weer in de auto stappen en maken dat hij wegkwam.

Hij keek Wilshire af, maar zag geen zwaailichten of politieauto's. Alles leek in orde. Hij richtte zijn blik weer op de bank. Nu stond Holman opeens bij de glazen deur met allemaal grote nylon tassen aan zijn schouders. Hij stond daar gewoon. Cecil wenkte hem. Schiet op, man, waar wacht je op? dacht hij.

Holman kwam de bank niet uit. Hij liet twee van de tassen op de grond vallen en gebaarde dat Cecil ze moest komen halen.

Cecil rook onraad. Hij moest telkens aan de twee mensen denken die waren weggerend. Hij haalde zijn mobiele telefoon uit zijn zak en drukte op een snelkeuzetoets die hij had voorgeprogrammeerd. Holman wenkte hem opnieuw, dus stak Cecil een vinger op om aan te geven dat hij moest wachten.

'Politiebureau Beverly Hills.'

'Met FBI-agent William Cecil, identiteitsnummer zes-zes-zeven-vier. Verdachte activiteiten bij de Grand California op Wilshire. Wat weten jullie?'

'We hebben een twee-elf alarm op dat adres. Eenheden onderweg.'

Cecil voelde een brandende knoop in zijn borst. Zijn ogen schoten vuur. Alles wat hij wilde lag vlak voor zijn neus, op twintig meter afstand, maar nu was het weg. Zestien miljoen dollar – weg.

'Ah, bevestig de twee-elf. Verdachte is een blanke man, één vijfentachtig, vijfentachtig kilo. Hij is gewapend. Ik herhaal, hij is gewapend. Klanten in de bank buiten gevecht gesteld.'

'Genoteerd dat u FBI zes-zes-zeven-vier bent. Ga er niet op af. Eenheden onderweg. Bedankt voor de informatie.'

Cecil keek naar Holman en vanuit zijn ooghoeken zag hij nu zwaailichten, rode en blauwe lichten die drie blokken verderop Wilshire op draaiden.

Cecil rende terug naar zijn auto.

56

Holman keek naar Cecil. Hij had een naar voorgevoel. Hij begreep niet waarom de man tijd verspilde aan een telefoongesprek, terwijl hij toch zo dicht bij de zestien miljoen was. Hij gebaarde nogmaals naar Cecil dat hij het geld moest komen halen, maar Cecil praatte door. Holmans huid begon te tintelen – er is iets, dacht hij. Cecil liep terug naar zijn auto. Een tel later weerkaatsten rode en blauwe zwaailichten op de glazen gebouwen aan de overkant van de straat en wist Holman dat zijn tijd om was.

Hij duwde de deur open en stapte naar buiten met de zware tassen met geld die als loden slingers heen en weer zwaaiden. Twee blokken verderop gingen auto's aan de kant om de politie te laten passeren. De politie zou er binnen een paar seconden zijn.

Holman rende zo hard als hij kon naar Cecil toe en liep bijna twee voetgangers omver. Cecil was al bij de Taurus. Hij trok het portier open en wilde net instappen toen Holman hem vastgreep. Holman trok Cecil achteruit en ze vielen samen op de grond.

'Wat doe je nou toch, man? Maak dat je wegkomt,' zei Cecil, terwijl hij overeind probeerde te krabbelen.

Holman trok zichzelf omhoog aan Cecils been en bewerkte de man met zijn vuist.

'Ga verdomme van me af! Laat me los!' riep Cecil.

Holman had banger moeten zijn. Hij had beter moeten nadenken over wat hij deed en had zich moeten realiseren dat Cecil een doorgewinterde FBI-agent was met dertig jaar training en ervaring. Maar het enige wat Holman op dat moment voor zich zag, was Richie die huilend met een rood gezicht naast zijn auto rende en hem een zak noemde; het enige waar hij zich van bewust was, was de acht jaar oude jongen met het stekeltjeshaar op een foto die steeds verder zou vervagen; het enige wat hij voelde was de blinde woeste noodzaak deze man te laten boeten.

Holman zag het vuurwapen niet. Cecil moest het getrokken hebben toen Holman hem op de rug beukte terwijl Cecil naar de auto kroop. Holman was nog steeds blindelings aan het slaan en probeerde Cecil nog steeds aan de straat te verankeren toen Cecil omrolde. Drie keer lichtte er een helwitte knal op en galmde er een donderslag over Wilshire Boulevard.

Holmans wereld stopte. Hij hoorde alleen het geluid van zijn kloppende hart.

Hij keek Cecil met open mond aan en wachtte op de pijn. Cecil keek terug, als een vis naar adem happend. Achter hen kwamen de surveillancewagens slippend tot stilstand, en de versterkte stem van een politieman schreeuwde woorden die Holman niet hoorde.

'Godallemachtig,' zei Cecil.

Holman keek omlaag. De tassen met geld lagen voor zijn borst geklemd, geblakerd waar de bankbiljetten de drie kogels hadden opgevangen.

Cecil duwde het vuurwapen over het geld naar Holmans borst, maar ditmaal schoot hij niet. Hij liet het wapen in Holmans armen vallen, rolde zich om, kwam overeind op zijn knieën met zijn FBI-penning hoog boven zijn hoofd en schreeuwde.

'FBI! FBI-agent!'

Cecil rolde opzij met zijn handen in de lucht, schreeuwde en wees naar Holman.

'Wapen! Hij heeft een wapen! Ik ben beschoten!'

Holman wierp een blik op het vuurwapen en vervolgens op de surveillancewagens. Vier agenten in uniform hadden zich achter hun auto's opgesteld. Jongemannen, ongeveer van Richies leeftijd. Wapen in de aanslag.

De versterkte stem daverde opnieuw door de Wilshire-spelonk, nu achter het geluid van naderende sirenes.

'Leg dat wapen neer! Laat dat wapen vallen, maar maak geen onverwachte bewegingen!'

Holman had het wapen niet vast. Het lag op de tas met geld vlak voor zijn neus. Hij verroerde zich niet. Hij durfde zich niet te bewegen.

Er waren mensen de bank uit gekomen. Ze wezen naar Holman, terwijl ze naar politiemensen riepen.

'Dat is hem! Dat is hem!'

Cecil krabbelde overeind en liep zwaaiend met zijn penning zijwaarts weg.

'Ik zie zijn hand! Ik zie hem! Hij probeert het wapen te pakken!'

Holman zag de jongemannen achter hun wapen gaan verzitten. Hij sloot zijn ogen, bleef doodstil liggen en...

...er gebeurde niets.

Holman keek op, maar nu stonden de vier jonge agenten met hun wapen in de lucht, omringd door allerlei andere politiemensen. Een arrestatieteam van het politiebureau Beverly Hills rende met karabijnen en geweren op Cecil af en schreeuwde dat hij op de grond moest gaan liggen. Ze trapten hem hard onderuit, legden hem op zijn buik met zijn armen en benen gespreid en daarna kwamen twee van hen naar Holman toe.

Holman durfde nog geen vin te verroeren.

Eén lid van het arrestatieteam bleef op een afstandje staan met zijn geweer in de aanslag, maar de andere kwam naderbij.

'Ik heb niks gedaan,' zei Holman.

'Geen beweging.'

De politieman haalde Cecils pistool weg, maar hij drukte Holman niet neer en legde hem ook niet plat op zijn buik op straat. Zodra hij het wapen had, ontspande hij zich.

'Ben jij Holman?' vroeg de politieman.

'Hij heeft mijn zoon vermoord.'

'Dat heb ik me laten vertellen, kerel. Je hebt hem te pakken.'

De andere politieman kwam erbij staan.

'Getuigen zeiden dat er is geschoten. Ben je geraakt?'

'Ik geloof het niet.'

'Blijf liggen. We vragen om medische assistentie.'

Pollard en Leeds baanden zich een weg tussen de vele politiemensen door. Toen Holman Pollard zag, wilde hij opstaan, maar ze gebaarde dat hij moest blijven liggen en dat deed hij. Holman vond dat het nu geen zin meer had om risico's te nemen.

Leeds liep naar Bill Cecil, maar Pollard kwam rechtstreeks naar Holman toe. Het laatste stukje holde ze. Ze had een blauw jack van de FBI aan, net als de eerste keer dat hij haar had gezien. Toen Pollard bij hem was, keek ze hijgend maar glimlachend op hem neer en stak haar hand uit.

'Ik ben er nu. Alles is goed.'

Holman kroop tussen de tassen met geld uit, pakte haar hand en liet zich door haar omhooghelpen. Hij keek naar Cecil, die nog steeds op zijn buik op straat lag. Hij zag hoe de politie Cecils armen op zijn rug draaide om hem te boeien. Hij zag hoe Leeds Cecil met een grauw en vertrokken gezicht tegen zijn been trapte, waarop de politiemensen van Beverly Hills Leeds opzij duwden. Holman keerde zich om naar Pollard. Hij wilde haar vertellen waarom alles wat hier was gebeurd en alles wat ertoe had geleid, zijn fout was geweest, maar zijn mond was droog en hij moest te veel knipperen met zijn ogen.

Ze hield zijn hand stevig vast.

'Het is goed.'

Holman schudde zijn hoofd en raakte met zijn voet de tassen aan. Het was niet goed en het zou ook nooit goed kunnen komen.

'Marchenko's geld. Daar was Richie op uit,' zei hij.

Ze raakte zijn gezicht aan en draaide het naar haar toe.

'Nee. O, nee, Max, zo was het niet.'

Ze nam zijn gezicht in haar handen.

'Het was heel anders dan wij dachten. Moet je horen –'

Pollard vertelde hem hoe zijn zoon was gestorven en, wat belangrijker voor Holman was, hoe Richie had geleefd. Het werd Holman te veel. Hij barstte midden op Wilshire Boulevard in huilen uit, maar Pollard hield hem stevig vast, liet hem huilen en maakte alles goed.

DEEL VIJF

32 dagen later

57

Toen Holman beneden kwam, zat Perry achter zijn bureau. Perry kapte er meestal om zeven uur mee en trok zich dan terug op zijn kamer om naar *Jeopardy!* te kijken, maar vandaag niet. Holman vermoedde dat Perry op hem zat te wachten.

Perry trok zijn neus op.

'Lieve hemel, je stinkt een uur in de wind. Wat heb je in godsnaam op, parfum?'

'Ik heb helemaal niets op.'

'Mijn pik doet het misschien niet meer zo goed als vroeger, maar met mijn neus is niks mis. Je ruikt als een vrouw.'

Holman wist dat Perry het onderwerp niet zou laten rusten, dus besloot hij open kaart te spelen.

'Ik heb een nieuwe shampoo gekocht. Er staat op dat hij naar bloemen ruikt.'

Perry leunde naar achteren en begon te giechelen.

'Dat doet hij zeker. En wat voor bloemen dan wel niet? Roze roosjes zeker?'

Perry lachte zich een breuk.

Holman wierp een blik door de voordeur naar buiten in de hoop dat hij Pollards auto zou zien staan, maar de straat was leeg.

Perry, die nog steeds pret had, zei: 'Moet je kijken hoe je erbij loopt. Helemaal opgedoft ben je. Tjongejonge, we hebben zeker een afspraakje.'

'Het is geen afspraakje. We zijn gewoon vrienden.'

'Dat mens?'

'Noem haar toch niet altijd "dat mens". Anders zal ik je eens een optater verkopen.'

'Nou, ik vond dat ze er wel lekker uitzag. Als ik jou was, zou ik tegen iedereen zeggen dat ik een afspraakje had.'

'Ja, maar jij bent mij niet, dus hou je mond. Anders vraag ik Chee of hij die jongens nog een keer langs stuurt om die mooie auto van je onder handen te nemen.'

Perry hield op met lachen en trok een boos gezicht. Toen alle dingen met Chee eenmaal waren rechtgezet, hadden zijn jongens de oude roestbak van Perry opgeknapt zoals ze hadden beloofd. Perry was er uitermate trots op en ging graag in de piekfijne klassieker toeren. Een man in een Range Rover had hem er vijfduizend dollar voor geboden.

Perry leunde weer naar voren en boog zich over zijn bureau.

'Ik wil je iets vragen. Serieus.'

'Mis je *Jeopardy!* nu niet?'

'Nee, wacht even. Denk je dat je een toekomst hebt met die vrouw?'

Holman ging terug naar de deur, maar Pollard was er nog steeds niet. Hij keek op het horloge van zijn vader. Hij had het eindelijk laten repareren en nu liep het aardig gelijk. Pollard was laat.

'Moet je luisteren, Perry, het hier en nu is me al moeilijk genoeg. Katherine is een FBI-agent. Ze heeft twee zoontjes. Ze wil niets met een vent zoals ik.'

Na het uitvallen van Cecil had Leeds een vacature op de afdeling Bankovervallen en hij had de baan aan Pollard aangeboden. Een ex-agent laten terugkeren naar zo'n gewilde positie was erg ongebruikelijk, maar Leeds had genoeg invloed om het voor elkaar te krijgen. Pollard zou haar eerdere dienstverband mogen laten meetellen voor haar anciënniteit en uiteindelijke pensioen. Holman vond het een mooi aanbod en spoorde haar aan erop in te gaan.

Perry zei: 'Allemachtig, die nieuwe roosjesshampoo heeft je hersenen zeker verweekt. Die vrouw zou hier niet naartoe komen als ze niets met je wilde.'

Holman besloot op de stoep te gaan wachten. Hij liep naar buiten, maar een halve minuut later verscheen Perry in de deuropening. Holman hief zijn handen ten hemel.

'Alsjeblieft, doe me een lol. Hou erover op.'

'Ik wil je alleen iets vertellen. Jij kent me alleen als die chagrijnige oude man in dat waardeloze motel. Nou, zo ben ik niet altijd geweest. Ik ben ook jong geweest en ik heb kansen en mogelijkheden gehad in mijn leven. Ik heb keuzes gemaakt waardoor ik hier ben beland. Reken maar dat ik het anders zou aanpakken als ik het over moest doen. Denk daar maar eens over na.'

Perry stampte weg naar het verlaten motel.

Holman keek hem met open mond na en hoorde toen een claxon. Hij tuurde de straat in. Pollard was nog een eindje weg, maar ze had hem gezien. Holman stak zijn hand in de lucht en zag Pollard glimlachen.

Holman dacht aan wat Perry had gezegd, maar Perry begreep het niet.

Holman was bang. Katherine Pollard verdiende een goede man. Holman deed zijn uiterste best om beter te worden dan hij ooit in zijn leven was geweest, maar hij had nog een lange weg te gaan. Hij wilde Katherine Pollard verdienen. Hij wilde haar waard zijn. En op een dag zou hij zover zijn.

Dankwoord

Veel mensen hebben geholpen bij de research voor en het schrijven van dit boek en ik wil hun allen dank zeggen.

In het Los Angeles Field Office van de FBI zijn Supervisory Special Agent H. McEachern (baas van de befaamde Bank Squad van het L.A. Field Office) en Special Agent Laura Eimiller (FBI Press and Public Relations) gul geweest met hun tijd en hebben zij met veel geduld mijn vragen beantwoord. Fouten en doelbewuste veranderingen in beschrijvingen en procedures zijn mijn verantwoordelijkheid.

Assistant United States Attorney Garth Hire van het AUSA in Los Angeles is me evenzeer behulpzaam geweest rond kwesties als richtlijnen voor federale veroordelingen en federale detentie. Ze heeft mij bovendien de weg gewezen naar aanvullend materiaal op deze terreinen. Opnieuw zijn de verschillen tussen de werkelijkheid en wat in dit boek staat beschreven mijn verantwoordelijkheid.

Voormalig Special Agent Gerald Petievich van de United States Secret Service heeft mij historische informatie en feiten over de Hollywood Sign en Mount Lee gegeven en mijn kennis van crimineel gedrag doen toenemen.

Christina Ruano heeft me met alle Latijns-Amerikaanse zaken geholpen, van locaties in East L.A. tot de tradities en taal van bendes. Ook verstrekte ze me technische informatie over het kanaal van de rivier de Los Angeles en de bruggen in het centrum.

Ten slotte gaat mijn speciale dank en waardering uit naar mijn redacteur, Marysue Rucci, die mij met inzicht en toewijding heeft geholpen de aangeboren rechtschapenheid van Max Holman te verwerkelijken.

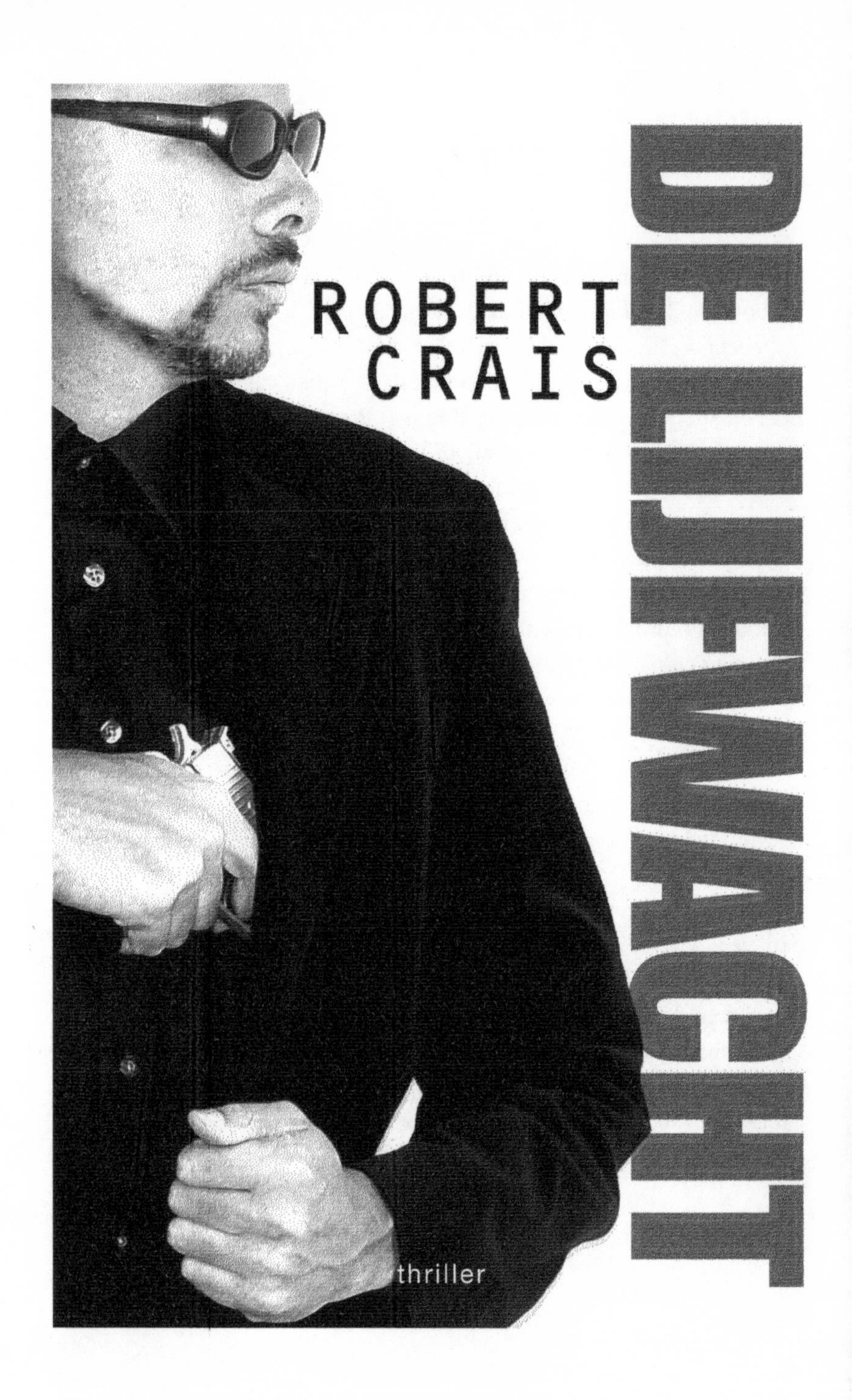
ROBERT
CRAIS
DE LIJFWACHT
thriller

Lees ook van Robert Crais:

De lijfwacht

Eén moment dacht ze de stad voor zichzelf te hebben: Larkin Barkley, 22 jaar, blonde societydochter van een steenrijke vader, scheurde met haar Aston Martin door de nachtelijke straten van L.A. en trok zich niets aan van verkeerslichten of andere weggebruikers. Heel even voelde ze zich helemaal vrij. Die andere auto had ze nooit kunnen zien aankomen.

Toen ze zich achter de airbag vandaan had geworsteld, zag ze de Mercedes en diens passagiers. Ze was op dat moment de verkeerde vrouw op de verkeerde plek. Haar getuigenis van die nacht is essentieel voor het proces dat het Openbaar Ministerie wil voeren tegen enkele drugsbaronnen.

Joe Pike, ex-politieman en ex-marinier, wordt als lijfwacht ingehuurd om Larkin te beschermen. Maar wanneer ze binnen een paar uur op hun nieuwe schuilplaats worden aangevallen, weet Pike dat de andere partij beter geïnformeerd is dan hij. Hij besluit niet af te wachten, maar de jagers zelf op te sporen, daarbij gehinderd door het verwende gedrag van zijn beschermelinge enerzijds en het nietsontziende geweld van drugsbendes en doodseskaders anderzijds.

ISBN 978 90 261 2351 1
288 blz.